W9-CZS-729

Über dieses Buch Der Autor untersucht die verschiedenen Elemente, bildliche und sprachliche, der zentral gelenkten Nazi-Propaganda am Filmschaffen des Dritten Reichs in seinen vielen Ausprägungsformen, an Wochenschauen, Kultur- und Dokumentarfilmen und an Spielfilmen. Den eingehenden Analysen des Autors zufolge ziehen sich durch das gesamte Filmmaterial des Nazi-Regimes immer wiederkehrende Bildsymbole, vor allem die Fahne, aber auch bestimmte Aussagegehalte, mit denen die NS-Ideologie, sonderlich gegen Ende des Krieges, in teils verdeckter, teils offener Form transportiert wurde. Hoffmann arbeitet nicht nur einzelne Elemente und gestalterische Strukturen der NS-Propaganda heraus, sondern will auch die von ihr ausgehende spezifische Faszination, die uns heute weitgehend fremd ist, verständlich machen. In Hoffmanns Darstellung gewinnt eine bedrohliche Propaganda-Maschinerie Gestalt, die sich zum erstenmal in der menschlichen Geschichte eines geballten Instrumentariums an psychologischen und suggestiven Einflußfaktoren bedient und damit zum Vorbild für Propagandafeldzüge totalitärer Regime jeglicher politischer Provenienz wurde. Von daher gesehen ist das vorliegende Buch mehr als eine zeit- und kulturgeschichtliche Analyse: Es hat auch viele aktuelle Bezüge, denn mögen die Inhalte der NS-Propaganda auch der Vergangenheit angehören, die Methoden liegen weiterhin griffbereit und werden auch benutzt, von totalitären Systemen des Ostens wie des Westens.

Der Autor Hilmar Hoffmann, Jg. 1925. Bis 1970 Leiter der Internationalen Westdeutschen Kurzfilmtage in Oberhausen, seit 1970 Kulturdezernent in Frankfurt am Main. Lehrbeauftragter an den Universitäten Bochum, Frankfurt am Main, Marburg und Tel Aviv; Honorarprofessor. Zahlreiche Veröffentlichungen, u. a. »Theorie der Filmmontage«; Fischer Taschenbücher »Kultur für alle« (Nr. 3036) und »Kultur für morgen« (Nr. 3082).

Hilmar Hoffmann

»Und die Fahne führt uns in die Ewigkeit«

Propaganda im NS-Film

Band 1

Originalausgabe
Veröffentlicht in der Fischer Taschenbuch Verlag GmbH,
Frankfurt am Main, November 1988

Lektorat: Willi Köhler
Umschlaggestaltung: Buchholz/Hinsch/Hensinger
Gesamtherstellung: Clausen & Bosse, Leck
Printed in Germany
ISBN 3-596-24404-8

Inhalt

Unsre Fahne flattert uns voran!
Marschlied der Hitlerjugend
Worte von Baldur von Schirach
Musik von Hans-Otto Bergmann
Un - sre Fah - ne flat - tert uns vor - an. In die Zu - kunft ziehn
wir Mann für Mann. Wir mar - schie - ren für Hit - ler durch
Nacht und durch Not mit der Fah - ne der Ju - gend für Frei - heit und Brot
Unsre Fahne flattert uns voran. Unsre Fahne ist die neue Zeit.
Und die Fahne führt uns in die Ewigkeit! Ja, die Fahne ist mehr als der Tod!
Verlag Illustrierter Film-Kurier G. m. b. H., Berlin W 9, Köthener Straße 37.
Für Deutschland Einzelpreis 20 Pf. Kupfertiefdruck August Scherl G. m. b. H.
Berlin SW 68. Für den Inhalt verantwortlich Hermann Weist, Berlin-Mariendorf.

Vorwort

> »Im Vergleich zu den anderen Künsten ist der Film durch seine Eigenschaft, primär auf das Optische und Gefühlsmäßige, also Nichtintellektuelle einzuwirken, massenpsychologisch und propagandistisch von besonders eindringlicher und nachhaltiger Wirkung. Er beeinflußt nicht die Meinung exklusiver Kreise von Kunstkennern, sondern er erfaßt die breiten Massen. Er erzielt damit soziologische Wirkungen, die oft nachhaltiger sein können als die von Schule und Kirche, ja sogar von Buch, Presse und Rundfunk. Es wäre daher auch aus ganz außerkünstlerischen Gründen geradezu frevelhaft und leichtsinnig (und es würde auch keineswegs im Interesse der Filmkunst selbst liegen), wenn ein verantwortungsbewußtes Staatsregiment sich des Führungsanspruchs über dieses wichtige Element begeben würde«[1]

Unter den publizistischen Medien im Dritten Reich war der Film das zweifellos einflußreichste Propaganda-Instrument; es war dasjenige künstlerische Transportmittel, mit dessen Hilfe Hitlers politische Ideen für die breite Masse am anschaulichsten versinnlicht wurden. Gemessen an der emotionalen Überzeugungskraft bewegter Bilder, verfügten Presse und Radio über die geringere Effizienz als Werbeträger für die neue Ideologie und ihre dynamische Verbreitung. Im Kontext Goebbelsscher Propagandastrategien waren sie in einer konzertierten, allgegenwärtigen Indoktrinierungskampagne aber unverzichtbare Koeffizienten, zumal der Film, gemessen an Funk und Tagespresse, nur sekundäre Aktualität besaß.
Vor der Machtergreifung, in der sogenannten Kampfzeit, ehe die Nazis das Medium Film uneingeschränkt ihren Zwecken unterwerfen konnten, war vor allem der Rundfunk ein geschickt genutztes Sprachrohr für die Botschaften des entfesselten Reporters Dr. Goebbels und des neurotischen Rhetors Hitler. Was sie von den meist langweiligen Reden demokratischer Politiker unterschied, waren ihre Durchschlagskraft, ihr visionärer Inhalt, ihr faszinierend pathetischer Ton. Die volksweite Resonanz ihrer demagogischen Sprache kann zugleich als Indiz für die damalige gesellschaftliche Entfremdung gelten. Ihre Aggressivität war vor dem Hintergrund wachsender sozialer und identifikatorischer Probleme der Weimarer Republik etwas völlig Neues; sie signalisierte eine starke ordnende Hand, Veränderung der Vielparteien-Landschaft, Erneuerung des deutschen Machtbewußtseins. In den optimistischen Tönen der neuen Heilsbringer wurde Aufbruch in eine neue Zeit versprochen, der Start ins

Tausendjährige Deutsche Reich, eine machtvolle, sinngebende Zukunft. Die Nationalsozialisten wußten geschickt die Begriffe für diese schönere Zukunft zu besetzen.
Die sechs Millionen Arbeitslosen des Jahres 1932 waren eine nicht nur kalendarische Koinzidenz zur politischen Erosion des Weimarer Staates. Die durch Weltwirtschaftskrise und Radikalisierung im Innern unvermeidbare Konsequenz: Neuwahlen im selben Jahr (am 31. Juli 1932), aus denen die Nazis mit 13,5 Millionen Stimmen als Sieger hervorgingen – Stimmen, die sie nicht nur aus dem Heer der sozial Depravierten, sondern vor allem auch aus dem Lager der deutschnational gesinnten Mittelklasse bezogen. Mit seinem sozialdemagogischen Konzept der als salvatorisch verkündeten Lösung einer künftigen »Volksgemeinschaft«, mit militanten Revancheversprechen gegen Versailles und mit einer Option auf die Wiederherstellung der Ordnung rekrutierte ein brauner Rattenfänger mit einer straffen Organisation seine Massenbewegung. Die artistische Dialektik des Dr. Goebbels war über die viereinviertel Millionen Radio-Lautsprecher im Jahre 1932 unmittelbar ins Ohr des Wahlvolkes gedrungen. Psychologisch versiert hatte er mit sich überschlagender Stimme seinen Führer als neuen Messias der breiten Masse in Gemüt und Herz gehämmert – anstelle eines Programms das gesprochene und das gesungene Wort als Botschaft. »Wenn man sagt, wir hätten kein Programm, so ist doch der Name Hitler Programm genug« (Wilhelm Frick am 19. 2. 1933 in Dresden)[2]. Das Programm der NSDAP konzentrierte sich auf ihre Propaganda, sie war das Programm.
Dieses »Programm« haben die pausenlos inszenierten Massenveranstaltungen und Aufmärsche diktiert, der Rausch der Fahnen, der Rauch der Fackeln und das Echo der Marschlieder samt allem unseligen »Ereignismumpitz«. »Gerade darin liegt die Kunst der Propaganda«, ahnt Weltanschauungsproduzent Adolf Hitler 1924 voraus, »daß sie, die gefühlsmäßige Vorstellungswelt der großen Masse begreifend, in psychologisch richtiger Form den Weg zur Aufmerksamkeit und weiter zum Herzen der breiten Masse findet.«[3]

Unmittelbar nach der Machtergreifung am 30. Januar 1933 bemächtigte sich das neu geschaffene Ministerium für Volksaufklärung und Propaganda des Mediums Film, das mit der Gründung der Reichsfilmkammer am 22. September 1933 unter die totale Kontrolle der NSDAP gebracht wurde. So entstand schon im ersten Produktionsjahr eine Art Märtyrer-Trilogie mit den Partei-Filmen *»SA-Mann Brand«* (1933), *»Hitlerjunge Quex«* (1933) und *»Hans Westmar«* (1933). Sie sollten den unbekannten ermordeten SA-Mann sowie die gemeuchelten Naziheroen Herbert Norkus und Horst Wessel zum Vorbild stilisieren.
Noch im selben Jahr erkannte Goebbels jedoch, wie psychologisch kon-

traproduktiv es auf Dauer sein würde, die braunen Uniformen nicht nur unentwegt auf der Straße, sondern auch noch über die Leinwand marschieren zu lassen. »Was wir wollen, ist mehr als dramatisiertes Parteiprogramm. Uns schwebt als Ideal vor eine tiefe Vermählung des Geistes der heroischen Lebensauffassung mit den ewigen Gesetzen der Kunst«, sagt Goebbels 1933.[4] So wurden der uniformierte Nazi ebenso wie die Hakenkreuzfahne und der obligate Hitlergruß von der Leinwand weitgehend suspendiert, jedenfalls bis Kriegsbeginn. Ab dieser Zeit hat der Staat für die Spielfilme wieder »ihre willens- und erziehungsmäßige Tendenz festgelegt« (Goebbels in einer Rede am 12. Oktober 1941).
Die Massensuggestion mit Hilfe des Kinos wurde damit jedoch keineswegs aufgegeben; die direkte Indoktrination wurde vielmehr vom Erzählfilm auf den Dokumentarfilm und die Wochenschau verlagert. Sie waren nach den späteren Ausführungsbestimmungen zum Reichs-Lichtspielgesetz vom 16. Februar 1934 jedem Spielfilm als »Beiprogramm« vorzuschalten. In der klaren Differenzierung der propagandistischen Funktion nach Film-Genres zeigt sich die erstaunliche Sensibilität der Nazis im Umgang mit der Massenwirksamkeit. Denn auch der Spielfilm als populistische Unterhaltungsquelle ist zu keiner Zeit gänzlich unpolitisch geworden: Wie viele Ufa-Produkte machte er spannende Unterhaltung zum großen Kunsterlebnis, um in finsterer Zeit heile Welt vorzutäuschen. »Auch Unterhaltung kann zuweilen die Aufgabe haben, ein Volk für seinen Lebenskampf auszustatten, ihm die in dem dramatischen Geschehen des Tages notwendige Erbauung, Unterhaltung und Entspannung zu geben« (Joseph Goebbels vor der Reichsfilmkammer in Berlin am 15. Februar 1941). Außer dieser wichtigen Ablenkungsfunktion sollte der Unterhaltungsfilm bestimmte aktuelle Themen scheinneutral, ohne störende Schaftstiefel und verräterisches Vokabular, um so wirkungsvoller unter das Volk streuen. Als klassisches Beispiel dafür gilt der Tobis-Film *»Ich klage an«* (1941) von Wolfgang Liebeneiner. Damals beliebte und Vertrauen schaffende Schauspieler wie Heidemarie Hatheyer, Paul Hartmann, Mathias Wieman, Harald Paulsen sollten helfen, die zu dieser Zeit bereits praktizierte Euthanasie populär zu machen.

Goebbels hielt aber auch die filmische Historienmalerei mit Figuren wie dem identitätstiftenden Alten Fritz für ein probates Mittel, etwas von der Genialität des Preußen als Führer der Nation und siegreicher Feldherr zur Folie für die Hitler-Verehrung zu machen und diesen zum legitimen Erben preußischer Tugend und Tradition zu stilisieren.
Fridericus-Filme wie *»Der alte und der junge König«* (1930) von Hans Steinhoff oder *»Der große König«* (1942) von Veit Harlan sollten ja weniger die Wiedergeburt Preußens als vielmehr dessen nationalsozialistische Erneuerung betreiben. Vor insgesamt 18,6 Millionen begeisterten Besu-

chern wurden die großen Worte des Großen Königs von Otto Gebühr so deklamiert, als rezitiere er aus dem vollmundigen Repertoire des Führers. Aus den Niederlagen des Alten Fritz wie jener bei Kunersdorf sollte angesichts von Stalingrad vorgespielt werden, wie metaphysischer Trost in Siegeszuversicht und eiserner Wille in Sieg kulminieren können, wenn nur alle fest an den Führer glauben!

Der Dokumentarfilm im Dritten Reich hat gehalten, was die nationalsozialistische Propaganda sich von der Virulenz seiner Botschaft versprochen hatte. Um diese Vermittlungseffektivität zu erreichen, mußten die neuen Auftraggeber die alte Ufa-Dramaturgie, die in betulichen Kulturfilmen mit epischen Bildern schwelgte, durch eine neue ersetzen.

1933 schuf Leni Riefenstahl mit ihrem einstündigen Parteitagsfilm *»Sieg des Glaubens«* (1933) auf Anhieb eine neue Kategorie der Ästhetik: die fürderhin gültige Ästhetik des faschistischen Films. An den von ihr gesetzten Maßstäben sollte sich künftig alle Kunst orientieren können; die ästhetischen Strukturprinzipien repräsentieren das straffe Ordnungsprinzip der Partei und den rigiden NS-Gesinnungskanon im Dokumentarfilm. Dessen Legitimationsmuster lautet: Nur was der Partei nützt, darf der Film thematisieren. Wie das Ordnungsprinzip mit totalitärer Energie zu erfüllen war, dafür hat Leni Riefenstahl mit ihren Parteitagsfilmen eine ästhetische Folie für alle Filmleute geliefert. Der von ihr ausgehende allgemeine Stilwandel im NS-Dokumentarfilm ist ihre schöpferische Leistung; sie hat exemplarisch vorgeführt, wie die individuelle »physiologische Identität hinter einer technisch aufgewerteten Anziehungskraft verschwindet«[5], wie der einzelne als Element der Masse verdinglicht wird und darin als anonymer Teil des höheren Ganzen aufgeht. »Das Individuum ist abgestreift und geht in die Glaubensgemeinschaft auf«[6], die in Riefenstahls Filmen ständig in Bewegung gehalten wird. Die Vergötzung der puren Bewegung hat NS-Begriffe in Figurationen und diese in Dynamik zu verwandeln. Die Riefenstahlsche Ästhetik leugnet dabei ausdrücklich jeden sozialen Bezug.

Auch wenn nur die wenigsten Regisseure die hohe ästhetische Qualität und strenge Bildkomposition der Riefenstahl-Produkte erreichen, so gelingt ihnen doch mit mehr oder weniger trivialisierter Inhaltsästhetik eine Apotheose der nationalsozialistischen Idee – zumindest im Sinnbild der Hakenkreuzfahne.

Wie die Nationalsozialisten allgemein, so hat auch Leni Riefenstahl die Hakenkreuzfahne zu ihrem Leitmotiv erklärt. Sie ist in ihren Filmen allgegenwärtig; sie läßt sie als omnipräsenten Stellvertreter des Führers unablässig in unser Bewußtsein flattern. Die Fahne signalisiert das Parteiprogramm; sie ist das optische Komprimat nationalsozialistischer Ideologie. Die Fahne »ist die neue Zeit«, das Tausendjährige Reich. Der Mythos der Fahne ersetzt die Utopie. Die Fahne ist *das* Symbol schlechthin

und durch kein anderes zu ersetzen. »Ja, die Fahne ist mehr als der Tod«, heißt es im Marschlied der Hitlerjugend antizipatorisch.
Aber nicht nur Leni Riefenstahl tyrannisiert mit der Fahne. In über neunzig Prozent der Dokumentarfilme figuriert die Fahne als ikonenhaftes mit hohem moralischen Wert aufgeladenes Zeichen. Entweder wird sie dem Zuschauer zur Einstimmung in einen Film präsentiert oder sie bläht sich gegen Filmende mit narkotisierender Wirkung zur Schlußapotheose. Damit niemand vergißt, wo der Dokumentarfilm gerade Land gewinnt, fungiert die Fahne auch als flatternder trigonometrischer Punkt.
Welche ideologische, emotionale und moralische Bedeutung die Fahne im Dritten Reich tatsächlich besaß, soll im ersten Teil des Buches untersucht werden. War sie ein bunter Fetisch für die Massen, der den Nazismus im tiefsten Unterbewußtsein verankern sollte? War sie eine »psychische Infektion«, wie Freud in seiner Massenpsychologie formulierte? Eine obligate Bildfloskel, gedacht auch als Option auf den nächsten Filmauftrag, den ehrgeizige Regisseure suchten? Ein optischer Weihrauch, eine Art Lebenselexier, ein magisches Mittel, um Held zu werden, um Mut zu fassen, Vertrauen zu haben? Die Fahne war all dies und mehr: Sie war ein Mythos, für den man sterben ging.
»Die Fahne führt uns in die Ewigkeit«: In dem amerikanischen Filmtitel *»Verdammt in alle Ewigkeit«* von Fred Zinnemann (1953) wird die Ewigkeit mit brutaler Realistik als menschenverachtender Militarismus entidealisiert, als Hölle auf Erden, wie sie im Dritten Reich viele noch viel schlimmer erlitten haben.
Mit der Darstellung der Mythen, denen man sich zugehörig fühle, habe man an ihnen teil, meint Elias Canetti. Bei Hitler ging dies bis zum bitteren Ende. Mit Hilfe von Propagandaträgern wie der Fahne hatte das mythische Bewußtsein schon früh die »Massen« ergriffen und den Weg vorgezeichnet, der schließlich ein ganzes Volk und viele Völker in die Katastrophe führte.
Dieses Buch beschränkt sich auf das Genre des Dokumentarfilms im sogenannten Dritten Reich. Über nationalsozialistische Spielfilme sind bereits eine ganze Reihe von Anthologien verfaßt worden, darunter wichtige wie »Geschichte des Films im Dritten Reich« (1975) von Coutarde/Cadars[7], Gerd Albrechts »Nationalsozialistische Filmpolitik« (1969)[8], Erwin Leisers »Deutschland erwache!« (1968)[9] oder Boguslaw Drewniaks »Der deutsche Film 1938–1945« (1987); bis heute fehlt aber eine monografische Darstellung des Dokumentarfilms im Funktionszusammenhang mit einem anderen dokumentarischen Medium, der Wochenschau. Das Buch möchte diese Lücke schließen helfen und damit gleichzeitig einen Beitrag zur Rezeptionsgeschichte des Genres liefern.
Der vorliegende erste Band, der einen Überblick über Thematik, Ästhetik und Entwicklung des Dokumentarfilms und der Wochenschau im Na-

zireich gibt, wird ergänzt durch zwei weitere, in Vorbereitung befindliche Teile, die in Einzelanalysen das dokumentarische Filmschaffen der Zeit von 1933 bis 1945 erfassen. Die drei Bände sind so strukturiert, daß die Geschichte des Dritten Reiches und Anatomie und Physiognomie des nationalsozialistischen Geistes anhand von Dokumentarfilmen und Wochenschauen aus der Zeit ableitbar werden. Aus diesem Grunde wurden auch einige Filmtitel einbezogen, die damals kaum viel Aufhebens gemacht haben, im Kontext einer Analyse des Dritten Reiches aber wichtige Details beisteuern können. Sie sind integraler Teil einer dokumentarischen Filmlandschaft vor dem Hintergrund ihrer Produktionsbedingungen in einer Diktatur, in der die Realität neu zusammengesetzt und auf jene *eine* Wahrheit hin eingeschworen wurde, die der Führer aufs Panier geschrieben hatte. Wenn der Künstler sein wichtigstes Kriterium, die Wahrheit, aus Opportunität, Angst oder Fanatismus opfert, hat er sich bereits selbst aufgegeben. Auch dieser ethische Aspekt der Filmkunst wird thematisiert.

Für dieses Buch und die beiden folgenden Bände habe ich mir über 300 Dokumentarfilme und Wochenschauen angesehen und davon mehr als die Hälfte in Band II (1928–1939) und Band III (1939–1945) ausführlicher analysiert. Für die Beschaffung der Filmkopien gilt mein herzlicher Dank dem Bundes-Archiv in Koblenz und hier besonders Peter Bucher sowie Anneliese Hoffmann-Thielen vom Versand. Ich bin auch Enno Patalas vom Filmmuseum München sowie Dorothea Gebauer vom Deutschen Institut für Filmkunde für das Ausleihen von Kopien zu Dank verpflichtet. Außerdem danke ich Wolfgang Klaue vom Staatlichen Filmarchiv der DDR, Jiři Purš vom Československý Film in Prag, Tom Johnson vom Frankfurter America House, der Library of Congress in Washington sowie der Film-Library des Museums of Modern Arts in New York für die Beschaffung von Kopien, die in den Archiven der Bundesrepublik nicht zur Verfügung stehen. Mein ganz besonderer Dank gilt dem Direktor des Deutschen Filmmuseums, Walter Schobert, und von der Kopienverwaltung Rainer Schang für die selbstverständliche Hilfe bei der häufigen Heimsuchung des Schneideraums auch an Wochenenden. Danken möchte ich den Kollegen Gerd Albrecht und Eberhard Spieß vom Deutschen Institut für Filmkunde Frankfurt am Main für Rat und Tat, besonders für die allezeit prompte Hilfe bei der Beschaffung von Dokumentationsmaterialien; für entsprechende Hinweise sei auch Alain Lance gedankt. Die Mühen von Monika Zehe und Andrea Wölbing bei der bibliografischen Komplettierung dürfen ebenfalls nicht ohne Dank bleiben. Meinen Freunden Joachim Gaertner, Willi Köhler und Dieter Kramer möchte ich für die kritische Durchsicht meines Manuskriptes danken und Gudrun Hasselbacher, Anita Jantzer, Edeltraud Kunze und Elke Ringel für die Reinschrift des Textes.

Die Texte fußen zum Teil auf Vorlesungen und Seminaren, die ich in den Jahren 1985, 1986 und 1987 am Kunstwissenschaftlichen Institut der Philipps-Universität Marburg und an der Fakultät der Schönen Künste der Universität Tel Aviv gehalten habe.

I. Symbolwert von Fahnen und Standarten

»Viele müssen heute einsehen, daß, wenn die Fahne fällt, auch der Träger fällt. – Wer die Zeit nicht rechtzeitig erkannt hat, hat weder ein politisches noch kulturelles und moralisches Recht, eine andere Fahne zu hissen. Allgemeiner Mangel an Mut, Zivilcourage und Bekenntniseifer kennzeichnet den Film. Wasch' mir den Pelz, aber mach' mich nicht naß, sagen seine Produktionskreise und beruhigen sich damit, eine neue Fahne zu hissen. Möglichst mit einer kleinen Gösch aus der alten Zeit. Das ist für immer begraben, jener geistige Liberalismus, der in Wahrheit Anarchie des Geistes bedeutet. Die Einwände sind dumm, naiv und unlogisch, die behaupten, alle Kunst sei tendenzlos«

(Joseph Goebbels am 28. März 1933).[1]

1. Die Fahne als Symbol

»Fahnen sind sichtbar gemachter Wind«, schreibt Elias Canetti in *Masse und Macht*[2] und faßt damit die zwei wesentlichen Charakteristika von Fahnen zusammen: die exponierte Stellung der Fahne, die hoch über den Köpfen der Menschen weithin sichtbar im Wind flattert, und die für sie konstitutive Beziehung zwischen Material – gleich, ob Stoff oder, bei der Wetterfahne, Metall – und Immateriellem und damit ihre Eignung als Ausdruck von etwas übergreifend Abstraktem – als Symbol.

Doch ursprünglich dürfte die Bedeutung der Fahne – eine Kulturgeschichte der Fahnen, Flaggen und Standarten ist noch nicht geschrieben – durchaus konkret gewesen sein. Wenn (in einer mittelalterlichen Quelle) davon die Rede ist, daß die Fahne geeignet sei, den eigenen »Haufen von dem feindlichen zu unterscheiden«,[3] dann wird deutlich, daß für die Soldaten des Mittelalters (und wohl auch der Antike und der frühen Neuzeit) die Fahne nicht nur Herrschafts- und Treuesymbol, sondern – in Armeen ohne Uniform – zunächst ganz einfach Feldzeichen und Erkennungssignal war. Als Signal und Sammelpunkt im Kampf Haufe gegen Haufe, Mann gegen Mann verhieß die Fahne also ganz konkret Schutz für den einzelnen im eigenen geordneten Verband, letztlich das Überleben. Sank die Standarte des eigenen Heeres, so brach das Chaos aus, die Soldaten irrten ziel- und hilflos umher und rannten in die Waffen der Feinde. Nachzuvollziehen ist die lebenswichtige Bedeutung der Fahne in der Kriegsführung in Albrecht Altdorfers Kolossalgemälde »Alexanderschlacht« aus dem Jahre 1529: In diesem Panoptikum antiken Schlachtengetümmels sind die verschiedenen Kampfverbände so ineinander verkeilt, daß die unterschiedlichen Heeresstandarten einziger Orientierungspunkt für den Betrachter sind.

In welchem Lebensbereich Fahnen zuerst benutzt wurden, dürfte nicht mehr zu klären sein. Überliefert ist die prunkvolle Verleihungszeremonie der ersten Fahne anläßlich der Krönung Karls des Großen zum Kaiser in Rom. Die Fahne, die Papst Leo III. im Jahre 800 dem weltlichen Oberhaupt der römisch-katholischen Christenheit als Insignie der neuen Macht verlieh – war eine rote. Die Funktion der Fahnen dürfte jedoch in der Kriegführung, in der Schiffahrt und im religiösen Kult vor allem Erkennungszeichen und Unterscheidungsmerkmal gewesen sein. In den zweihundert Jahre währenden Kreuzzügen waren die Fahnen Legion: Sie machten den eigenen Rittern auf fremder Erde Mut, den Einheimischen jagte ihre Invasion Schrecken ein.
Auf den Weltmeeren ist die Fahne als weithin zu sehendes Erkennungssignal nicht erst seit der christlichen Seefahrt bekannt, sondern bereits die Wikinger bedienten sich ihrer auf ihren Fahrten. Mit dem Rabenvogel ihrer Kriegs- und Totengottheit Odin im Banner machten die Wikinger die Weltmeere unsicher. Die Kriegsflotte von Wilhelm dem Eroberer aus der Normandie nahm 1066 mit martialischen Emblemen auf ihren Topmast-Flaggen Kurs auf Sussex in England und schlug bei Hastings die Truppen des Thronfolgers Harold II. Wilhelms in Rom geweihte schöne Kreuz-Fahnen überliefert der 70 Meter lange friesartige Teppich von Bayeux als kulturgeschichtlich bedeutsames Dokument aus jener Zeit.
Auch Richard Wagner kannte die Signalfunktion von Schiffsflaggen: In seinem im Mittelalter angesiedelten Musikdrama »Tristan und Isolde« (1865) verweist im stimmungsvollen Bariton Tristans Waffenmeister Kurwenal darauf, wenn er (I. Akt, 4. Aufzug) auf irischer See der Königstochter Isolde die Kunde von der nahen Landung an »Kornwalls grünem Strande« gibt:

> »Vom Mast der Freude Flagge,
> sie wehe lustig ins Land;
> in Markes Königsschlosse
> mach'sie ihr Nahn bekannt«.[4]

Ebenso wie in der Schlacht Mann gegen Mann verheißt die Fahne den Schiffen in ihrem Kampf mit der Natur Hoffnung auf Rettung aus gefährlicher Lage. Doch nicht diese Glücksverheißung ist für die Fahnensymbolik bezeichnend; vielmehr bedeutet umgekehrt ein Verlust der Fahne oder ein Aus-den-Augen-Verlieren oder Nicht-Wahrnehmen der Fahne des eigenen Verbandes unausweichlich das Ende, den Tod. Die *Einigkeit* unter einer Fahne besteht also immer nur so lange, wie bei einem Abfall von der Fahne *Gefahr* droht. Diese *negative* Bedeutung macht die Fahne zum Mittel der Repression innerhalb der eigenen Reihen, und nicht zum

Hoffnungsträger, als den sie jede machtstaatliche Propaganda erscheinen läßt. So wird ihr Flattern zum Sinnbild der Lebendigkeit inmitten einer von allgegenwärtiger Todesdrohung gekennzeichneten Gefahr, also zum perfekten Disziplinierungsmittel der Massen. Diese Dialektik von Glücksverheißung und Existenzbedrohung rückt die Fahne in den Bereich des Religiösen – eine Implikation, die den Gebrauch von Fahnen im religiösen Kult verständlich macht: Sei es die dreifache Osterfahne des auferstandenen Christus, seien es die vielfarbigen Gebetsfahnen eines tibetischen Klosters oder die magischen Wimpel der Indianer – immer bedeutet die Fahne zugleich Verbindung mit dem Numinosen und der Verdammnis für diejenigen, die »Gott nicht fürchten«.
Das eingangs im Zusammenhang mit Elias Canettis Definition der Fahne skizzierte Symbol ist nicht identisch mit der magischen Wirkung der Fahne im religiösen Kult. Denn als kultischer Verehrungsgegenstand war die Fahne für die Gläubigen unmittelbar von Gott beseelt, also selbst göttlich. Erst mit der Säkularisierung im Zuge der Aufklärung wird die Fahne zum Symbol. Religiöse Transzendenz wird ersetzt durch innerweltliche abstrakte Werte, welche die Funktion der Sinngebung übernehmen. Künstlerischer Ausdruck dafür ist Eugéne Delacroix' berühmtes Gemälde »Die Freiheit führt das Volk an«, in dem die Allegorie der Revolution – eine Frau mit entblößter Brust, die Trikolore und einen Vorderlader in den Händen – die kämpfenden Männer auf dem Schauplatz der Geschichte anführt. Nicht mehr ein Soldat also, sondern eine abstrakte Allegorie trägt die Fahne und hebt so die Bedeutung der Szene über die konkrete Schlachtsituation hinaus auf die Ebene übergeordneter Werte.
Freilich hatte die Wandlung der Fahne vom konkreten Orientierungspunkt zum Symbol für die Revolution auch instrumentelle Gründe: Seit der technischen Revolution des 19. Jahrhunderts besteht Krieg kaum noch aus Zweikämpfen einzelner Soldaten, sondern wird von mechanischen Waffen bestimmt, die über große Entfernungen Tod und Vernichtung bringen. Im Augenblick des Sterbens oder Tötens sieht der Soldat nicht mehr das Weiße im Auge des Gegners, sondern das Mündungsfeuer einer Waffe. Der einzige Kontakt zwischen den Kämpfenden vollzieht sich über den Zielmechanismus des Geschützes. In einem solchen Krieg ist die Fahne als konkretes Zeichen hinfällig. Paul Virilio hat den modernen Krieg als »Lichtkrieg« bezeichnet, als ein maschinell gesteuertes Szenario, in dem das Erkennen des Ziels, die »Aufklärung«, wichtiger ist als die eigentliche Waffenstärke, das heißt, kriegsentscheidend sind primär die Wahrnehmung und Aufklärung und nur sekundär die Waffen. In einer solchen Kriegssituation geht es auch nicht mehr darum, den Gegenstand der Wahrnehmung, die emporgestreckte Fahne des mittelalterlichen Krieges, auszuschalten, sondern die Wahrnehmung selbst. Apo-

theose dieses Krieges ist der Atomblitz, in dem die Waffe und der Lichtblitz als Blendung und Vernichtung des Feindes eins sind – zugleich Vollendung und Konsequenz der Idee des »Blitzkrieges«, eine Götterdämmerung, die Zombies und Mutanten gebiert. In diesem Szenario des 20. Jahrhunderts hat die Fahne als konkrete Schutzverheißung keinen Platz mehr – im Gegenteil: Wo das Zentrum des Heeres liegt, das »Flaggschiff«, ist die Vernichtung am sichersten. So erscheint im modernen Krieg die Fahnen-Flucht als die eigentliche, einzige Rettungsmöglichkeit. »Es gibt keinen Sieg. Es gibt nur Fahnen und Männer, die fallen«, heißt es in Jean-Luc Godards *»Les Carabiniers«* (1963). Dennoch – abgedankt haben der Mythos vom Sieg und die Fahne als sein Symbol auch heute noch nicht. Als Symbol für die Nation ist sie weiterhin Gegenstand eines Tabubereichs. Ihre Beleidigung steht unter schwerer Strafe, im Falle der Staatstrauer weht sie auf Halbmast, bei Staatsbegräbnissen wird die Fahne über den Sarg gebreitet, um den Toten in die unsterbliche Gemeinschaft der Nation aufzunehmen – eine Symbolik, die, wie kaum ein anderes Zeichen, in allen Ländern der Welt verstanden wird. In Paolo und Vittorio Tavianis Film *»Padre Padrone«* (1976/1977) muß der Held Gavino Ledda lernen: »Den Namen deiner Fahne mußt du besser kennen als den deiner Mutter«. Auch in dem Roman *»Die Katakomben von Odessa«* des Sowjetrussen Vladimir Katajev, der den Abwehrkampf ukrainischer Partisanen gegen die deutsche Besatzungsarmee beschreibt, enthält eine zentrale Szene die Fahnensymbolik: Ein junger Pionier begräbt im Sterben die rote Fahne unter sich, die, von seinem Blut getränkt, von den befreiten Einwohnern Odessas später als Zeichen des Sieges geschwenkt wird: verzweifelter Versuch einer Sinngebung des sogenannten »Heldentods«, in einer von religiöser Transzendenz gesäuberten Welt, in der das »Höhere«, die Nation, im Zeichen der Fahne absoluten Gehorsam fordert.

So erhält das eingangs zitierte Wort Elias Canettis einen numinos-magischen Aspekt, den der Autor im weiteren mit der imperialistisch-militärischen Funktion zu verbinden weiß: Die Fahnen »sind wie abgeschnittene Stücke von Wolken, näher und bunter, festgehalten von gleichbleibender Form. Wirklich fallen sie auf in ihrer Bewegung. Die Völker, als vermöchten sie den Wind aufzuteilen, bedienen sich seiner, um die Luft über sich als die ihre zu bezeichnen«.

»Ich verspreche, daß wir unsere Fahne, unsere Idee hochhalten und mit ihr ins Grab gehen werden. Unzählige Blutzeugen sind im Geiste bei uns.«[5]

Adolf Hitler

2. Farben und ihre ideologische Bedeutung

Fahnen können Revolution ebenso bedeuten wie Unterwerfung, Totalitarismus oder fröhliche Ausgelassenheit, Gebete und Totentrauer. Fahnen tragen – so einfach wie folgenreich – Bedeutungen, um die in der Geschichte hart gekämpft und sogar Kriege geführt worden sind.
Doch zunächst sind Fahnen inhaltlich neutral (kein weißer Fleck allerdings, denn weiße Fahnen bedeuten ja auch etwas Bestimmtes); was auf Fahnen abgebildet ist, kann auch ganz einfach funktional sein: Die differenzierte Semantik verschiedener Flaggenformen und -farben in der Nautik füllt ganze Lehrbücher für angehende Kapitäne und Steuerleute.
Den Begriff »Flagge« bzw. »flaggen« führten die Seeleute zu Beginn der Neuzeit als Fachbegriff ein, um sich von anderen Verwendungen der Fahne abzugrenzen, zuerst in England seit 1480, im deutschen Gewaltbereich seit 1732, als die Lotsen an der Ostsee das Flaggensignal als »flaggen« bezeichneten.
Die differenzierte, die Eventualitäten der Situation berücksichtigende Kommunikation zwischen mehreren Schiffen bzw. zwischen Schiff und Küste machte nach und nach die Ausbildung einer ausgeklügelten Flaggen-»Sprache« notwendig, um die Sicherheit auf den Gewässern zu gewährleisten.
Brisant waren und sind die Inhalte von Fahnen, sobald es sich um Zeichen politischer Ideologie und Macht handelt. Die ersten Urkunden über deutsches Flaggenrecht und Flaggenführung sind aus dem 18. Jahrhundert überliefert. Die Schiffe der deutschen Vielstaaterei hatten die Fahne ihrer jeweiligen Landesherren über die Toppen geflaggt; ab 1848 wehte die schwarzrotgoldene Fahne von den deutschen Schiffen. Sie wurde jedoch nicht auf allen Meeren als Hoheitszeichen anerkannt, ja die Briten verkündeten in einer Verbalnote, daß Schiffe des deutschen Bundes, die ohne Hoheitszeichen ihres (Einzel-)Staates in britischen Gewässern aufkreuzten, wie Seeräuber behandelt würden.
Die Einigung der deutschen Kleinstaaten zum Nationalstaat manifestierte und symbolisierte sich für den deutschen Freiheitsdichter Ferdinand Freiligrath in seinen »Flottenträumen« im Wetterleuchten schwarzrotgoldener Farben über den Weltmeeren:

»Schwarz, Rot und Gold! Frei weht ihr auf den Stangen
Und Masten jetzo, gürtend rings das Land!
In Tausend Wimpeln, einst verpöntes Band,
Hat sich der Ozean selber umgehangen.«[6]

Eine einheitliche Fahne für alle Bundesstaaten gab es erst ab 1866: Das Schwarz-Weiß-Rot laut Verfügung von Bismarck, weil in dieser Zusammenstellung »nicht nur das preußische Schwarz-Weiß, sondern auch das Weiß-Rot der Hanseaten und Holsteiner, also der stärksten außerpreußischen Schiffszahl vertreten war«[7]:

»Stolz weht die Flagge schwarz-weiß-rot
an unsres Schiffes Mast.
Dem Feind sie weht, der sie bedroht,
der diese Farben haßt.
Sie flattert an des Schiffes Rand
im Winde hin und her
und weit vom teuren Vaterland
auf sturmbewegtem Meer.
Ihr woll'n wir treu ergeben sein,
getreu bis in den Tod.
Ihr woll'n wir unser Leben weih'n,
der Flagge schwarz-weiß-rot.«

Seit 1828 toppten die Schiffe der Österreich-Ungarischen (Binnenland-)-Monarchie die rot-weiß-rote Flagge am Mast, mit der offenen Krone als königlichem Emblem.
Welch ungeheure Wirkung schwarz-weiß-roten Fahnen allein auf die Deutschen im Ausland zugeschrieben wurde, schildert Gustav Freytag 1840 verklärend in den »Grenzboten«: »Über der ganzen bewohnten Erde (schwenkten) die Männer deutscher Abstammung, harte kühle Geschäftsleute, jauchzend die Hüte und umarmten einander mit tränenden Augen, weil diese Farben über ihren Häuptern aufgezogen wurden, um sie zu erlösen von der alten Unfreiheit, Vereinsamung, Schutzlosigkeit und ihnen in der Fremde eine gemeinsame Heimat zu geben und den höchsten und wertvollsten Männerstolz auf das entfernte deutsche Vaterland.«[8]
Anläßlich des Wartburgfestes von 1817 überzog Heinrich Heine dagegen das laute Bekennertum deutschtümelnder Burschenschaften und ihren Traum von der nationalen Einheit unter den schwarz-rot-goldenen Farben mit beißendem Spott: »Während auf dem Wartburgfest die Vergangenheit ihren obskuren Rabengesang krächzte, wurde auf dem Hambacher Schloßberg von der modernen Zeit ein Sonnenaufgangslied gesungen und mit der ganzen Menschheit Brüderschaft getrunken.«[9]

Zwei Wochen, nachdem in Frankreich die Republik ausgerufen und der König verjagt worden war, ernannte die Frankfurter Nationalversammlung am 9. März 1848 »die Farben des ehemaligen deutschen Reichspaniers Schwarz-Rot-Gold« zur Trikolore des Deutschen Bundes. »Pulver ist schwarz, Blut ist rot, golden flackert die Flamme«, schwärmte revolutionstrunken der Komponist Robert Schumann, und in der Londoner Emigration dichtete Ferdinand Freiligrath Martialisches über »Die Farben der Revolution«:

»Ha, wie das blitzt und rauscht und rollt!
Hurra, du Schwarz, du Rot, du Gold!
Das ist das alte Reichspanier,
Das sind die alten Farben!
Darunter hau'n und holen wir
Uns bald wohl junge Narben!
Denn erst der Anfang ist gemacht
Noch steht bevor die letzte Schlacht!«[10]

Das nach Golo Mann gebildetste Parlament, das es je auf Erden gab, die Paulskirchen-Versammlung, verkündete am 12. November 1848 im *Reichsgesetzblatt*: »Die deutsche Kriegsflagge besteht aus drei gleich breiten, horizontal laufenden Streifen, oben schwarz, in der Mitte rot, unten gelb. In der linken oberen Ecke trägt sie das Reichswappen in einem viereckigen Felde ... Das Reichswappen zeigt im goldenen Felde den doppelten schwarzen Adler mit abgewendeten Köpfen, aus geschlagenen roten Zungen und goldenen Schnäbeln und desgleichen offenen Fängen.«[11]
Mit der »unvollendeten deutschen Revolution«, deren Symbol die Paulskirche ist, verblaßte auch der Nimbus des Schwarz-Rot-Gold. Der damalige junge Abgeordnete Otto von Bismarck distanzierte sich im Erfurter Parlament von 1850 eilends von den Farben und deren Symbolgehalt; die Farben Schwarz-Rot-Gold seien nie die des Reiches gewesen, sondern des Aufruhrs und der Barrikaden. In seinen »Gedanken und Erinnerungen«[12] zitiert Bismarck als Hinweis auf ihn selbst ein assonantes Gedicht, das im März 1848 beim Rückzug der Truppe aus Berlin entstanden ist:

»Das waren Preußen, Schwarz und Weiß die Farben,
So schwebt die Fahne einmal noch voran,
Als für den König seine Treuen starben,
Für ihren König jubelnd Mann für Mann.
Wir sahen ohne Zagen
Fort die Gefallenen tragen,
Da schnitt ein Ruf ins treue Herz hinein,
Ihr sollt nicht Preußen mehr, sollt Deutsche sein.

Schwarz, Rot und Gold glüht nun im Sonnenlichte,
Der schwarze Adler sinkt herab entweiht;
Hier endet, Zollern, Deines Ruhms Geschichte,
Hier fiel ein König, aber nicht im Streit.
Wir sehen nicht mehr gerne
Nach dem gefall'nen Sterne.
Was Du hier tatest, Fürst, wird Dich gereu'n,
So treu wird keiner, wie die Preußen sein.«[13]

Am Beispiel der schwarz-rot-goldenen Fahne, deren Schicksal eng mit dem Scheitern der demokratischen Verfassung der Frankfurter Nationalversammlung verknüpft ist, wird deutlich, welche Symbolkraft die deutschen Flaggen bereits lange vor Hitlers todbringendem Fahnen-Fetischismus besaßen.
Am 9. Dezember 1866 hatte Otto von Bismarck dekretiert: »Die Kauffahrteischiffe sämtlicher Bundesstaaten führen dieselbe Flagge: Schwarz-Weiß-Rot.« Erst ein Jahr später begründete er die einsam getroffene Farbenwahl: »Als wir Preußen wurden, haben wir Schwarz-weiß genommen, und aus der Kombinierung beider (mit weiß-rot der Hanse-Städte) ist dann das jetzige Schwarz-Weiß-Rot entstanden. Erst nachdem ich dem alten Kaiser Wilhelm dies auseinandergesetzt hatte, hat er die Annahme der neuen Farben erträglich gefunden.«[14] Die neue schwarz-weiß-rote Kriegsflagge des Norddeutschen Bundes vereinigte das von Friedrich Schinkel entworfene Eiserne Kreuz der Befreiungskriege und die preußische Soldatentradition. Die legendäre Lützowsche Freischar, Teil der preußischen Armee, hatte den Gedanken einer »wehrhaften Einigung Deutschlands« geboren.
Das Gezänk um die traditionsverhafteten Staatssymbole hatte nicht nur lächerliche Intrigen zur Folge, sondern nahm auch groteske Formen an, die von vaterländischer Gesinnungshuberei über burschenschaftsherrliches Vereinsmeiertum bis zu staats- und hoheitsrechtlichen Kontroversen reichten. Ein befriedigendes Ergebnis kam dabei nicht heraus. In Paul Wentzckes quellenreichem Buch über *Die deutschen Farben* (1955) sind allein diesem Flaggenstreit vom Ende des 19. bis zu Beginn des 20. Jahrhunderts über 60 Seiten gewidmet. Sie erhellen die permanenten Konflikte zwischen Symbolik und Realität und lassen das Ausmaß der Ressentiments erkennen, mit dem die deutsche Flaggengenealogie befrachtet war. Hitlers neue Hakenkreuzfahne sollte auch als Abkehr vom Parteienhader und der Partikularinteressen in der Flaggenfrage sowie als Bekenntnis zur Einheit des deutschen Vaterlandes verstanden werden.
1870 setzte Kanzler Bismarck dem Possenspiel ironisch die Krone auf: »Sonst ist mir das Farbenspiel ganz einerlei. Meinethalben Grün und

Gelb und Tanzvergnügen, oder auch die Fahne von Mecklenburg-Strelitz. Nur will der preußische Troupier nichts von Schwarz-Rot-Gold wissen.«

Nachdem am 18. Januar 1871 Preußenkönig Wilhelm I. im Spiegelsaal von Versailles durch Bayernkönig Ludwig II. im Auftrag der deutschen Fürsten zum Kaiser ausgerufen worden war, schmücken fortan die Farben Schwarz-Weiß-Rot des Norddeutschen Bundes die Nationalflagge. Diese Zeremonie ist dramaturgischer Höhepunkt des zweiten Teils von Ernst Wendts Stummfilm *»Bismarck«* – Der Film der Deutschen – (1926). In der deutschen Verfassung desselben Jahres wurden schließlich auch für die Kriegsfahne und Handelsflagge die Farben Schwarz-Weiß-Rot bindend, so daß »auf den Forts von Paris und auf dem Schloß zu Versailles die dreifarbige von Schwarz, Weiß, Rot gestreifte Fahne« wehte.[15] Damit war das Nationalbanner geboren. Aufgrund der damaligen Gemütslage war die Fahne vom ideologischen Anspruch her für »dreißig Millionen Deutsche das Zeichen ihrer politischen Einheit und Stärke geworden: Die schwarz-weiß-rote Flagge ist eingebürgert unter allen Völkern der Erde, und es wäre unnütz, schädlich und frevelhaft, das Kapital von Achtung und von Vaterlandsliebe, das sie gesammelt, wieder zu vergeuden«, schrieb Gustav Freytag in einem Feldpostbrief. Die Fahne entwickelte nicht nur für Soldaten eine stabilisierende Funktion in ungewisser Zeit, sie war darüber hinaus dazu geeignet, jeden einzelnen ihrer Symbolgewalt zu unterwerfen. Die Allianz der Gefühle sollte Akademiker und Arbeiter, Soldaten und Hausfrauen verbinden.

Nachdem im Ersten Weltkrieg Millionen unter schwarz-weiß-roten Fahnen gefallen waren, nachdem unter dieser Flagge die Reichseinheit gewonnen worden war, »die doch jeder als ein großes nationales Gut schätzt« (der Abgeordnete Dr. Kahl), entschied sich nach monatelangen ermüdenden Debatten der Verfassungsausschuß am 4. Juni 1919 in namentlicher Abstimmung für Schwarz-Rot-Gold. Diese Entscheidung sollte auch die »Gefahr« bannen, daß die Unabhängigen Sozialisten ihre »rote Sowjetflagge« durchzusetzen versuchten. Der Widerwille gegen die Farbe Rot war nicht nur ideologisch motiviert, sondern trug auch irrationale Züge. Die Farben schwarz-rot-gold sind jedenfalls eine Symbiose aus Haß und Liebe eingegangen, die den Revanchegedanken der unterlegenen Parteien geradezu vorprogrammierte.

Der sozialdemokratische Reichsminister des Innern, Eduard David, bezeichnete diese »Dreifarbigkeit« als »Symbol für ein nationales Gemeinschaftsgefühl« und empfahl, »die Großdeutsche Einheit als ein hohes Gut (zu) empfinden und als Ziel der Zukunft aufrechtzuerhalten.« Der Zorn darüber, »daß man der Selbstbestimmung unserer österreichischen Brüder in den Arm fällt und ihnen den Wiederanschluß an das Mutterland verbieten will, brennt dieses Ideal schmerzhaft in die Seele jedes deutsch empfindenden Mannes«. David äußert die Hoffnung, »daß aus diesem Schmerz die Kraft geboren wird für dieses neue, wiederauferstandene großdeutsche Ideal«. Bei all diesen Bemühungen »möge uns voranflattern das schwarz-rot-goldene Banner«.[16] Knapp 20 Jahre später wird Hitler diesen Traum vom Großdeutschen Reich ganz anders, als David sich das vorstellte, verwirklichen.

Im Weimarer Staat stießen die neuen alten Farben besonders bei den Rechten wie dem »Stahlhelm« auf Ablehnung. Sie vermuteten dahinter eine Konzession an die Sozialdemokraten, die mit Friedrich Ebert den Reichspräsidenten stellten. Schwarz-Rot-Gold stand in den Augen der Rechten für eine wehrlose Demokratie, es waren die Farben der zügellosen Unruhen der Achtundvierziger Revolution, und – was für den aufkommenden Faschismus von zentraler Bedeutung war – Schwarz-Rot-Gold wurde zum Symbol für die »Schmach von Versailles«: Indem die Fahne als Achtundvierziger Demokratie das Schwarz-Weiß-Rot Großdeutschlands ablöste, symbolisierte sie den »Verrat am deutschen Volk«, als den die nationalen Kräfte den Friedensvertrag von Versailles ansahen. So wurde die Fahne der Weimarer Republik für sie zum allgegenwärtigen Ärgernis und zum dauernden Stachel, die »Erniedrigung« Deutschlands zu beseitigen. Ihr Enthusiasmus und ihr Hang zum Irrationalen galten einem einzigen Symbol, »und von jeher ist um Symbole mit größerer Erbitterung gestritten worden als um reale Interessen. Die Entscheidung der Nationalversammlung gab der Opposition auf der Rechten ein Symbol, an dem sich alle dämonischen Instinkte in Zukunft entzündeten.«[17]

Der Flaggenstreit der Weimarer Republik hat symbolische Bedeutung; er steht für die Zerrissenheit des neuen demokratischen Staates. Wie die Geschichte lehrt, waren die Kontroversen um die Reichsfarben und ihre symbolische Bedeutung ein Intermezzo mit tragischem Ausgang: Des Streites zwischen schwarz-weiß-roter und schwarz-rot-goldener Fahne wußte sich Hitler zu bedienen, um jene Massen aufzustacheln, die sich schnell hinter ihn scharen sollten.

»Wir Jungen tragen die Fahne zum Sturme der Jugend vor.
Sie stehe und steige und lohe wie Feuer zum Himmel empor!
Wir sind auf die Fahne vereidigt für immer und alle Zeit!
Wer die Fahne, die Fahne beleidigt, der sei vermaledeit!
Die Fahne ist unser Glaube an Gott und Volk und Land!
Wer sie rauben will, der raube uns eher Leben und Hand.
Für die Fahne wollen wir sorgen wie für unsre Mutter gut,
denn die Fahne ist unser Morgen und die Ehre und der Mut.«

(Eberhard Wolfgang Möller, 1935)

3. Der Fahneneid

Als Soldaten den Fahneneid leisten mußten, avancierte das Kampftuch zum priesterlich geweihten Heiligtum. Der Fahneneid bekam sakrale Funktion. Verführt von der »dem Eide innewohnenden Magie« (Peter Dade), sind im Laufe der Geschichte zahllose Millionen von Soldaten in den Tod marschiert. In Söldnerheeren war der dem Feldhauptmann geleistete Fahneneid ein symbolisches Siegel unter den Soldvertrag. Der Eid unter Berührung der Fahne kam erst im 17. Jahrhundert auf.
Durch die Jahrhunderte war in Deutschland die Vereidigung auf Staat *und* Militär umstritten. 1834 waren sich die im Deutschen Bund zusammengeschlossenen Regierungen einig, das Militär nicht zugleich auch auf die Verfassung vereidigen zu lassen. Doch laut Reichsverfassung von 1848 war der Verfassungseid in den Fahneneid aufzunehmen. Nach dem Krieg von 1870/71 wurde der Fahneneid ein reiner Gehorsamseid, der auf den Kaiser als den obersten Kriegsherrn zu schwören war. Nach dem Ersten Weltkrieg wurde das Politikum entschärft, insofern der Fahneneid geteilt wurde in einen militärischen Gehorsamseid und einen eigens auf die Verfassung zu leistenden Eid.
Die Nationalsozialisten verwandelten gleich nach dem Tode von Reichspräsident Paul von Hindenburg den Fahneneid durch Gesetz vom 20. August 1934 in einen strikten Gehorsamseid auf die Person des Führers: »Ich schwöre bei Gott diesen heiligen Eid, daß ich dem Führer des Deutschen Reiches und Volkes, Adolf Hitler, dem Obersten Befehlshaber, unbedingten Gehorsam leisten und als tapferer Soldat bereit sein will, für diesen Eid jederzeit mein Leben einzusetzen.«[18] Anders als der Soldat leistete der SS-Mann seinen Treueeid auf den »Führer und Kanzler des Reiches«, also nicht auf den »Führer des Deutschen Reiches und Volkes«.
Mit dem Hoheitsadler auf der Uniformjacke der Wehrmacht verpfändete der Landser Leib und Leben dem Führer. Die Männer unter dem Totenkopf der SS meldeten sich (vor dem Kriege) sämtlich freiwillig, um »gläubigen Herzens« für Hitler auch zu sterben: »Marschieren wir für Hitler durch Nacht und durch Not... Ja, die Fahne ist mehr als der Tod«, hieß es im Marschlied der Hitlerjugend.
Spätestens seit die Offiziere des 20. Juli 1944 im Konflikt zwischen Eid

und Ethik sich für die moralische Verantwortung entschieden, gilt auch in Militärkreisen der Fahneneid bis auf den heutigen Tag als umstritten.
Im preußischen wie im wilhelminischen Heer, besonders aber in den Armeen Hitlers, war die Verteidigung der Fahne höchste soldatische Eidespflicht, der bis zur Selbstopferung zu folgen war. Wer die Fahne aufgab, verlor seine Ehre und brachte Schande über das ganze Regiment; mit der Fahne verlor die Truppe ihre Seele. Wer eine feindliche Fahne eroberte, begründete mit dieser Heldentat seinen Ruhm als Soldat. Daß der Verlust auch eines Wimpels für Pimpfe oder Hitlerjungen mit schlimmstem Makel verbunden war, wurde im Zeltlager oder beim Geländespiel jedem eingebleut. Das einzige Lied, das in »Pimpf im Dienst«, der Pflichtlektüre des deutschen Jungvolks, abgedruckt war, ist der Fahne gewidmet:

»Weit laßt die Fahnen wehen,
wir woll'n zum Sturme gehen,
treu nach Landsknechtart.
Laßt den verlornen Haufen
voran zum Sturme laufen,
wir folgen dicht geschart.«[19]

Die Fahne als Imperativ! Die unter der Fahne gemeinsam gesungenen Marschlieder verstärkten das kollektive Gefühl. Von Psychologen wissen wir, wie leicht sich ein emotionales Vakuum mit starker affektiver Bindung an eine Führer-Gestalt oder an einen Fetisch (Fahne) auffüllen läßt. Lange genug fühlten viele in sich ein solches Vakuum, weil sie sich weigerten, in der Weimarer Republik ihre nationale Identität zu sehen – bis Hitler ihnen auf seine Weise eine neue Bindung anbot. Der Parteigenosse lieferte sich nach Aufgabe seiner autonomen Persönlichkeit allen Suggestionen des Menschen aus, »der ihn seines Persönlichkeitsbewußtseins beraubt hat« (Sigmund Freud).
Die Eingliederung des einzelnen, etwa des jungen Quex, in Hitlers Bewegung mit allen Merkmalen einer »psychologischen Masse« (Le Bon) legte das künftige Fühlen, Denken, Handeln des Hitlerjungen, des BdM-Mädels, des SA- oder SS-Mannes fest.
Berufssoldaten und Soldaten auf Zeit in der Bundeswehr schwören heute nicht mehr auf eine Person oder ein Amt, sondern auf Staat und Volk: »Ich schwöre, der Bundesrepublik Deutschland treu zu dienen und das Recht und die Freiheit des deutschen Volkes tapfer zu verteidigen; so wahr mir Gott helfe.« Artikel 22 unseres Grundgesetzes schützt die Bundesfahne ausdrücklich auch »grundrechtlich«.
Ähnlich wie bei der Bundeswehr lautet der Eid der Soldaten der Nationalen Volksarmee der DDR: »Ich schwöre, der Deutschen Demokratischen Republik, meinem Vaterland, allzeit treu zu dienen und sie auf Befehl der Arbeiter- und Bauernregierung gegen jeden Feind zu schützen... Sollte

ich jemals diesen meinen feierlichen Fahneneid verletzen, so mögen mich die harte Strafe der Gesetze unserer Republik und die Verachtung des werktätigen Volkes treffen.«[20]

»Einmarsch der Fahnen und Standarten. Unten, vom Ende des Sportpalasts aus, bewegen sich die vier Berliner Standarten, gefolgt von den Hunderten Berliner Parteifahnen. Nach und nach steigen diese Fahnen aus dem Kellergewölbe des Sportpalastes herauf. Unter den Klängen des Deutschlandliedes werden die Fahnen durch den weiten Raum getragen. Näher und näher rücken die Fahnen, eben hat die Spitze schon die Empore des Saales erreicht. Im Hintergrunde des Riesenraumes ist ein Viertel freigelassen zum Aufmarschieren der Fahnen. Eben bewegen sich die vier Standarten vor das Rednerpodium. Die Fahnen begeben sich in den hinteren Teil, in das letzte Viertel des Saales. Noch steigen Fahnen über Fahnen aus dem Kellergewölbe heraus. Die ganzen Seitengänge des Sportpalastes sind überfüllt mit den leuchtenden roten Hakenkreuzfahnen. Das Publikum im ganzen Sportpalast ist aufgestanden, mit erhobenen Händen singt es die Nationalhymne mit.«

(Rundfunkreportage von Joseph Goebbels)[21]

3. Die Hakenkreuzfahne

Die älteste Verwendung des von Mystifikationen umgebenen Sinnbilds, das als Hakenkreuz bekannt ist und die Fahnen der »Herrenmenschen« zierte, welche die Welt erschüttern sollten, ist aus der Indus-Kultur um 2500 v. Chr. überliefert. Im »Forum« der Frankfurter Buchmesse 1986, die Indien zum Schwerpunktthema erkoren hatte, lieh, offensichtlich verführt durch das für ihn symbolkräftige Hakenkreuz, der Hindu-Mönch Agehananda Bharatis unverblümt seiner Bewunderung für Hitler Ausdruck. Die Masse Indiens urteile ganz anders als die verwestlichte indische Elite, meinte er, nicht bedenkend, was die Antihumanität des Herrenrassen-Denkens gerade für die kolonialen Völker bedeutete. Hitler sei ein »Avatar«, also ein Herabgestiegener, ein Träger des göttlichen Funkens. Das traditionsreiche indische Heils-Symbol, das Hakenkreuz, sanktioniere seine mythische Mission.[22]
Im Sanskrit heißt Hakenkreuz Swastika, was soviel wie »Wohlseins-Zeichen« bedeutet. Das chinesische Wort Wan für Hakenkreuz heißt soviel wie »großes Glück«, und die Griechen nennen das Hakenkreuz Hemera, was Sonnensymbol bedeutet.
Das Hakenkreuz hat im Laufe der Zeit viele Bedeutungen angenommen: Thors Hammer, Sonnenrad, Wolfsangel, Mühlrad. Es wurde dargestellt als sich kreuzende Blitze, als die vier »F« des Turnvaters Jahn (frisch,

fromm, fröhlich, frei), als Ausdruck für Fruchtbarkeit. Im 20. Jahrhundert diente das Hakenkreuz auf den Banknoten der russischen Kerenski-Regierung auch als Unabhängigkeitszeichen.

In seinem Buch *Die Massenpsychologie des Faschismus* fügt Wilhelm Reich der Symbolik des Hakenkreuzes eine weitere Facette hinzu: das Hakenkreuz als kopulierendes Paar. Bei seiner Darstellung als Sexualsymbol beruft Reich sich auf ein von Bilman und Pegerot gefundenes Hakenkreuz aus indogermanischer Urzeit mit folgender Inschrift: »Heil Dir Erde, der Menschen Mutter, sei du wachsend in Gottes Umarmung, Frucht gefüllt den Menschen zum Nutzen.« In diesem Inbild sei die Fruchtbarkeit dargestellt als Geschlechtsakt der Mutter Erde mit Gottvater. Auch hätten Befragungen von Personen unterschiedlicher Herkunft und verschiedenen Geschlechts gezeigt, »daß nur wenige den Sinn des Hakenkreuzes nicht kennen«. Wilhelm Reich folgert daraus, daß »dieses Symbol, das zwei ineinandergeschlungene Gestalten darstellt, auf tiefe Schichten des Organismus einen großen Reiz ausübt, der um so stärker ausfallen muß, je unbefriedigter, sexuell sehnsüchtiger der Betreffende ist«.[23]

Im propagandistischen Kontext, in dem die Nazi-Partei das Hakenkreuz mit der Bedeutung von Ehrenhaftigkeit und Treue auffülle, trüge es »auch den abwehrenden Strebungen des moralischen Ichs Rechnung«, und deshalb könnte es um so leichter akzeptiert werden. Diese Wirkung des Hakenkreuzes auf das unbewußte Gefühlsleben versteht Reich jedoch nicht als Ursache für den Erfolg der Hitlerschen Massenpropaganda, sondern »bloß« als »mächtiges Hilfsmittel«.

Als einer der ersten hat der deutsch-völkische Chauvinist G. v. List in seinem Buch *Die Bilderschrift der Ario-Germanen* (1910)[24] das Hakenkreuz mit Ideologie befrachtet und dessen Vereinnahmung durch rassistische Vorstellungen den Weg bereitet. Bald schmückten sich verschiedene antisemitische Organisationen und Freikorpsverbände mit ihm als Kampfabzeichen. Das Hakenkreuz wurde zum Symbol für reaktionäre Gesinnung; es wurde zum Unterscheidungsmerkmal, gerichtet gegen Juden und Zigeuner, gegen Marxisten und Intellektuelle, Geisteskranke und Pazifisten – gegen alle Außenseiter, die Marcel Proust mit dem Etikett der »verfluchten Rasse« belegte.

In dem filmischen Stadtporträt *»Eger – eine alte deutsche Stadt«* (1938) von Rudolf Gutscher fängt die Kamera in einer Kirche die Hakenkreuzmotive aus dem Jahr 1310 ein – als Beweis für die Behauptung, Eger müsse eine urdeutsche Stadt sein, die heim ins Reich zu holen lange überfällig sei.

Hitler hat 1925 in seinem Buch *Mein Kampf*[25] in seinen Gedanken zu »unsere Flagge – unser Programm« im Rot der Fahne den sozialen Gedanken der Bewegung und in der weißen Scheibe die national-sozialistische Komponente gesehen. Im schwarzen Hakenkreuz sah er »die Mission des Kampfes für den Sieg des arischen Menschen und zugleich mit ihm den Sieg des Gedankens der schaffenden Arbeit, die selbst ewig antisemitisch war und antisemitisch sein wird«. Hitler hat die Hoheitszeichen bereits 1919 selbst entworfen, zwei Jahre später auch die Parteistandarte. Als »besonderes Symbol des Sieges« rechnete er sie »zu den Wehr- und Feldzeichen des nationalsozialistischen Kampfes«.

Die Übernahme der Farben schwarz, weiß und rot von der alten deutschen Reichsfahne sollte die Kontinuität zu der ehemaligen Größe Deutschlands herstellen und vor allem in der Frühzeit der nationalsozialistischen Bewegung die nationalistischen Kräfte binden, denen das Weimarer Schwarz-Rot-Gold ein Stachel im Fleisch war. Diese Kontinuität betont Manfred von Killinger 1933 in *Männer und Mächte*; *Die SA in Wort und Bild*: »Unter Beibehaltung der Farben Schwarz, Rot, die wohl die schönste Farbharmonie darstellen, die man überhaupt zusammenstellen kann, erstand die Hakenkreuzfahne und so die Sturmfahne.«[26]

Hitlers neues Sinnbild für die NS-Bewegung sollte nicht frei von den Schatten der Vergangenheit sein; so »heilig und teuer« ihm die schwarz-weiß-rote Fahne, unter der er im Krieg gekämpft hatte, auch immer war – »einzigschöne Farben in ihrer jugendfrischen Zusammenstellung« –, so wenig wollte er diese Fahne »als Symbol für einen Kampf der Zukunft« verstanden wissen lassen. So lange der greise Reichspräsident Paul von Hindenburg als lebende Legende die Schlacht von Tannenberg verkörperte, hielten sich die neuen Machthaber mit der Einführung der Hakenkreuzfahne als nationalem Hoheitszeichen zurück. So zeigten die Reichsbehörden am Volkstrauertag am 10. März 1933 noch allein die Fahnen mit den preußischen Farben schwarz-weiß-rot.

Aber bereits zwei Tage später, am 12. März 1933, verkündete Hindenburg einlenkend einen Fahnenerlaß, der festlegte, daß »bis zur endgültigen Regelung der Reichsfarben« die schwarz-weiß-rote Fahne *und* die Hakenkreuzflagge gemeinsam zu hissen sind. Das traditionelle Symbol stehe für »die ruhmreiche Vergangenheit des Deutschen Reiches«, das neue für »die kraftvolle Wiedergeburt der Deutschen Nation«: »Vereint sollen sie die *Macht des Staates* und die innere Verbundenheit aller nationalen Kreise des *deutschen Volkes* verkörpern«.[27]

Als Nachfolger Friedrich Eberts hatte Hindenburg schon einmal auf ähnlich sibyllinische Art und Weise entschieden: Auf dem Höhepunkt des Flaggenstreits zwischen Schwarz-Rot-Gold und Schwarz-Weiß-Rot hatte er eine Flaggenverordnung in Kraft gesetzt, der zufolge neben den »nach wie vor gültigen Reichsfarben« die schwarz-weiß-rote Handelsflagge zu zeigen sei.

Wie wichtig es der Hitler-Regierung erschien, das öffentliche Bewußtsein unter die Hoheitszeichen der neuen Bewegung zu sammeln, ließ die Eile

erkennen, mit der bereits ein Jahr nach Hindenburgs Tod am 16. September 1935 im Deutschen Reichstag ein neues Flaggengesetz verabschiedet wurde. Reichstagspräsident Hermann Göring begehrte ein »sichtbares arteigenes Symbol«. In seiner Reichstagsrede begründete er das Gesetz mit markigen Worten:
»So wie der Nationalsozialismus gleich einem Magnet aus dem deutschen Volke herauszog, was an Stahl und Eisen darinnen war, so war es unser Feldzeichen, unter welchem sich diese Kämpfer sammelten, unter welchem sie kämpften, fochten und zahlreiche auch gestorben sind. Wir wollen nicht vergessen, daß in der Entscheidung dieses Feldzeichen immer wieder die Schwachen stark machte; wir wollen nicht vergessen, daß solange unser Führer unser Feldzeichen, das Hakenkreuz, mit den alten ruhmreichen Farben in seiner Faust hielt, er damit auch das deutsche Schicksal in seiner Faust gehalten hat. Das Hakenkreuz ist für uns ein heiliges Symbol geworden, das Symbol, um das unser ganzes Sehnen und Fühlen ging, unter dem wir gelitten haben, unter dem wir gefochten haben, Opfer brachten und schließlich zum Segen des deutschen Volkes auch gesiegt haben.« Hitler hat einen Tag zuvor, am 15. September 1935, befohlen, die Hakenkreuzfahne solle die offizielle Nationalflagge des Deutschen Reichs sein. Als er der Deutschen Wehrmacht ihr neues Feldzeichen, die Reichskriegsflagge, präsentierte, versäumte er nicht, das Eiserne Kreuz, das auf der Hakenkreuzfahne abgebildet war, als Anlaß für einen Rekurs auf die Tradition der Reichswehr im Ersten Weltkrieg zu nutzen:
»Das Hakenkreuz sei Euch Symbol der Einheit und Reinheit der Nation, Sinnbild der nationalsozialistischen Weltanschauung, Unterpfand der Freiheit und Stärke des Reiches. Das Eiserne Kreuz soll Euch mahnen an die einzigartige Tradition der alten Wehrmacht, an die Tugenden, die sie beseelten, an das Vorbild, das sie Euch gab. Den Reichsfarben Schwarz-Weiß-Rot seid Ihr verpflichtet zu treuem Dienst im Leben und im Sterben.«
Die alte Reichskriegsflagge des Bismarck-Reiches durfte bis zum Kriegsbeginn 1939 noch einmal im Jahr offiziell gehißt werden, und zwar jeweils am Jahrestag von Skagerrak (1916), weil sie sich während dieser Seeschlacht gegen die Briten angeblich so hervorragend bewährt hatte. In diesem sinnlosen Vernichtungskampf zwischen der deutschen und der britischen Flotte hatte es zwar keinen Sieger, aber viele Heldentote gegeben. Im Mittelpunkt der Berliner Kunstausstellung von 1937 stand das »Skagerrak« betitelte Bild eines sinkenden Kreuzers: Es zeigt einen stolz die Fahne hochhaltenden Matrosen: »Die Fahne ist mehr als der Tod«, dieser Slogan sollte sich allen Deutschen einprägen.
Das von Hitler als »Unterpfand der Freiheit« verstandene Hakenkreuz sollte nur zu bald zum Symbol der Knechtschaft für ganz Europa werden.

Die Fahne war im Dritten Reich allgegenwärtig, in den Straßen, an den Häusern, in den Dokumentarfilmen und Wochenschauen. Die Deutschen hatten sie gewissermaßen im Blut.
Die Hakenkreuzfahne sollte alle Tugenden und Symbolwerte der nationalsozialistischen Bewegung transportieren. Die blutrote Fahne mit dem mystisch schwarzen Hakenkreuz auf unschuldsweißem Rund war symbolträchtig wie kein anderes Tuch. Sie wehte für die diffusen Ideologeme und Sekundärtugenden des braunen Katechismus: Führer, Volksgemeinschaft, Vaterland, Nation; Treue, Gehorsam, Opferbereitschaft; Rasse, Glaube, Hoffnung, Sieg.
Die Fahne war Identifikationsobjekt auch für das, was die nationalsozialistische Ideologie unversöhnlich bekämpfte: Sie stand für Antisemitismus, Antikommunismus, Antiklerikalismus, und später, mit den Kriegsvorbereitungen, wird sie auch antiplutokratisch in Anspruch genommen.
Die Hakenkreuzfahne verfügte über eine starke irrationale Qualität, die über die Multiplikatoren Wochenschau und Reichsparteitagsfilme Millionen von Deutschen oktroyiert wurde.
Leni Riefenstahl benutzte die Fahne als emotionales und sentimentales Requisit für eine rauschhafte Fahnensymphonie, die als ästhetisches Ereignis über die Anschauung der Kunst die Weltanschauung verbreiten sollte. In Filmen wie *»Sieg des Glaubens«* (1933) und *»Triumph des Willens«* (1934) wurde die Fahne zum Fetisch. Die Riefenstahl zeigt die Fahne gern, wie sie im Winde wehte, Bewegung signalisierend: optisches Opium für das Volk, Fahnenwälder als psychologisches Kräftefeld.
Die flatternde Fahne war freilich bereits in vielen sozialrevolutionären Bewegungen Sinnbild für Aufbruch und Freiheit, für Entschlossenheit zum Sieg. Die Nazis nutzten sie für sich neu:

»Wir sind das Heer vom Hakenkreuz,
Hebt hoch die roten Fahnen,
Der deutschen Arbeit wollen wir
Den Weg zur Freiheit bahnen.«

Das vom Gefühl getragene Revolutionäre in den Liedern linker Provenienz wußten die Nazis geschickt zu vereinnahmen als Stimulus für eigene Melodien, nach denen, allerdings mit anderen Vorzeichen, »in die Ewigkeit« marschiert werden sollte.
Über den Symbolwert der Nationalflagge hat Roland Barthes in *»Mythen des Alltags«* zur Erläuterung zu seinen semiotischen Thesen folgendes plastisches Beispiel angeführt: »Ich sitze beim Friseur, und man reicht mir eine Nummer von ›Paris-Match‹. Auf dem Titelbild erweist ein junger Neger in französischer Uniform den militärischen Gruß, den Blick erhoben und auf eine Falte der Trikolore gerichtet. Das ist der Sinn des Bildes. Aber ob naiv oder nicht, ich erkenne sehr wohl, was es mir bedeuten soll:

Daß Frankreich ein großes Imperium ist, daß alle seine Söhne, ohne Unterschied der Hautfarbe, treu unter seiner Fahne dienen, und daß es kein besseres Argument gegen die Widersacher eines angeblichen Kolonialismus gibt als den Eifer des jungen Negers, nämlich seinen angeblichen Unterdrückern zu dienen.«[28]

Ähnlich wie die optische Einheit des Afrikaners mit der Trikolore zugleich eine ideologische Einheit assoziieren soll, die noch dem einfachsten Gemüt einleuchtet, arbeitet auch die Mythenbildung der Nazipropaganda – allerdings mit einem fundamentalen Unterschied: Bleibt die Trikolore für den Afrikaner ein gleichsam anonymer nationalistischer Wert, ein anbetungswürdiger Mythos »ohne Fleisch und Blut«, so bedeutet die Hakenkreuzfahne für den einfachen Volksgenossen eine unmittelbare Gleichsetzung mit dem Führer, der sozusagen in jedem Faltenwurf präsent ist. Dieser Mythos der Nation war kein Abstraktum; er war leibhaftig gegenwärtig in Wort und Bild, er überstieg nicht die Vorstellungskraft der Massen. Die Fahne war Hitlers omnipräsente Stellvertreterin. Wer sich mit der Fahne identifizierte, der identifizierte sich mit dem Führer. Nur aus dieser Identifikation der Massen mit dem Mythos Hitler bezog die Propaganda ihre Effizienz; das gebrauchsästhetische Rezept, wie man das Alltägliche zur nationalen Inkarnation überhöht, verdankt die Propaganda der Filmemacherin Leni Riefenstahl.

Beim Defilée der Fahnen hatte sich jede Versammlung von den Plätzen zu erheben und ihnen stellvertretend für den Führer zu salutieren. Auch wo die vereinzelte Fahne eines Fähnleins durch die Straße getragen wurde, war sie von den Passanten mit dem Hitler-Gruß zu ehren. »Die Fahne kommt, den Hut nimm ab! Ihr bleiben treu wir bis ins Grab«, hatte schon Detlev von Liliencron gesungen. Bei Ferienbeginn und am Ferienende hatten Schüler und Kollegium auf dem Schulhof zum Flaggenappell anzutreten und das Horst-Wessel-Lied zu singen. Von keiner Anstrengung des Intellekts begleitet, sollten die Fahne und ihr Erkenntniswert von Jugend an verinnerlicht werden:

»Zu Beginn der Schule nach allen Ferien und zum Schulabschluß vor allen Ferien hat eine Flaggenehrung vor der gesamten Schülerschaft durch Hissen bzw. Niederholen der Reichsfahnen unter dem Singen einer Strophe des Deutschland- und Horst-Wessel-Liedes stattzufinden.«[29] Durch diese rituelle Präsentation des mit der Hakenkreuzfahne assoziierten Gedankenguts sollte »die Erziehung der Jugend zum Dienst am Volkstum und Staat im nationalsozialistischen Geist« gefördert werden. Die Fahne denaturiert das Individuum zum Objekt fremden Wollens.

Vor Einführung des Gesetzes über die Jugend-Dienstpflicht erhielten all die Schulen eine Hitler-Jugend-Fahne, deren Schüler zu 90 Prozent Mitglieder des Jungvolks oder der Hitlerjugend bzw. der entsprechenden Mädchenorganisationen waren.[30]

»Wenn es zum Marschieren kommt
wissen viele nicht
Dass ihr Feind an ihrer Spitze marschiert.
Die Stimme, die sie kommandiert
Ist die Stimme des Feindes.
Der da vom Feind spricht
Ist selber der Feind.«
Bertolt Brecht (Deutsche Kriegsfibel 1936–1938) [31]

5. Die Blutfahne

Die Verbindung der Fahne mit Blut ist eine symbolische Figur mit mannigfachen Wertigkeiten. Herzog Ernst stellt in Friedrich Hebbels »Agnes Bernauer« eine solche Verbindung her, als er in seiner donnernden Bannerrede nicht die Friedensfahne, sondern das Kriegsbanner beschwört: »Schau dies Banner an ... Es ward aus demselben Faden gesponnen, woraus der letzte Reiter, der ihm folgt, sein Wams trägt, es wird einst zerfallen und im Winde zerstäuben, wie dies! Aber das deutsche Volk hat in tausend Schlachten unter ihm gesiegt und wird noch in tausend Schlachten unter ihm siegen, darum kann nur ein Bube es zerzupfen, nur ein Narr es flicken wollen, statt sein Blut dafür zu verspritzen und jeden Fetzen heilig zu halten.«[32]
Den Begriff der Blutfahne haben die Nazis der Geschichte entliehen. Er stammt aus der Staufer-Zeit. Unter der »Blutfahne« zogen nach Darstellung des Nibelungenliedes die Burgunder vom Rhein auf den alten Heerstraßen über die Donau gen Süden.[33] Als Fahne des »Heiligen Reiches« wurde die Blutfahne an der Spitze der einzelnen Lehensfahnen getragen. Das »Feuerpanier« aus roter Seide war ein für alle gültiges gemeinsames Kennzeichen.[34]
Als Blutfahne wurde die (meist) bildlose rote Fahne bezeichnet, mit der bis 1806 die mit dem Blutbann verbundene Belehnung mit Reichslehen symbolisch besiegelt wurde. Die Blutfahne hatte also staatsrechtliche Bedeutung. Nach altem deutschen Recht verpflichteten sich mit ihr die Empfänger des geliehenen Gutes gegenüber dem Inhaber des Blutbanns allzeit zu ritterlichem Kriegsdienst und zu unverbrüchlicher Treue. Ursprünglich besaßen nur Könige das Vorrecht, den Blutbann auszusprechen. Erst mit dem Erstarken der Landeshoheit im 13. Jahrhundert wurde dies Recht auch auf die reichsunmittelbaren Fürsten und Herzöge in ihrer Eigenschaft als Landesherren übertragen, die im Namen des Königs über Leben und Tod zu Gericht saßen.[35]
Der Blutbann wurde später auch den großen Reichsstädten als Lehen übertragen; er war auch Ausdruck für die allein dem Lehnsherren überlassene Gerichtsbarkeit. Als Lehnsherrn konnten seit dem hohen Mittelalter auch die Vögte der Kirchen und Klöster fungieren, da der geistliche

Lehnsherr die profane Blutgerichtsbarkeit selbst nicht ausüben durfte (»ecclesia non sitit sanguinem«).
Den Begriff der »Blutfahne« besetzten die Nationalsozialisten mit einer starken emotionalen Bedeutung. So nannten sie jene Hakenkreuzfahne, die am 9. November 1923 auf dem legendären Marsch zur Feldherrenhalle (Hitler-Putsch) angeblich mit dem Blut ihres Trägers Andreas Bauriedl getränkt worden war. Auf dem 2. Reichsparteitag in Weimar am 4. Juli 1926 verlieh Hitler die Fahne des »Blutzeugen« dem damaligen Reichsführer-SS Berchtold.
Seitdem wurden neue Standarten und Fahnen der NSDAP und ihrer Gliederungen durch Berühren mit der Blutfahne – immer in Gegenwart eines Schwurzeugen der Feldherrenhalle – feierlich geweiht. Die Feldherrnhalle wurde zum Altar für alle Gefallenen der Bewegung, die hier auch namentlich verewigt wurden:

> »Wir bauen des Reiches ewige Feldherrnhallen,
> Die Stufen in die Ewigkeit hinein,
> Bis uns die Hämmer aus den Händen fallen,
> Dann mauert uns in die Altäre ein.«[36]

> »Gerade darin liegt die Kunst der Propaganda, daß sie die gefühlsmäßige Vorstellungswelt der großen Masse begreifend, in psychologisch richtiger Form den Weg zur Aufmerksamkeit und weiter zum Herzen der breiten Masse findet.«
> *(Adolf Hitler)*[37]

6. Standarte des Führers

Die »Standarte des Führers« wurde von der Reichsdienstflagge abgeleitet; diese war quadratisch und zeigte in den vier Ecken goldene Adler, zwei Partei-Hoheitszeichen und zwei Wehrmachtsadler. Sie konnte nicht wehen und flattern, weil sie aus festem versteiften Leinen war wie ein Tafelbild, oder richtiger, wie eine Ikone. Die Standarte ist eine Adaption der römischen Vexilla. »Vexilla regis prodeunt« heißt wörtlich: »Des Königs Banner gehen voraus«. So lautet ab der zweiten Hälfte des ersten Jahrtausends der Kreuzeshymnus, den der bedeutendste lateinische Dichter der Merowingerzeit, Venantius Fortunatus, verfaßt hat. Die Hymne wurde bis zum Jahre 1955 jeweils am Karfreitag zur Prozession gesungen; sie lebt allgemein im Stundengebet der lateinischen Liturgie fort.
Die Standarte sollte die physische *Anwesenheit* des Führers signalisieren. Zur Demonstration seiner bloß metaphorischen *Allgegenwart* genügten

einfache Fahnen; sie waren mit dem Bild des Führers semantisch aufgeladen – zur Fiktion: »Faktische Existenz hat diese Fiktion nur darin, daß ihr symbolische Präsenz in Gestalt des Hakenkreuzemblems verliehen wird und in diesem Zeichen eine höhere Verpflichtung verehrt wird. Auf diese Weise wird die real existierende Staatsgewalt verdoppelt in die an ihrer Spitze stehende Person des ›Führers‹ und einen eingebildeten Auftraggeber, der sachlich zusammenfällt mit den politischen Entscheidungen Hitlers und den ihm zu Gebote stehenden Zwangsmitteln zu ihrer Durchsetzung.«[38]

Rechtzeitig zum Rußlandfeldzug, 1940, erscheint unter dem Titel »Die Fahne ist mehr als der Tod« im Münchner Franz Eher-Verlag das *Deutsche Fahnenbuch*, dessen erste, von insgesamt elf die Fahne behandelnden Kurzgeschichten, Friedrich dem Großen gewidmet ist: »Ein König trägt die Fahne«:

»Weit vorn harrt ein Mann aus. Vom Regiment Prinz Heinrich ist er und seine zerfetzte Fahne hält er in der Faust. Sein Blick sucht den König und sein Blick sagt stumm: Ich halte die Fahne, die Du mir anvertraut hast, aber ich bin am Ende meiner Kraft. Da beugt sich Friedrich zu ihm nieder. Mit sanftem Druck entwindet er der verkrampften Faust das Panier. Der Fahnenträger schaut dem König ins Gesicht. Seine Augen leuchten, dann sinkt er lautlos in sich zusammen. Da reckt der König sich auf im Sattel, hoch schwingt er die Fahne über seinem Haupte, und in den Lärm des Schlachtgetümmels und der Schmerzensschreie rings umher geht sein Ruf: ›Bei der Fahne und für die Fahne! Wer ein braver Soldat ist, der folge mir!‹ Die Augen der Soldaten richten sich auf die Fahne, den königlichen Fahnenträger.« Und als die Schlacht trotz königlichem Fahnenträger verloren geht, da wirft der König hoch auf dem Mühlberg »noch einen Blick über das weite Feld, das schon in die Schleier der Dämmerung gehüllt ist. Dann besteigt er das Pferd. Geschlagen, aber nicht besiegt, spricht er an die Husaren gewendet: ›Messieurs, wir halten die Fahne. Tapfer ist, wer die Probe besteht, und der Sieg ist nur bei den Tapferen. Es bleibt dabei: Mit der Fahne und für die Fahne.«[39]

Der Schlußaufsatz lautet konsequent: »Ein Volk trägt die Fahne«. Hier wird dem Leser die Analogie zum Führer und dessen wechselndem Kriegsglück aufgedrängt und gleichzeitig die Gewißheit vermittelt, die jeder aus dem Schulunterricht kennt: Der Alte Fritz ging aus seinen Niederlagen als Sieger hervor. Die Fahne dient als metaphorisches Werkzeug zur Herstellung von Siegeszuversicht.

7. »Die Fahne ist mehr als der Tod«

> »Der Tod ist immer bitter, und man nimmt ihn nur dann getrost und ohne Widerspruch hin, wenn man für ein Ziel sterben geht, für das es sich lohnt, ein Leben hinzugeben.«
> *(Joseph Goebbels)*

Der Hitlerjunge Quex, Hans Westmar und der Hitlerjunge Erich Lohner in *»SA-Mann Brand«* sind die ersten Toten im nationalsozialistischen Film nach der Machtergreifung (im Film wurden sie vor 1933 ermordet), die den Mythos vom Sterben für Führer und Fahne begründeten. »Der erste Tote ist es«, sagt Elias Canetti, »der alle mit dem Gefühl der Bedrohtheit ansteckt. Die Bedeutung dieses ersten Toten für die Entfachung von Kriegen kann gar nicht überschätzt werden. Machthaber, die einen Krieg entfesseln wollen, wissen sehr wohl, daß sie einen ersten Toten entweder herbeischaffen oder erfinden müssen ... Es kommt auf seinen Tod an und auf sonst nichts; man muß glauben, daß der Feind die Verantwortung dafür trägt. Alle Gründe, die zu seiner Tötung geführt haben könnten, werden unterschlagen, bis auf den einen: er ist als Angehöriger der Gruppe, der man sich selbst zurechnet, umgekommen ... alles hängt sich an, das sich aus demselben Grunde bedroht fühlt. Ihre Gesinnung schlägt um in die einer Kriegsmeute.«[40]
Der *Kult*, den die Nationalsozialisten mit den Toten der Bewegung trieben, steht in enger Verbindung zum Fahnenkult. Die alljährliche Fahnenweihe durch Hitler war Höhepunkt jedes Reichsparteitages. Die Zeremonie, die Leni Riefenstahl in den Filmen *»Sieg des Glaubens«* (1933) und in *»Triumph des Willens«* (1934) glorifiziert hat, ging stets mit dem Horst-Wessel-Lied einher:

> »Die Fahne hoch, die Reihen fest geschlossen;
> SA marschiert mit ruhig festem Schritt.
> Kam'raden, die Rotfront und Reaktion erschossen,
> marschier'n im Geist in unsern Reihen mit.«

In seiner Hitler-Biographie betont Joachim C. Fest Hitlers »Regie-Talent«, das darin gipfelte, den Totenfeiern der Bewegung eine die Massen faszinierende Aura zu verleihen: »Sein pessimistisches Temperament (gewann) der Zeremonie des Todes unermüdlich neue Blendwirkungen ab, und es waren wirklich Höhepunkte der von ihm erstmals planvoll entwickelten künstlerischen Demagogie, wenn er auf dem Königsplatz in München oder auf dem Nürnberger Parteitagsgelände bei düsterer Hintergrundmusik die breite Gasse zwischen Hunderttausenden zur Totenehrung schritt: In solchen Szenarien eines Karfreitagszaubers, in denen,

ganz wie man von der Musik Richard Wagners gesagt hat, der Glanz für den Tod Reklame machte, kam Hitlers Vorstellung ästhetisierter Politik zur Deckung mit dem Begriff.«[41]
Die Gefallenen sind über den Tod hinaus Lebende in der Gemeinschaft, die bei jeder Gelegenheit ihr Märtyrertum weihevoll beschwört. Die drei Märtyrer aus dem braunen Todes-Triumvirat des Jahres 1933 waren junge Helden, deren Mythos sich besonders attraktiv propagieren ließ. Unbesiegt bis in den Tod, leben sie im Medium Film in übernatürlicher Verklärung weiter: »Nur jene reinen Seelen kommen in Hitlers Himmel, die gewissermaßen *zu* rein sind, um lange auf dieser Erde verweilen zu können«, meint Saul Friedländer.[42] So werde der junge, todgeweihte Held mit der Aura komplexer Gefühle umgeben. »Als Bannerträger bald einer unterschwellig christlichen Tradition, bald eines Kultus der hehren Grundwerte«, kämpft er für all die Werte, die seine Fahne symbolisiert.
In Hitlers Kriegsfilmen diente die Fahne der symbolischen Auflockerung von Kriegslandschaften und, seltener, als Leichentuch. Die Zeitgenossen verbanden damit die zynisch wirkende Vorstellung: »Nach einem wunderbaren Wort Baldur von Schirachs ist in Deutschland nichts lebendiger als der Tod.«[43] Die deutsche Heldenseele sollte in Stalingrad ihren apokalyptischen Triumph feiern.

»... Mann für Mann:
Die Knechtschaft hat ein Ende!
Laßt wehen, was nur wehen kann,
Standarten wehn und Fahnen!
Wir wollen heut uns, Mann für Mann,
Zum Heldentode mahnen:
Auf! Fliege, stolzes Siegspanier,
Voran den kühnen Reihen!
Wir siegen oder sterben hier
den süßen Tod der Freien...«

Ernst Moritz Arndt, 1813

Der präfaschistische U-Boot-Film *»Morgenrot«* (1932/33) von Gustav Ucicky, der erst kurz nach der Machtergreifung Premiere hatte, ist allen 6000 Marinesoldaten gewidmet, die in ihren 199 eisernen Särgen auf dem Meeresgrund ausruhen: »Leben können wir Deutsche vielleicht schlecht, aber sterben können wir jedenfalls fabelhaft«, schwärmt der U-Boot-Kommandant heroisch. Der *Illustrierte Film-Kurier* Nr. 1920/1933 beschließt seine Rezension über den Film *»Morgenrot«* pathetisch mit den Worten: »Die alte Majorin Liers schließt ihren letzten Sohn in die Arme und weiß, er wird wieder hinausgehen auf die See, und sie weiß jetzt auch, daß er nicht anders handeln kann. Verluste müssen ertragen werden und – selbst 50 Jahre Nacht – davon wird kein Deutscher blind! – Wieder fahren sie gegen Engelland, die Kriegsfahne flattert stolz im Seewind, denn: Deutschland lebt. Und wenn wir sterben müssen!«[44]

»Ich habe damals auch den Begriff der Tendenz zu klären versucht und habe mich dagegen verwahrt, daß die gute Gesinnung allein an Stelle des Könnens den Ausschlag geben soll. Denn wir waren uns klar darüber, daß Kunst von Können kommt, daß nicht jeder, der können will, auch etwas können kann. In dieser Beziehung muß der Begriff Tendenz verstanden werden, insofern, als er sich nicht auf unmittelbare Gestaltung der Tagesereignisse bezieht; d. h., wir wollen durchaus nicht, was ich schon an anderer Stelle ausgedrückt habe, daß unsere SA-Männer durch den Film oder über die Bühne marschieren. Sie sollen über die Straße marschieren. Das ist nur eine Ausdrucksform des politischen Lebens, und dieser Ausdrucksform bedient man sich, wenn sie künstlerisch unabweisbar wird oder, im anderen Falle, wenn einem nichts Besseres einfällt. Denn das ist bekanntlich das Bequemste. Mangels besseren Könnens glaubt man, sich der nationalsozialistischen Symbole bedienen zu müssen, um damit seine gute Gesinnung unter Beweis stellen zu können.«

Goebbels am 19. 5. 1933 »Über die Straße marschieren«

Hebt uns're Fahnen in den Wind;
Sie leuchten hell wie Sonnenblut
Und künden, daß wir gläubig sind:
DER MENSCH IST GUT!
(Lied der Sozialistischen Arbeiterjugend zu Beginn der 20er Jahre)[45]

8. Die rote Fahne und die Arbeiterbewegung – Ein Exkurs über die Unverzichtbarkeit von Symbolen

»Eine Demonstration wurde gedreht. Rote Farbe kommt im Film schwarz. Um den Ton des Rot richtig zu erhalten, wäre es gut gewesen, grüne Fahnen zu nehmen. Unsere Demonstranten – echte Weddinger Proleten – lehnten ab, unter grünen Fahnen zu marschieren. Wir mußten uns schon bequemen, eine andere Lösung zu finden.«[46]

Der Regisseur und Kameramann Piel Jutzi hat diese Episode erzählt; sie ereignete sich während der Dreharbeiten zu einem der bedeutendsten Filme, die im Umkreis der Arbeiterbewegung entstanden sind, zu *»Mutter Krausens Fahrt ins Glück«* (1929), in den Jutzi aus seinem Dokumentarfilm *»100000 unter roten Fahnen«* (1929) Sequenzen übernommen hat. Die besagte Demonstration gehört zu den eindrucksvollsten Szenen dieses Films. Leicht ließen sich andere Beispiele für die Verwendung der (roten) Fahne in Filmen der Linken finden. In *»Brüder«*, einem sozialdemokratischen Film über einen Hamburger Hafenarbeiterstreik vor 1914, ist sie Teil der Schlußapotheose: Den Eingekerkerten erscheint die Fahne durch die Gefängnismauern. Kunst und Kitsch, schlichte einfache Bildsprache und falsches Pathos liegen bei solchen Szenen nicht weit auseinander. Es genügt freilich hier sowenig wie in anderen Fällen, diffamierend auf oberflächliche Parallelen zwischen nationalsozialistischer Bildsprache und der Bildverwendung in der Arbeiterbewegung hinzuweisen. Schon wenn wir diese Parallelen quantitativ bestimmen und mit denen in anderen Bereichen vergleichen, läßt sich feststellen, daß die Anleihen der Nationalsozialisten bei militärischer und konservativ-nationaler Symbolik am wichtigsten waren. Freilich – und das hat die Kunstgeschichte bis hin zur Symbolik der Arbeit und des »Tages der Arbeit« nachgewiesen – haben die Nationalsozialisten auch bewußt symbolische und ikonographische Versatzstücke aus der Arbeiterbewegung übernommen – wie sie das beim Liedgut mit zahlreichen Kontrafakturen auch getan haben. Der Grund dafür lag nicht allein darin, daß diese Elemente so wenig fixiert waren, daß sie mißbrauchbar und umdeutbar waren (was Hanns Eisler zu seinen fruchtbaren, aber keineswegs voll überzeugenden Versuchen mit einer nicht mißbrauchbaren musikalischen Sprache veranlaßte). Ein anderer Grund war ebenfalls wichtig: Die Nationalsozialisten mußten ja, um politisch erfolgreich zu sein und um sich das Wohlwollen ihrer großindustriellen Geldgeber zu erhalten, wesentliche Teile der Arbeiterschaft politisch neutralisieren oder auf ihre Seite ziehen. Dazu reichte es nicht aus, die Arbeiterbewegung zu terrorisieren und (nach 1933) zu zerschlagen; vielmehr wurde auch der ganze ideologische Apparat mobilisiert: von der demagogischen Verkoppelung zentraler Begriffe in »National*sozialistische* Deutsche *Arbeiter*partei« bis hin zu den Symbolen und Zeichen, die Fahnen eingeschlossen.
Fahnen hatten durchaus ihre Bedeutung in der Geschichte der Arbeiterbewegung. Warum aber wird ein Stück farbiges Tuch so wichtig? Lange Zeit hat sich die Forschung nach 1945 vor dieser Frage gedrückt, und auch unser öffentliches Bewußtsein hat sich eher in einer Art Verdrängung davon distanziert. Folge davon war wie so oft, daß eher konservative Mythen und mystisch-irrationale Erklärungen herangezogen wurden. Immerhin gibt es heute Ansätze zu einem mehr als nur ideologiekritischen Verständnis.
Historische Symbolforschung und sozialgeschichtliche Symbolanalysen

können das bereits von Robert Michels auch für die Arbeiterbewegung konstatierte Bedürfnis nach Symbolik[47] einem Verständnis näherbringen. Wegen ihrer »expressiv-sinnlichen, emotionalen Qualität« kann kaum jemand sich der »Bedeutung und Wirkung symbolischer Kommunikationsformen« entziehen, etwa auch jener archetypischen Symbolformen, auf deren immer neues Entstehen Ernst Bloch am Beispiel des Tanzes um den Freiheitsbaum auf den Trümmern der Bastille aufmerksam gemacht hat.

Heute ist es nicht zuletzt die Werbung, die uns mit der Omnipräsenz ihrer inhaltlich naiven, formal aber hochentwickelten Bildwelten ständig die Wirkung ikonographischer Symbolik vor Augen führt. Auffällig, daß die postmoderne Schickeria diese inhaltslose manieristische Bildsymbolik noch in ihre rokokohafte Kultur integriert.

Der »Anteil affektiver Momente in der Erfahrungskonstitution« ist bei allen Menschen beachtlich. Auch in der Geschichte der Arbeiterbewegung spielen, wie in jedem politischen Lebensbereich, »Zeichen, Symbole und Rituale eine wichtige Rolle bei der Strukturierung von politischer Erfahrung, insbesondere bei dem Aufbau kollektiver Identitäten«.

Damit müssen wir rechnen, ohne daß wir dabei gleich die Abdankung der Vernunft zu befürchten hätten – im Gegenteil, diese Gefahr droht eher, wenn wir die Augen vor diesen Phänomenen verschlössen. »Der Hinweis auf die kommunikative Kompetenz von Symbolformen in der Arbeiterbewegung ist kein Plädoyer für einen ›Paradigmenwechsel‹. Er ist lediglich der Hinweis auf eine Perspektivenerweiterung. Nachdem in der Vergangenheit eher den diskursiv-verbalen Obertönen der Arbeiterbewegung Bedeutung geschenkt wurde, scheint es sinnvoll, nun verstärkt auch die sinnlich-symbolischen Orientierungsformen zu berücksichtigen.«

Eines der bedeutendsten Symbole der Arbeiterbewegung ist die rote Fahne: Sie ist präsent bis hin zu dem Namen der Parteizeitung der KPD in der Weimarer Republik und bis hin zu den Streiks in den 70er Jahren. Ihre Geschichte ist mit der Sozialgeschichte der letzten 200 Jahre eng verbunden, ihre Bedeutung ist gleichzeitig ein Beispiel für den souveränen Umgang der Arbeiter mit dem Erbe von Volks- und Herrschaftskultur.

Die »Urgeschichte« der roten Fahne in revolutionären politischen Zusammenhängen kennt vereinzeltes Auftreten in den Bauernkriegen; in der Französischen Revolution von 1789 hat die rote Fahne das Bürgertum in den Sieg geführt, und der Sozialdemokrat Friedrich Wendel[48] hat den Versuch unternommen, eine Kontinuität der roten Fahne bis hinab zu germanisch-frühmittelalterlichen Symbolen des Gemeineigentums nachzuzeichnen: Bei Karl dem Großen war sie »das heilige Zeichen der obersten Lehnshoheit«, und von da an Zeichen für die mit dem Blutbann und dem Recht der Todesstrafe verknüpfte Reichslehenshoheit – nach Wen-

dels eher programmatischer als analytischer Interpretation das »Bekenntnis zu einer Gesellschaftsordnung, die sich auf ein freies Volk und seine freie Arbeit zum Besten seiner selbst stützt«.
Das mag für uns im Dunkel der Vorzeit bleiben. Zum Identifikation und Widerspruch provozierenden Bedeutungsträger wird die Rote Fahne im Jahre 1848, und zwar in Frankreich und Deutschland zur gleichen Zeit. Von da an ist sie Symbol der »Roten Republik«, der sozialistischen und kommunistischen Bewegung: Vorher, etwa 1830 beim Aufstand Aachener Textilarbeiter oder bei den Schlesischen Weber-Unruhen von 1844, erscheint sie nur vereinzelt, vielleicht eher zufällig. Im Sommer 1848 taucht sie bei Kundgebungen, auf Barrikaden, bei politischen Umzügen usw. als Abgrenzung und Konkurrenz zum Schwarz-Rot-Gold der bürgerlichen Revolutionäre auf: »Rot galt nun als Farbe der revolutionären Arbeitergruppen«; ähnlich war es seit der Juni-Revolution von 1848 in Frankreich.
Oft, wie im Mai 1849 in Wuppertal, erscheint die rote Fahne *neben* der trikoloren schwarz-rot-goldenen Fahne und signalisiert die noch nicht ausgestandene Rivalität zwischen Bürgertum und Arbeiterschaft – in Wuppertal soll es einer Anekdote zufolge Friedrich Engels gewesen sein, der nächtens für das optische Übergewicht der roten Fahne gesorgt habe. So wird die rote Fahne im wilden Jahr 1848 zum Symbol, das abgrenzt und Aktionen begleitet, und zwar jenseits aller der Farbe möglicherweise innewohnenden Qualität:
»Rot gewinnt seine Symbolbedeutung also erst in der politischen Auseinandersetzung, in der politischen Etablierung als Symbolfarbe der sozialistisch-kommunistischen Arbeiterbewegung; es verdankt seinen Symbolgehalt in keiner Weise einem aggressiven Stimmungswert, der der Farbe gewissermaßen als vorgegebene Qualität innewohnt, wie es die Symboltheorie eines Otto Koenig unterstellt, sondern das ›Aggressive‹ des Rots (wie auch die Ausdrucksqualitäten jeder anderen Farbe) ist das Ergebnis einer kulturellen und historischen Symbolbildung«.[49]
Der souveräne Umgang mit kulturellen Formen bringt so im historischen Prozeß ein neues Symbol hervor, das den Bedürfnissen der Bewegung, die es verwendet, entspricht:
»Die Formulierung von proletarischer Gegenöffentlichkeit verlangte andere sinnliche Orientierungs- und Kommunikationsformen als die in Versammlungen und Diskussionen im Vereinslokal. In diesem Prozeß der öffentlichen Identitätsbildung kommt der roten Fahne eine wichtige Bedeutung zu: Sie vereinheitlicht die Aktionen, sie markiert die Grenzen gegen andere Ziele und Strategien, sie tritt – um Georg Simmel zu zitieren – als ›Ursache wie als Wirkung des Zusammenhalts‹ auf.«[50]
Als Träger von »Formen der wortlosen Kommunikation« lebt sie in Verbotszeiten, bei Begräbnissen und anderen Gelegenheiten weiter. Das

»Anbringen von Fahnen an möglichst hohen unzugänglichen Stellen gehörte ab 1878 zu den beliebtesten Ritualen innerhalb der verbotenen Arbeiterbewegung«; auch während des Faschismus gibt es häufig solche Aktionen. Immer mit im Spiel ist der Stolz darüber, daß die Geschicklichkeit, Kraft und Phantasie für solche Taten nur Arbeiter aufbringen können. Ähnliches gilt für die »lebenden Bilder«, deren Technik der »condition ouvrière« besonders entspricht.
Im Dreischritt »Übernehmen, Auswählen, Umgestalten« entwickelt sich in der Arbeiterbewegung eine symbolische Kommunikation, wie sie für alle gesellschaftlichen Bewegungen und Prozesse mit vielen Menschen unerläßlich ist. Auch der Lassalle-Kult entwickelt als Bindemittel eine »politische-integrierende Funktion« – freilich auch als »Übergangsideologie« auf dem Weg zu reiferen politischen Formen.
Doch zunächst sind Symbole neutral – erst ihre historische und ideologische Besetzung gibt ihnen befreiende oder totalitäre Bedeutung. Auch demokratische Staaten haben ihre Symbole. Das Entscheidende und historisch Verhängnisvolle am Abstieg der nationalsozialistischen Fahnensymbolik war, daß sie auf latente revanchistische und totalitäre Phantasien und Bedürfnisse reagierte. Dabei kann die Fahne als Symbol nicht isoliert betrachtet werden, sondern ist im Kontext der faschistischen Propaganda zu würdigen.
Die Ästhetik der Nazi-Bewegung, die alle Bereiche öffentlicher Kommunikation umfaßte und die in den Filmen der Leni Riefenstahl kulminierte, hatte gleichzeitig *ein* Ziel und *eine* Methode: die Integration und das völlige Aufgehen des einzelnen im mächtigen Kollektiv. Das Kollektiv, die Masse, wird in dieser Ästhetik in immer neuen, strengen Formen gezeigt, kanalisiert, in eine Bewegung versetzt, die hinausführen soll aus der Enge kleinbürgerlicher Verhältnisse, hin zu weltumspannenden, auf eine herrliche Zukunft gerichteten herrschaftlichen Zielen. Kanalisiert wurden damit die Macht- und Rachephantasien gedemütigter deutscher Soldaten, die aus dem Ersten Weltkrieg nach Hause zurückkehrten in dem Bewußtsein, um ihre Jugend, ihre Gesundheit, ihr Leben betrogen worden zu sein. Sie fühlten sich geborgen in einer Bewegung, in der sie sich eins wußten mit einem mächtigen Strom, der ihrem rückwärts, auf das Kriegserlebnis gerichteten Leben einen neuen Sinn, eine neue Richtung und ein neues Ziel verlieh. Die Ästhetik des Faschismus mit ihren kanalisierten Massenströmen, ihren hochaufgerichteten, ins Licht führenden Menschen- und Fahnenapotheosen – diese Ästhetik ist nicht nur Ausdruck, »Verpackung« für faschistische Inhalte und Aussagen, sondern sie ist selbst Inhalt der Vermittlung, in dem sie die völlige Unterordnung des einzelnen unter das Kollektiv *ist*, indem sie den einzelnen Filmzuschauer, Rundfunkhörer, Leser oder Teilnehmer an einer nationalsozialistischen Massenschau in Zustände des Machtgefühls und des Einsseins mit dem

totalen Kollektiv versetzt. In diesem Rauschzustand geht es nicht mehr um Inhalte, sondern dieser Zustand der völligen Selbstaufgabe ist selbst Inhalt. Die biographischen Aufzeichnungen über die Naziführer belegen, daß auch die Strategen dieser Massenregie nicht kühl über einer solchen Ästhetik standen, sondern selbst Teil davon waren, daß sie den Rausch der Masse und später zunehmend andere Drogen brauchten.

Gerade diese Aufgabe der eigenständigen Persönlichkeit in der totalitären Massenbewegung ist es auch, was die faschistische von der zeitgenössischen sozialistischen Ästhetik unterscheidet. Vergleicht man etwa die Massenszenen aus Bertolt Brechts / Slatan Dudows *»Kuhle Wampe«* (1932) mit Propagandafilmen der Nazis, so fällt auf, daß im Gegensatz zur stromlinienförmigen Choreographie etwa von Leni Riefenstahls Reichsparteitagsfilmen die Bewegungen der Arbeitermenge in *»Kuhle Wampe«* nie nur gleichförmig, sondern vielmehr ungeordnet durcheinander verlaufen, einzelne zurückbleiben, stehenbleiben oder sich gegen die Massenrichtung bewegen. Berühmtestes und eindrucksvolltes, weil rhythmisch und choreographisch vielschichtig durchstrukturiertes Beispiel für den Gegensatz von totalitärer und proletarisch-subversiver Ästhetik ist die »Treppen-Sequenz« aus Sergej M. Eisensteins *»Panzerkreuzer Potemkin«* (1925), in der die Stechschritte und die Gewehrkugeln des zaristischen Militärs die demonstrierende Menge die Treppe hinuntertreiben. Alles, was sich ihrer uniformen Bewegungsrichtung widersetzt, selbst eine Mutter mit ihrem toten Kind im Arm, wird rücksichtslos vernichtet.

Was Ursache, was Wirkung ist – ob die Werke des abstrakten Totalitarismus oder des selbstbestimmten Individuums die jeweilige Ästhetik hervorbringen oder umgekehrt, in der Kunst zumindest – und die nationalsozialistische Massenregie war höchst artifiziell – wird diese Frage hinfällig.

Wie stark die – vermutlich immer vorhandenen – symbolischen und emotiven Formen in einer Epoche Einfluß gewinnen können, ist unterschiedlich. Nach den Erfahrungen der faschistischen Geschichte ist es kein Wunder, daß sie in der deutschen Nachkriegszeit bis in die Gegenwart hinein abgewertet wurden und ziemlich unwichtig blieben. Aber wenn wir uns klarmachen, daß die Nationalsozialisten diese symbolischen Formen nicht neu geschaffen, sondern nur mit äußerster Rücksichtslosigkeit und Raffinesse ihren Zwecken nutzbar gemacht haben, dann finden wir vielleicht einen vorurteilsfreieren Zugang zur Fahnen-Symbolik. Dazu gehört auch das Empfinden für den raschen Wandel der Fahne: Am 2. September 1850 wurden die deutschen Farben vom Turm der Frankfurter Paulskirche verbannt. Dieser vom Dichter Franz Hoffmann als demütigend empfundene Akt motivierte ihn zu einem dann von dem Dessauer Kantor Seelmann vertonten Gedicht mit einer überraschenden Wendung am Schluß:

»Zerrissen und zerfetzt
Von Stürmen, Schnee und Regen,
So flattert traurig uns
Die deutsche Fahn' entgegen;
Bis an den Schaft zerspalten,
Kaum das die Fetzen noch
mit Not zusammenhalten.

Zerrissen und zerfetzt –
Und übrig noch der Schaft,
Ein Eisen dran zu setzen.
Die Fahn' – elendiglich
In Sturm und Wind zerstoben,
Doch – eine andre Fahn',
Wie bald ist sie gewoben!«

Und heute wissen wir: Auch das war nur eine Episode.

Als am 30. Januar 1933 Hitlers Hakenkreuzfahnen das Deutsche Reich in rote Farbe tauchen, reimt der Nazibarde Leopold von Schenckendorf seine Sprüche:

»Deutschland soll es aber wissen:
Wir woll'n unser Banner hissen
Über deutsches Land und Meer«.

»Ein Marsch dröhnt auf, unendliche Kolonnen,
Ein Volk marschiert, das sich sein Schicksal sucht.
O wie ein Glanz von nie gekannten Sonnen
Auf unsre Fahnen stürzt! Die dunkle Wucht
Des *einen* Willens – Sehnsucht, Leid und Tat
Glüht sie zusammen – und sie schöpft den Staat.«
(Gerhard Schumann, 1935)[51]

9. Fahnenmiszellen

Mit der Fahne wird auch heute noch Besitzergreifung verbunden. Dafür gibt es weltweit Beispiele. Ich denke an jenes preisgekrönte Foto aus dem Zweiten Weltkrieg, das amerikanische Ledernacken nach der Eroberung der Pazific-Insel Mindanao in jenem Augenblick ablichtet, als sie ihre »Stars and Stripes« im Gegenlicht aufpflanzen. Obwohl das Foto erst Tage später nachgestellt worden war, besitzt es auch als fingiertes Dokument Symbolkraft.
Oder denken wir an den Wettlauf der beiden Supermächte im Weltall:

Die Apollo-11-Besatzung plaziert am 20. Juli 1969 auf dem Mond das Sternenbanner der Vereinigten Staaten von Amerika, und im Dezember 1971 sendet eine Sowjet-Raumsonde vom Mars rund um den Erdball Bilder der roten Fahnen mit Hammer und Sichel, an die sie den Ruhm ihrer galaktischen Expedition geheftet haben.

*

Der erste mir bekannte Film mit einer dramaturgisch zur politischen Metapher stilisierten Fahne ist Sergej Eisensteins *»Panzerkreuzer Potemkin«* (1925). Nach dem Sieg der Matrosenrevolte im Schwarzen Meer wird auf der Potemkin die Fahne der neuen Zeit gehißt, die Rote Fahne der Sowjets. Weil es damals noch keinen Farbfilm gab, hat Eisenstein die Fahne eigenhändig auf dem Zelluloid mit roter Farbe versehen. Die Revolution erhielt ihren sinnlich-sinnbildlichen den technischen Rahmen des Schwarz-Weiß-Films sprengenden Ausdruck, der sich auf die Netzhaut des Zuschaues ungleich wirkungsvoller einbrannte, denn *»Rote Fahnen sieht man besser«* (so der Titel eines Dokumentarfilms aus dem Jahr 1971 von Rolf Schübel/Theo Gallehr).

*

Eine vordergründig dramaturgische Funktion erfüllen Fahnen auch in Wolfgang Liebeneiners Film *»Bismarck«* (1940), in dem der Wechsel von einem Kaiser zum anderen durch das Senken der Fahne und anschließendem Hissen symbolisiert wird.
Am 24. Januar 1934 war der Geburtstag Friedrichs des Großen und der Todestag des Nazi-Märtyrers Herbert Norkus. Aus diesem Anlaß fand in Potsdam vor dem Invalidendom eine Großkundgebung mit feierlicher Übergabe von 342 Fahnen an HJ-Verbände statt.[52]

*

Alle Jahre wieder wurden zu Hitlers Geburtstag Vorschläge für die einschlägigen Festlichkeiten an die Dienststellen der Partei versandt. Die Empfehlung für die Gestaltung des 50. Geburtstages sind typisch für alle übrigen: Ohne Fahnenstimmung ließ sich keine Versammlung denken (Auszug):

> *Sprecher:* »Über uns die Fahne und vor uns der Führer! ...«
> *Lied:* »Reiht eure Fahnen am Mast empor ...«
> *Sprecher:* »Ihr seid viel tausend hinter mir,
> und ihr seid ich, und ich bin ihr.
> und wir alle glauben, Deutschland, an Dich
>
> Ich habe keinen Gedanken gelebt,
> der nicht in euren Herzen gebebt ...«[53]

Antifaschistischer Klebezettel 1936: »Groß ist die Zeit / doch klein sind die Portionen / was hilft es uns, wenn Hitlers Fahnen wehn! / wenn unter diesen Fahnen heute schon Millionen / viel weniger Brot und keine Freiheit sehn«.[54]

*

Flugblatt

»Die Fahne ab, das Sturmlokal geschlossen,
SA marschiert nicht mehr im gleichen Tritt;
Kameraden, die am 30. erschossen,
marschieren im Geist in unseren Reihen mit.
Zum letzten Mal wird Sturmappell geblasen,
zum Kampfe stehn sie nicht mehr bereit;
bald wehen andre Fahn' in allen Straßen.
Die Knechtschaft dauerte schon lange Zeit.
Und haben sie genug gestrunzt, gelogen
und ihren Geldsack voll bis oben hin,
so tun sie das, was viele Abenteurer wählen,
sie ziehen nach dem Ausland hin.
Ja, dann steht Ihr da, verraten und betrogen,
und sehet zu, wie Ihr Euch am Leben halt.«[55]

*

In Nevadas weiter Wüste trainieren GIs für die größte anzunehmende Bedrohung amerikanischer Freiheit, die sie sich überhaupt denken können: die Sowjetmacht. Jenes gigantische »Übungs-Polygon«, das für das ständige Manöver eigens in den Wüstensand gebaut wurde und das den Ernstfall simuliert, heißt denn auch sinnigerweise »Red Flag«: »Rote Fahne«. Sie hat für den hier agierenden Ledernacken die entsprechende Signalwirkung; sie soll quasi Pawlowsche Reflexketten auslösen und in jedem GI Kampfbewußtsein schaffen. Der mit Luft-Raketen, Luftabwehrgeräten, Radar- und Funksystemen bestückte feindliche Machtbereich – je nachdem Beuteware der israelischen Armee oder reguläre Erwerbungen aus Ägypten – bilden »ein total realistisches Environment, an dem die amerikanischen Besatzungen das Erkennen und Neutralisieren üben. Die Luftstreitkräfte bestehen bei diesen Übungen aus einer AWACS-Maschine – einem fliegenden Kontrollturm – und einer ›Agressor Squadron‹, die aus Maschinen besteht, die den sowjetischen Mig 21 und 23 ähneln.«[56]

*

Die US-Army steckt Soldaten in Arrest, die beim Einholen der Flagge vom Fahnenmast die geweihten Stars und Stripes mit dem Staub des Erdbodens in Berührung bringen.

*

Über den schon als Kind nach Amerika ausgewanderten und heute im Stadtteil »Little Tokyo« in Los Angeles lebenden alten Japaner Oda Sok will der semidokumentarische Film *»Hito Hata – Raise the Banner«* (*»Ein Banner hissen«,* 1980) von Robert A. Nakamura biografische Auskunft geben. Der anrührende Film kulminiert in Odas verzweifeltem Kampf ums Überleben, als ihm sein Dach überm Kopf abgerissen werden soll. Der Filmtitel impliziert eine alte japanische Allegorie: Ein Banner hissen heißt, sich zu behaupten. Oda hißte das Banner.
In dem japanischen Spielfilm *»Ran«* (1982–85) von Akiro Kurosawa erinnert gleich in der ersten Minute der neugewonnenen Macht den ältesten Sohn des gerade abgedankten Großfürsten seine ehrgeizige Frau an das Banner. Es hatte bis dahin an der fürstlichen Wand dekorativ die Macht symbolisiert: »Wo ist das Banner? Die Rüstung ist gar nicht so wichtig, aber das Banner!« Also beeilen sich Erbfolger und Leibwache, das Symbol der Macht vom greisen Vater zurückzufordern. »Das Banner! ... Her mit dem Banner!« Weil ihm das Banner aber als der letzte Zipfel verflossener Herrlichkeit viel zuviel bedeutet, um es sich entreißen zu lassen, schießt der Großfürst den eifrigsten unter den Rittern mit tödlichem Pfeil von der steilen Treppe.
Das Banner als Fetisch der Herrschaft und der unbedingten Treue wird vielen tausend Japanern in diesem wilden Schlachtfest das Leben kosten. Just jene Stelle, an der die Herrin das Banner vermißte, wird später ihr adeliges Blut schmücken: Wie von einer riesigen Quaste auf die weiße Wand gewischt, wird dieser purpurrote Wandschmuck von ihrer Enthauptung künden.
In diesem vorläufig letzten kolossalen Breitwand-Epos Kurosawas sind die Banner, Fahnen und Wimpel Legion. Von der ersten bis zur letzten Sequenz haben sie dominierende Funktionen. Mit den je nachdem roten oder gelben Feldzeichen und gegen Schluß auch mit schwarzen Tüchern sollen sich die Tausende von Kriegern (und Komparsen) im schlimmsten Schlachtgetümmel identifizieren können; sie sollen auch dem Kinogänger seine jeweils wechselnden Sympathien optisch bezeichnen. Die Fahnen haben auch symbolischen Wert: In vertikaler Position signalisieren sie Siegeszuversicht, in horizontaler Haltung bedeuten sie Flucht. Die fallengelassenen roten Banner verweisen auf die Besiegten.
Die Kardinalfunktion der hier an langen Bambusrohren hin und her wogenden Fahnentücher ist eine dramaturgisch-ästhetische. Im Gegensatz

zu den Fahnenkolonnen und Fahnenwäldern in Leni Riefenstahls Parteitags- und Olympiafilmen, läßt Kurosawa die Fahnen meist von wild galoppierenden Reitern im Angriff oder auf der Flucht über endlose Felder an der Kamera vorbeijagen. Die dynamische Figur der Fahnen-Schwadrone steigert er ins Rasante, indem er die zu parallelen Linien komponierten Reiterstaffeln in ihren unterschiedlichen Tempi von oben erfaßt und so den Eindruck zusätzlicher Bewegungen innerhalb einer fließenden Bewegung erzeugt, zumal sie meist gegen einen stehenden vertikal hervorgehobenen Hintergrund wie Wald, Bauten usw. gefilmt wurden. Die Dynamik steigern auch die genau kalkulierten gegenläufigen Bewegungen sowie die immer wieder in den Bewegungsfluß geschnittenen Nah- und Großaufnahmen von Pferden, Fahnen, stürzenden Reitern und mit in den Tod gerissenen Bannern. Die farbliche Mischung von soviel Blut mit soviel bunten Fahnen verliert durch die visuelle Rasanz ihre naturalistische Färbung und verwischt die sonst nur grausamen Eindrücke zu expressiven Wirkungen: »Ein Schlachten war's, nicht eine Schlacht zu nennen.« Seine ästhetische Komponente gewinnt der Film vorzüglich durch die wie zu einem riesigen flatternden Flickenteppich zusammengesetzten Myriaden bunter Tücher, die eine exzellente Kamera zu einem verzeitlichten Kolossalgemälde versinnlicht.

*

Schon in seinem Film *»Kagemusha – Der Schatten des Kriegers«* (1979) hat Akira Kurosawa wie Wildfeuer flackernde Fahnen als durchgehendes ästhetisches Requisit verwendet; aber auch zur Unterscheidung von Freund und Feind bringt er die Farben Rot und Grün ins kriegerische Spiel. Jeder Reiter, jeder Soldat zu Fuß ist im Besitz einer Fahne, hier im Japan des 16. Jahrhunderts, um sie als Lanze zu verwenden, im Film heute, damit sie zum Historiengemälde feine Pinselstriche beitragen. In der Zeitlupe bekommen die in die Schlacht und in den Pulverrauch stürmenden Fahnen emotionale Wirkung.

*

Die Fahne ist wieder »in«. Nachdem die Flagge des Bundespräsidenten am 23. Mai 1977 erstmals »groß« im ZDF gezeigt wurde, flattert die Bundesflagge seit dem 20. Juli 1979 regelmäßig zum Programmschluß unter den symphonischen Klängen des Deutschlandliedes als Gute-Nacht-Gruß des Senders über die Bildschirme in unser Leben. Kultur nur fürs Gemüt?

*

Die Fahne ist inzwischen auch wieder liebstes Requisit unserer Vereine und Verbände. Warum die Fahne überhaupt sein muß?
»Jetzt haben wir eine Visitenkarte – jetzt müssen wir nicht mehr als an-

onymer Haufen herumlaufen...«. Oder: »Eine Fahne zeigt immer, wo's langgeht und das ist für uns auf dem Land jetzt besonders wichtig«. Oder... »Wo es um Fahnen geht, gehts immer auch um Ehre.« Dies sind nur einige der Volkesstimmen aus der ZDF-Sendung »In Treue fest – Der Verein und seine Fahne« im Jahre 1987. In Wartenfels bei Kulmbach sind Bürgermeister und Gemeinderäte, der Vereinsvorstand, die Ehrendamen und Ehrenjungfrauen versammelt, um beim Gottesdienst der Fahnenweihe des Sportvereins beizuwohnen. Wie in Wartenfels empfangen Fahnen kirchlichen Segen auch in Pottenstein, Eschenbach, Lindenhardt, Ottenhof oder Nitzlbuch usw. Die mit jeweiligem Symbol der Fahne vergegenwärtigten Ziele des Vereins sind Legion, aber immer ist das Symbol der Treue eingewoben: *»Unsere Fahne ist die Treue«* hieß ein bezeichnender Filmtitel der Nazis aus dem Jahre 1935.
Im Kloster Michelfeld bei Auerbach in der Oberpfalz ist Oberschwester Peregrina vom Heiligen Franziskanerorden die Chefin einer Fahnenwerkstatt, die sich vor Aufträgen kaum zu retten weiß. Die vielen hilfreichen Hände gehören taubstummen Mädchen und Frauen, die hier stikken und an deren Schicksal Therapie mit Fahnentüchern geübt wird. So bekam die Fahne eine soziale Funktion, bevor sie eine politische bekommen wird. »Viele sehen die vielen alten und neuen Fahnen mit unguten Gefühlen. Sie erinnern sich an den hemmungslosen Mißbrauch von solchen Tüchern in der Vergangenheit. Sind Gemeinschaften, die sich hinter Fahnen scharen, leichter zu verführen?« Die selbstgestellte Frage beantwortet der Fernsehfilm nicht.[57] »Üb' immer Treu und Redlichkeit – bis an das kühle Grab!« lesen wir in güldenen Lettern auf einer der Fahnen.

*

Daß Staats- und Parteifahnen jeweils nur die Ideen und Ideale ihrer Träger symbolisieren, dem politischen Gegner aber oft das genaue Gegenteil bedeuten sollen, nämlich das emblematische Feindbild, das wie das Hitlers Haß und Tod für Juden, Polen, Russen usw. signalisierte, lehrt die traurige Geschichte der Fahnen. Diese der Fahne implizierte Negativ-Assoziation versucht der Titel einer Sammlung von Kriegsgedichten aufzuheben, indem ihr Originalton »Sans Haine et sans Drapeau« – »Ohne Haß und ohne Fahne« – suggeriert, Lieder und Gedichte *ohne* obligates Fahnenrepertoire stimmten folglich auch keine Haßtiraden an.[58]

*

Als 1938 mit dem Anschluß Österreichs an Hitlerdeutschland die Nationalfahne durch die Hakenkreuzfahne ausgetauscht wurde, haben viele Österreicher den weißen Streifen ihrer rot-weiß-roten Flaggen fürs Auge unsichtbar in die Fahne eingenäht, so daß ein rein rotes Tuch entstand.

Darauf haben sie dann den weißen Kreis mit dem schwarzen Hakenkreuz aufgenäht. Mit dieser Prozedur wollten sie vor sich selbst ihre Hoffnung dokumentieren, daß die Naziherrschaft nur ein kurzes Zwischenspiel bleiben würde.[59]

*

Das Kampflied der Pioniere

»Männer unter schwarzen Fahnen,
Die in allen Siegen wehn,
Kämpfer, die die Wege bahnen,
Wenn die Fronten stehn;
Sprengt der Feind auch alle Brücken,
Sperrt mit Bunkern das Revier –,
Kommen wir, dann muß es glücken:
Brich durch, Pionier!

Männer unter schwarzen Fahnen,
Nichts ist uns zu schwer, zuviel,
Eh' die Feinde es noch ahnen,
Stehn wir schon im Ziel;
Flammenwerfer, Handgranaten,
Stoßtrupp vor! Jetzt kommen wir –,
Wo es gilt verwegne Taten:
Brich durch, Pionier!

Männer unter schwarzen Fahnen,
Die in jedem Sieg geweht,
Unsere Kameraden mahnen,
Die der Tod gesät:
Nur im Kampfe liegt der Segen
Und des Lebens höchste Zier –,
Steht auch alle Welt entgegen:
Brich durch, Pionier!«
(1940)

II. Die Fahne im Spielfilm

> »Der Mensch als Begriff braucht Überlebensgröße in den Ausmaßen seines Empfindens und Handelns, auch da, wo er ganz klein, ganz schäbig wird. Er braucht den Sockel der Stilisierung ebenso, wie ihn die vergangenen Jahrhunderte brauchten. Man stellt Denkmäler nicht auf den flachen Asphalt. Um sie eindringlich zu machen, erhebt man sie über die Köpfe der Vorübergehenden.«[1]
>
> *(Fritz Lang)*

1. Die Fahne in historischen Spielfilmen

Wie wir an vielen Beispielen des Dokumentar- und Kulturfilms aus dem Dritten Reich und in der NS-Wochenschau weiter unten sehen werden, ist die Fahne mit dem Hakenkreuz kein leerer Verweis, sondern das beseelende Element allen Geschehens. Sie schafft auswendige Bilder. Sie signalisiert die beabsichtigte Gefühlslage, sie dient gleichsam als Gefühlstapete.
Die Fahne bietet ästhetischen Reiz, aber dies auch nur insoweit, als sie nicht zum Kunstwerk verblaßt, und sie ist vor allem dramaturgischem Geflecht zentraler Inhalt. Aber auch als Signifikante wird die Fahne in Spielfilmen immer wieder herbeizitiert. Sie hat hier weniger die Funktion des Dekorativen, sondern ist dramatisches Element. Sie dient der Überhöhung eine Szene zum nationalen Mythos, oder sie transzendiert geschichtliche Figuren ins Übermenschliche und Schicksalhafte. Dieser Tendenz sind vor allem die historischen Themen in Filmen von Veit Harlan, Karl Ritter, Wolfgang Liebeneiner und Arthur Maria Rabenalt seit dem Kriegsbeginn verpflichtet, denn »der Krieg als schärfste Herausforderung der Gefühle« (Alexander Kluge) verlangt die geschickte Kompensation enttäuschter Hoffnungen, und zwar um so stärker, je mehr der Krieg der Katastrophe zutreibt.
Besonders prekäre Kriegslagen erfordern die überzeugende Darstellung historischer Parallelen zu Hitler, wozu sich außer der eisernen Gestalt des Kanzlers Bismarck vor allem der Große König, Friedrich II, anbot; er wurde im Film bis in die Seelenfalten hinein auf das Hitler-Bild zurechtgeschminkt, damit von den Leistungen des Königs Zuversicht auf den Führer abstrahlte. Bejubelt von Millionen, durfte der Führer nicht mehr zum sterblichen Menschen, durfte der Sieger nicht zum Verlierer werden. »Man konstruiert zunächst durch verfälschende Darstellung der friderizianischen Zeit eine Parallele zur Gegenwart, und zwar werden typische Einzelzüge des NS-Staates bzw. des Führers in die Vergangenheit zurückprojiziert. Durch diese Einzelparallelen wird der Betrachter dann sugge-

stiv zu einem totalen Analogieschluß veranlaßt. Ihm wird die vollständige Deckungsgleichheit des friderizianischen Staates mit dem NS-Staat und des friderizianischen Führers mit ›dem Führer‹ aufgedrängt. Damit werden automatisch alle Leistungen, alle Erfolge und alle Werte, die sich mit dem Staat Friedrichs verbinden, diesem neuen Staat hinzugefügt. Die Werte eines Staates, der sich in der Geschichte bereits bewährt hat, werden einem Staate, der sich noch bewähren muß, im vorhinein aufs Pluskonto geschrieben. Der Analogieschluß lautet: Wer so auftritt wie Friedrich der Große, wird auch so aufsteigen, wie Preußen es damals tat.«[2] Mit anderen Worten: Mit jedem neuen Fridericus-Film enterbt der Führer den Preußenkönig aufs neue.

»Ewiger Tatenruhm war mein Ziel.
Ich dachte nicht ans blöde Volk im Staub.«
(Friedrich II. am 22. Oktober 1776)

a. *Das Flötenkonzert von Sanssouci* (1930)

Regie: Gustav von Ucicky

Das »Menuett galant«, das im Prunkpalais Brühl des Reichsgrafen Heinrich von Kursachsen dem Maskenfest die pikante musikalische Note leiht, ist zugleich das Code-Wort für ein konspiratives Treffen gegen Friedrich II. im dortigen Hinterzimmer der Weltgeschichte. Aber die Verschwörer hatten nicht mit der fuchsischen Schläue des Preußenkönigs gerechnet, der nun seinerseits heimlich für einen Präventivschlag gegen die Sachsen, Österreicher, Russen und Franzosen mobil macht, um sie wie »Zieten aus dem Busch« zu überraschen. Während er auf seinem barocken Sommerschloß Sanssouci vor illustren Gästen gelassen die Querflöte spielt, empfängt er auf dem Notenpult lässig Hiobspost:
»Binnen vier Wochen werden alle Rüstungen der verbündeten Mächte vollendet sein. Der Angriff beginnt gleichzeitig von Frankreich, Österreich, Rußland und Sachsen.« Zwischen zwei Sonatensätzen erteilt er General Seydlitz knappe Befehle, was einen Gast zur euphorischen Bemerkung hinreißt: »Von diesem Konzert wird die Geschichte erzählen.«
Unmittelbar nach dem musischen Akt folgt militärische Aktion – nach einer konzentrierten Meditation auf dem 97 Meter langen Gang des Schloßflügels teilt er dem Adjutanten seinen Entschluß mit: »An die Gesandten von Österreich und Frankreich ergehen sofort Kriegserklärungen.« Und an die Generalität gewandt, übertrifft er sich selbst: »Ich werde gegen alle Regeln der Kriegskunst einen fünfmal stärkeren Feind angreifen. Ich muß es tun oder alles ist verloren. Der Ruhm meines Landes und das Wohl des Volkes heißen mich handeln und werden mich bis zu

meinem Tode begleiten.« Solche Filmsätze werden aus späterer Sicht zu Sinnsprüchen nationalsozialistischer Perversion. Durch gewaltsam hergestellte historische Kausalität soll aktuelle Erkenntnis vermittelt werden.

Der Alte Fritz, schon damals von Otto Gebühr ungewollt zur Karikatur verzeichnet, schreitet in gravitätischer Pose auf seiner Säulenterrasse die Front der Fahnen-Füsiliere ab. Anschließend paradieren seine langen Kerls mit ihren steil flatternden Preußentüchern unter den Rhythmen des Hohenfriedberger Marsches an Seiner allerhöchsten Majestät vorbei – allzu betonte Anklänge an seinen erst noch bevorstehenden Sieg im Zweiten Schlesischen Krieg über die Österreicher und Sachsen bei Hohenfriedberg in Niederschlesien am 4. Juni 1745. Die gegen das schummrige Morgengrauen besonders attraktiv illuminierte weiße Suada von Preußenfahnen, von der Windmaschine zur affektgeladenen Kulisse hochgefönt, soll heroische Wirkung erzeugen, um die Herzen hoch und höher schlagen zu lassen.

Um so notwendiger erkannte es Goebbels 1942 als Aufgabe, »*das* anzuschaffen, was der große Preußenkönig Friedrich II. als den entscheidenden Faktor einer siegreichen Kriegführung seit jeher angesehen hat: in den Stürmen der Zeit ein eh'rnes Herz.« So Joseph Goebbels' apotheotischer Schlußsatz seiner Rede zum 4. Jahrestag des »Anschlusses« Österreichs an das Reich am 15.3.1942 in der Linzer Südbahnhofhalle.[3] Der schicksalbezwingende Alte Fritz sollte als Appell und Trost im harten Rußlandwinter 1942 verstanden werden, in dem auch *»Das Flötenkonzert...«* von 1930, zusammen mit anderen erfolgreichen Fridericus-Filmen, gegen Defätismus re-aktiviert wurde, denn: »Wir leben in einer Zeit, in der wir friderizianischen Geist nötig haben. Nur mit letzter Anspannung werden wir der Schwierigkeiten Herr werden, vor denen wir stehen. Überwinden wir sie, so werden sie zweifellos die nationale Widerstandskraft befestigen; und auch hier bewahrheitet sich das Nietzsche-Wort, daß das, was uns nicht umbringt, uns stärker macht.«[4]

Gustav Ucicky war mit chauvinistischen Filmstoffen wie *»Das Flötenkonzert...«* (1930), *»York«* (1931) und *»Morgenrot«* (1932/33) hilfreicher Wegbereiter nationalsozialistischer Ideologie. Mit deutschtümelnden Machwerken wie *»Flüchtlinge«* (1933), *»Das Mädchen Johanna«* (1935) oder *»Heimkehr«* (1941) war der frühere Reklamefachmann Ucicky im Dritten Reich prädestiniert, dessen penetranter Propagandist zu werden.

Das in der Filmgeschichte dann oft variierte Thema ›der Alte Fritz als Musicus‹ hat als erster Oskar Messter schon im Jahre 1898 zu seinem 30 Meter langen Film unter dem Titel *»Fridericus Rex beim Flötenspiel«* (1898) angeregt. Mit diesem Debüt wurde Friedrich des Großen posthume Laufbahn als Filmheld erfolgreich eingeleitet. Der Irrtum, daß »auf Poesie die Sicherheit der Throne gründet«, stammt von Napoleons Gegenspieler Gneisenau.

> »In diesen Wochen läuft in den Lichtspielhäusern des Reiches unter dem Titel ›*Der große König*‹ ein Film, der die harten Proben und geschichtlichen Prüfungen zum Inhalt hat, denen Friedrich II. in der kritischen Phase des Siebenjährigen Krieges ausgesetzt war, bevor er seine Heere zum endgültigen Sieg über seine Feinde führen konnte.«
>
> *(Goebbels am 19. 4. 1942)*[5]

b. Der große König (1942)

Regie: Veit Harlan

In den Kostümfilmen etwa über die preußischen Kriege ist die Fahne gelegentlich das Schicksal selbst, zum Beispiel in Veit Harlans Film *»Der große König«*. In ihm wird das Historische zur Erkenntnisquelle für Hitlers Generäle. Der im Siebenjährigen Krieg spielende Film läßt den schlachtenlenkenden Alten Fritz aus Sanssoucis Asservatenkammer wiederauferstehen, damit er Hitler als Ahnherr diene. Die Verbindung der Idee vom Führer mit der Gestalt des großen Königs sollte das Thema sein. Goebbels findet dann auch die »Parallelität zur Gegenwart in den Worten, die der große König spricht, in den seelischen Krisen, die er mit seinem Volke kämpfend und leidend durchlebt«, verblüffend.[6]

Der Vorspann zu *»Der große König«* behauptet, der Film halte sich »streng an historische Tatsachen«. Er schildere vor allem die Prüfungen des Siebenjährigen Krieges, in denen sich die überragende Persönlichkeit des Königs bewähren mußte. »Die wichtigsten Aussprüche des Königs stammen aus seinem eigenen Munde.« Mit anderen Worten: Ufa-Filme lügen nicht! »Dies ist das einzige, worauf es beim historischen Film ankommt: auf die Gültigkeit im Großen. Personen oder Ereignisse aus der Vergangenheit, welche heute vom Volk gekannt oder nachempfunden werden und es interessieren oder für es von Wert sind, können allein Vorwurf eines erfolgreichen historischen Films sein.«[7]

In der Aufblende erscheint bildfüllend die Standarte des Königs von Preußen. Darauf wird das traumatische Wort »Kunersdorf« projiziert. Mit dem gebeugten Rücken zur Kamera, spricht der Alte Fritz zu seinen Feldherren vor der Schlacht einen Monolog, der auf die Situation von Hitlers drittem Kriegsjahr zutrifft: »Wir leben in einer Epoche, die alles entscheiden und das Gesicht Europas verändern wird. Vor ihrer Entscheidung muß man furchtbare Zufälle (!) bestehen. Aber danach klärt sich der Himmel auf

und wird heiter. Wie groß auch die Zahl meiner Feinde ist, ich vertraue auf meine gute Sache und die bewundernswerte Tapferkeit der Truppen – vom Marschall bis zum jüngsten Soldaten. – Die Armee greift an!« Fahnen stürmen den Dreier- und Vierer-Reihen des Preußenheeres gegen Kunersdorf voran. Der Feind führt keine Fahnen ins Feld.
Nach verlorener Schlacht gegen die Österreicher und die Russen bei Kunersdorf (12. August 1759) war das Bernburger Regiment in Brandenburg auf der Flucht. »Aber wir haben noch die Fahne!« mit dieser Selbsttröstung steckt Fähnrich Niehoff retirierend das staubige Tuch unter seinen Wanst: Wenigstens das kollektive Symbol des Regiments war nicht in Feindeshand geraten. Als der Fähnrich sich eine Verschnaufsekunde gönnt, zieht er die Fahne unterm Rock hervor und hält sie vor die Kamera, damit die Überblendung klappt: Die Söderbaum hält sie in der Anschlußszene in Händen, um daraus Verbandszeug zu machen: »Ja, die Fahne hätt' dich beinah dein Leben gekostet...« Und: »Solange wir noch unsere Fahne haben, ist noch nicht alles verloren«.
Die nicht mehr flatternde Fahne des Fähnrichs Niehoff dient der Kamera von Bruno Mondi noch ein weiteres Mal als Blende: »Ohne uns kann's ja doch nicht anfangen.« Das heilige Tuch, im Panjewagen noch unterm Arm, flattert plötzlich wieder fröhlich in Reih und Glied. Aber: »Die Fahne wird eingezogen!« liest der Alte Fritz den Bernburgern die Leviten. Er befiehlt ihnen, keine Bandlitzen und Kokarden und vor allem keine Feldzeichen mehr zu tragen. »Dem Tambour soll nicht mehr gestattet werden, den Marsch zu schlagen. Nur ein Querholz und eine Trommel sollen den Schritt angeben und vor dem Regiment herrufen: ›Hier kommen die, die lieber leben als siegen‹.« Da schießt sich hoch zu Roß Graf Bernburg vor den Augen seiner Truppe durch die adelige Schläfe. Der tote Graf, und mit ihm Schmach und Schande, wird mit Preußens Fahne zugedeckt: »Er floh aus der Schlacht, er floh aus dem Leben«, kommentiert lakonisch sein König.
Unter dem Kommando von Oberst Rochow (Otto Wernicke) ziehen die Bernburger schließlich siegreich gegen den Feind: Die weiße Fahne mit dem schwarzen Preußenadler flattert wieder voran. Auch als des Fähnrichs bester Freund, der Feldwebel Paul Treskow (Gustav Fröhlich) neben ihm fällt, stürmt er nach einem Moment der Irritation mit der Fahne im Wind vorwärts, »...dem Feind mit dem Bajonett in die Rippen. In drei Tagen sind wir in Korbach als Sieger – oder tot«, heizt der Alte Fritz seinen Kerls ein. Schließlich ist »ein guter Schlachtruf die halbe Schlacht« sagt Shaw.[8] Als sie sich nach dem Sieg von Torgau sammeln, meldet Oberst Rochow gerührt: »Die Fahnen des Sieges, Majestät. Die alten preußischen Fahnen.« Die Schlußapotheose zeigt die unverwüstlich im Wind flatternde Preußenfahne, das ganze Bild füllend, als steiles Segel:

Symbol für Preußens Glanz und Gloria. Diese Sieg verheißende Projektion auf Hitlers Fahne sollte Hoffnung ausstreuen.
Damit sollte auf analoge Konstellationen des Produktionsjahres 1942 verwiesen werden. Von diesem Sinnbild sollte Siegeszuversicht auf die Krisensituation an der Ostfront ausstrahlen. Der ohnehin kleine Kreis der nationalsozialistischen Regiegarde geriet mit den historisierenden Heldenepen endgültig in künstlerisches Niemandsland.
So gegensätzliche Figuren wie den Alten Fritz und Adolf Hitler wußte Goebbels mit Propaganda für das politisch ungebildete Volk in eine Zwangssymbiose zu bringen: Hier der durch Zufall der Geburt ins höchste Staatsamt berufene Prinz und dort der durch Propaganda an die Macht katapultierte Anstreicher und Gefreite Hitler. War Fridericus ein Exeget französischer Aufklärung und Philosophie und ein Freigeist, ein Freimaurer, musisch sensibel und hochgebildet, so profilierte sich der Autodidakt Hitler als Gegner allen aufklärerischen Denkens und des Freimaurertums und jeglicher Humanitätsideen, gänzlich amusisch. Im Kriege sind gewisse Parallelen immerhin im Monomanischen auszumachen: die brutale Härte den eigenen Truppen und dem Feind gegenüber, gelegentliches Kriegsglück, die Fehleinschätzungen der gegnerischen Strategie und vor allem: die Todesverachtung.

*

Das von Anton Graff in Öl gemalte Porträt Friedrich des Großen hatte Hitler im Führerbunker ständig präsent. Der Chef des Generalstabes, Heinz Guderian, zitiert Hitler mit dessen Geständnis, daß er aus diesem Bild immer neue Kraft schlürfe, »wenn die schlechten Nachrichten mich niederzudrücken drohen«.[9] Mit den Niederlagen seines militärischen Ahnherren konnte Hitler sich trösten: Trotz Kunersdorf und Leuthen ist Friedrich II. als Friedrich der Große in die Annalen der Geschichte von Preußens Gloria eingegangen.

Film-Kurier
Hitlerjunge Quex

2. Fahnenapotheosen im Spielfilm

»Unsere Fahne flattert uns voran.
Unsere Fahne ist die neue Zeit,
Und die Fahne führt uns in die Ewigkeit!
Ja, die Fahne ist mehr als der Tod!«
(Baldur von Schirach)

So lapidar lautet der Refrain der Erweckungshymne: »Vorwärts! Jugend kennt keine Gefahren!« Dieses zum Hitlerjugend-»Hit« stilisierte Lied sollte zum Leitmotiv des ersten originären Nazi-Propagandafilms gleich nach der Machtergreifung werden. Die Ufa hatte den Film *»Hitlerjunge Quex«* Hitlers ergebener Jugend gewidmet. Der 1933 von Hans Steinhoff in Berlin inszenierte Film ist laut Untertitel »Ein Film vom Opfergeist der Jugend«. Die zur Legende hochstilisierte Kampfzeit und deren jugendlicher Märtyrer Quex, der im Leben Herbert Norkus hieß, sollten die emotionalen Verlockungen des braunen Regimes jungen Kinogängern nahebringen. Populäre Leinwandidole, die bereits *vor* 1933 die Massen ins Kino gelockt hatten (z. B. Berta Drews, Heinrich George, Hermann Speelmans) sollen mit diesem veritablen Kinostoff Nazitum salonfähig machen.

»Hitlerjunge Quex« hatte die Aufgabe, vor allem jene kindlichen Gemüter mit Nazigut vertraut zu machen, in deren Elternhaus sich der Gesinnungswandel nicht schnell genug vollzogen hatte. Die Machthaber, auf Massenloyalität angewiesen, hofften über die leichter verführbaren Jungen und Mädchen auch die Eltern zu gewinnen. Deren Anfälligkeit für die Werte Kameradschaft, Tapferkeit, idealistische Ziele durfte vorausgesetzt werden.

Der dramaturgische Wendepunkt in diesem ersten von den Nationalsozialisten finanzierten Spielfilm wird mit emotionalen Mitteln eingeleitet: Den Druckerlehrling Heini Völker aus Berlin, später respektvoll »Quex« genannt, der vierzehnjährige Sohn eines angeblich aus sozialer Verbitterung zum Kommunisten gewordenen arbeitslosen Proletariers, schickt die Regie auf Gratwanderung. Er verläßt die als chaotisch vorgeführte kleine Horde der kommunistischen Jugend-Internationale und tritt in die Frische der Nacht hinaus, angewidert auch vom quasi promiskuösen Verhalten der Kommunisten-Gruppe.* Als er das Hitlerjugend-Kampflied »Vorwärts! Vorwärts!« hört, ist er so fasziniert, daß er, auf der Stelle tretend, mit dem Rhythmus des Liedes Tritt zu fassen sucht.

In der Romanvorlage von Karl Aloys Schenzinger heißt es an der Stelle,

* Im August 1937 kommt der parteiinterne »Deutschland-Bericht« Nr. 1070 nicht umhin zu konstatieren, daß die »Promiskuität ... als tatsächlicher Zustand« der Hitler-Jugend sexuelle Freizügigkeit zur Folge hat. Ein gewisser Grünberger berichtet, daß während des 8. Reichsparteitages 1936 an die neunhundert BdM-Mädchen in Nürnberg schwanger geworden sind.

wo geschildert wird, wie Heini heimlich die sakrale Gemeinschaft der Hitlerjugend bei ihrer Sonnenwendfeier beobachtet: »Er wollte mitsingen, aber seine Stimme versagte. Dies war deutscher Boden, deutscher Wald, dies waren deutsche Jungens, und er sah, daß er abseits stand, allein, ohne Hilfe, daß er nicht wußte, wohin mit diesem großen Gefühl.«[10]

Von einer Böschung aus schaute Heini Völker den disziplinierten Braunhemden zu. Die Filmtotale zeigt sie in Reih und Glied, weihevoll ihre Fahne hissend. Heinis Sehnsucht nach Geborgenheit, Vatersatz, nach Kameradschaft verbindet der Film mit dem durch Ton und Bild idealisierten Lebensgefühl dieser jungen Gemeinschaft. Das hell lodernde Lagerfeuer und die inmitten der Gruppe flatternde Fahne verleihen der gefilmten Situation ihre emotionale Attraktion. Heini möchte dabei sein, ist bereit, im Sinne des Liedes zu »marschieren für Hitler durch Nacht und durch Not mit der Fahne der Jugend für Freiheit und Brot«.

Das Lied findet in Heinis Herzen solchen Widerhall, daß er es am nächsten Morgen, daheim in der tristen Wohnküche, versonnen vor sich hinbrummt, den Text mit Eifer memorierend: »Unsere Fahne flattert uns voran.« Seine Stimme dringt durch die Wand ins Nebenzimmer und läßt Heinis Vater aus der Haut fahren; unter Anwendung physischer Gewalt zwingt der den Sohn, in die »Internationale« einzustimmen, die er vorsingt: »Völker hört die Signale...«

Nach dem Selbstmord der Mutter wird die braune Gemeinschaft für Heini ein Muttterersatz. Bald vollendet sich auch das Schicksal von Heini, der inzwischen zum mutigen »Hitlerjungen Quex« geworden ist: Als er im »roten« Berliner Beussel-Kiez, ganz auf sich allein gestellt, Flugblätter verteilt, umkreisen ihn die kommunistischen »Meuchelmörder« im Schutz des Dämmerlichts und stechen ihn nieder.

Als HJ-Kameraden ihn sterbend auf dem Rummelplatz finden, schweifen die leuchtenden Augen eines Märtyrers verklärt himmelwärts über seine irdischen Freunde hinweg, und mit glücklichem Lächeln haucht er in ihren Armen mit den mühsam hervorgebrachten Worten seine Seele aus: »Unsere... Fahne... flattert... uns... voran.«

Welche Symbolkraft den Uniformen, Farben und Fahnen beigemessen wurde, erhellt folgende Passage einer Rede des Nazi-Dichters E. W. Möller auf den ermordeten Hitlerjungen Herbert Norkus, der im Film Hitlerjunge Quex heißt: »Herbert Norkus wurde im weißen Hemd ermordet. Als man das Hemd aber später ansah, da war das Blut braun geworden. So starb der Junge doch im Braunhemd der Bewegung. Welch unbegreiflich wunderbarer Vorgang.«[11]

Aber damit nicht genug! Jetzt holt Regisseur Hans Steinhoff zur melodramatischen Schlußapotheose aus: Aus dem Körper des sterbenden Hitlerjungen Quex tritt ein Heer aus Braunhemden und Fahnen ins Blickfeld,

bis das Hakenkreuz einer Fahne als Erlösung signalisierendes Emblem das Bild füllt. In Mehrfachüberblendungen verschmelzen Marschkolonnen, Fahnen und der tote Quex mit dem musikalischen Verschnitt des »Vorwärts«-Marsches zur heroischen Szenerie. Eine virtuose Schnitt- und Überblendungstechnik intensiviert den metaphorischen Effekt dieser ins Kollektiv gesteigerten Vision. Sie sollte von der Leinwand ins Parkett übergreifen und die Psyche der Zuschauer in ihren Bann ziehen. Die mit der Fahne verbundene Heilslehre vom Opfertod sollte der Nazi-Bewegung die Kraft geben, die sie zur Erreichung ihrer Ziele brauchte.
»Der tapfere, kleine Soldat ist den Heldentod gestorben, für seine Sache, für die Kameraden, für die heißgeliebte Fahne und den Führer. Aber andere deutsche Jungens reißen die Fahne wieder hoch, die mit dem Blut eines der Besten geweiht ist.«[12]
Unter der Überschrift »Die Fahne ist die neue Zeit« schreibt der ›Kinematograph‹:[13] »Die Bewegung ist im Lauf, der Geist, der in dem Jungen lebte, er ist in den Reihen der marschierenden Jugend; die Fahnen rauschen im Winde, das Lied braust auf ›Unsere Fahne ist die neue Zeit‹ ...« Und: »Hitlerjunge Quex ist ein deutscher Film, der nicht mit dem Blick auf Konjunktur, sondern der mit echtem Gefühl und tiefer Empfindung gedreht ist, ein Film, der eine Fanfare der deutschen Jugend und damit der deutschen Zukunft ist.«
Schirachs Fahnenlied, Gemüt und Herz einlullend, wird in »Hitlerjunge Quex« gegen die weniger einschmeichelnden Töne von »Internationale« und »Marseillaise« gesetzt. Der Film erweckt den Eindruck, als habe das immer wieder eingespielte Kampflied von der Fahne, »die der jungen Schicksalsgemeinschaft den Weg weist«, bereits 1931, im Jahr der Handlung, junge Herzen froh gestimmt. Tatsächlich aber hat der Reichsjugendführer und Nazi-Barde Baldur von Schirach das Lied speziell für diesen Film geschrieben. Der Film ist eine persönliche, poetisch-politische Ergebenheitsadresse an den Führer, der nach Schirachs Worten »seine Seele an die Sterne strich und doch Mensch blieb, so wie du und ich«.
Die Fahne soll im Sog des kämpferischen Marschliedes in eine schöne Zukunft flattern. Sie ist ein auch von jungen Menschen schnell zu begreifendes Symbol für Hoffnung und Glaube; auf den Wogen der Begeisterung soll sie zu einem Ziel führen, das sich hinter der Alliteration des Slogans »Für Führer, Volk und Vaterland« verbirgt. Tatsächlich aber wird mit dem ersten Propaganda-Film des Dritten Reiches unbeabsichtigt auch dessen Ende vorweggenommen. »So beginnt der Film in der Machart eines sowjetischen Montagefilmes, um nun in der Apotheose des Opfertodes, von Musik und Fahnen zugedeckt, zu enden.« Karsten Witte kommt zu dem Schluß, daß »Hitlerjunge Quex« vorwegnimmt, was in der propagierten Todessehnsucht beschlossen liegt: »Das Ende im Anfang«.

Baldur von Schirach hat die Vision: »Wo damals der kleine Hitlerjunge fiel, da steht heute eine Jugendbewegung von eineinhalb Millionen Kämpfern. Jeder einzelne bekennt sich zum Geist des Opfers, der Kameradschaft... Wir wollen weiterkämpfen in seinem unbeugsamen Geist«.[14]
Mit dem »Quex«-Film war ein Parameter geschaffen für das, was Nietzsche in einem anderen (bürgerlichen) Kontext die »doppelte Optik« genannt hat, hier: die artistische und die nationalsozialistische, die außerdem den Blick des Publikums zu fesseln imstande war. »Wenn Kunst und Charakter sich miteinander vermählen« wie in *»Hitlerjunge Quex«*, sinniert Dr. Goebbels über dessen psychologischen Wirkungsmechanismus, »und eine hohe ideelle Gesinnung sich der lebendigsten und modernsten filmischen Ausdrucksmittel bedient«, dann werde damit ein Resultat gezeitigt, »das der deutschen Filmkunst der ganzen Welt gegenüber einen fast uneinholbaren Vorsprung einräumen wird.«[15]
Die beiden noch im gleichen Jahr entstandenen parteihörigen Spielfilme, *»SA-Mann Brand«* (1933) von Franz Seitz und *»Hans Westmar«* (1933) von Franz Wenzler, führen den Opfertod ebenfalls in schaurig-schönen Bildern vor. »Jetzt gehe ich zu meinem Führer«, flüstert im *»SA-Mann Brand«* der sterbende Hitlerjunge Erich Lohner seinem Freund Fritz Brand zu.
Der schwört »am Totenbett des armen Jungen, daß auch dieses junge Blut, das für die große deutsche Sache geflossen ist, gerächt werden wird«. Bei Hitlers »von heißer Vaterlandsliebe getragenen Reden« horchen sogar die Kommunisten »mit geballten Fäusten und fühlen die gewaltige heilige Welle« aus dem Lautsprecher, denn er spricht »zu den Herzen des deutschen Volkes«. Schließlich hat »das nationalsozialistische Deutschland den Sieg errungen. SA marschiert, und in ihren Reihen stolz und aufrecht SA-Mann Brand. Aus tausend Kehlen klingt übermächtig: ›Die Fahne hoch, die Reihen fest geschlossen, SA marschiert...‹. Ein ungeheurer Jubel geht durch ganz Deutschland -- Die Morgenröte einer neuen Zeit bricht an... Deutschland ist erwacht«.[16]
Franz Wenzlers Spielfilm *»Hans Westmar«* (1933) mit dem Untertitel »Einer von Vielen – Ein deutsches Schicksal aus dem Jahre 1929« erzählt die Geschichte Horst Wessels, des »strahlendsten Blutzeugen der deutschen Freiheitsbewegung«. Die »strengste historische Treue« geht so weit, daß sogar die von der SA eroberten »Plakate, Fahnen, Transparente usw. der Kommunisten ›echt‹ sind«.[17] Getreu dem Vorwurf von Hanns Heinz Ewers' »Horst Wessel«-Buch überliefert der Film in einem einzigen Wort die allerletzten Gedanken des ermordeten Hans Westmar alias Horst Wessel, das aber zugleich für eine ganze Ideologie steht: »Deutschland...« Als der blutjunge Nazi-Recke seinen Geist aufgibt, geht mit ihm die Hakenkreuzfahne auf die Reise in die ewigen Gefilde. Die geballten

15. Jahrgang 1933
Film-Kurier
S.A. Mann
Brand
Ein Lebensbild aus unseren Tagen

Arbeiterfäuste öffnen sich allegorisch zum Hitlergruß. Aus der Grabrede auf Hans Westmar schallt ihm hinterher: »Die Fahne hoch! Und das heißt, die Fahne wird wieder steigen vom Tode hinaus zum leuchtenden Leben, und mit ihr wird sein Geist aus der Gruft eingehen in uns und wird in unseren Reihen mitmarschieren, wenn wir einst die Macht ergreifen für des neuen Reiches Glanz und Herrlichkeit.« An die Begräbnispassage sind Dokumentarfilmaufnahmen vom historischen Fackelzug der SA durch das Brandenburger Tor am 30. Januar 1933 geklebt.

Auch in Hanns Heinz Ewers' Buch endet die Friedhofs-Szene im rauhen Märzwind gläubig: »Und das Empfinden füllte die Herzen: Er ist gar nicht tot, der Tote da, er lebt noch, lebt wie wir, mitten unter uns« – Ja: »Kameraden, die Rotfront und Reaktion erschossen, marschier'n im Geist in uns'ren Reihen mit.«[18] Die allen drei Filmen gemeinsame Methode heißt Allegorie, mit der die braune Ideologie ins Mystische verklärt wird. Alle drei Schlußapotheosen sind filmsemiotische Beispiele der NS-Hagiografie. Sie enthalten aber nicht nur formale Akzentuierungen, sondern sind auch ganz konkrete Versuche, ideologische Tendenzen in Zielvorgaben umzuwandeln und bildhaft bewußt zu machen.

Das Publikum sollte in den jungen Prototypen der Bewegung sittliche Kräfte spüren, die ihre Bedeutung unter der Herrschaft Hitlers bald verlieren sollten. Der Prototyp Quex beispielsweise diente als dramaturgisches Motiv einer dokumentarischen Darstellungsweise, die dem fiktionalen Geschehen einen realistischen Anstrich geben sollte.

Der aus der sogenannten »Kampfzeit« entlehnte Märtyrerstoff hatte zunächst nicht das künstlerische Format, das dem des Helden entsprach. Deshalb verbot Goebbels die für den 9. Oktober 1933 angekündigte Premiere kurzerhand, um nachbessern zu lassen. Die Begründung für die Vertagung wurde damit gegeben, »daß der Bildstreifen weder der Gestalt Horst Wessels gerecht wird, indem er sein Heldenleben durch unzulängliche Darstellung verkleinert, noch der nationalsozialistischen Bewegung, die heute der Träger des Staates ist. Insofern gefährdet er lebenswichtige Interessen des Staates und des deutschen Volkes«.[19]

»Der Rebell« (1932) nahm das Konzept des ritualisierten Todeskultes der Nazis vorweg. Das erhellt Joseph Goebbels' Bemerkung, nach der dieser Film geeignet sei, »auch den Nicht-Nationalsozialisten« umzuwerfen. Hitler hat nach Auskunft von Luis Trenker den Film *»Der Rebell«* viermal gesehen und jedesmal neue Freude an dem Filmwerk gehabt. »Übrigens«, wußte der Führer, »er läuft ja zur Zeit in den Luitpold-Lichtspielen in München.« Trenker sei im höchsten Grade erstaunt über des Führers Orientiertheit gewesen. Er selbst habe das gar nicht gewußt.[20] Die drei triumphalen Schlußmetaphern, wie sie in den frühen Gesinnungsfilmen *»Hitlerjunge Quex«*, *»Hans Westmar«* und *»SA-Mann Brand«* für den nationalsozialistischen Seelenhaushalt zubereitet wurden, haben in *»Der*

Nummer 2034 Illustrierter 15. Jahrgang 1933

Film-Kurier

HANS WESTMAR

EINER VON VIELEN · EIN DEUTSCHES SCHICKSAL
AUS DEM JAHRE 1929 · MANUSKRIPT NACH DEM BUCH
HORST WESSEL
VON HANNS HEINZ EWERS

Rebell« (1932) von Luis Trenker und Kurt Bernhardt ihr filmemblematisches Vorbild. Leni Riefenstahls späterer Chef-Kameramann Sepp Allgeier hat in diesem »Freiheitsfilm aus den Bergen« seine sozusagen präfaschistischen Etüden zur Meisterschaft entwickelt. In dem üppigen Tiroler Nationalepos exekutieren napoleonische Soldaten im Hof der Festung Kufstein den revolutionären Studenten Severin Anderlan (Luis Trenker) und zwei seiner Kameraden »wegen Rebellion und Bandenbildung«. Als Märtyrer sterben sie aufrecht mit pathetischer Heldenmaske, ohne den Leidensausdruck der ikonografischen Anspielung an den Gekreuzigten.
»Aber den Willen der Sterbenden töten sie nicht! Und wie Schatten, in endlosem Zug, erscheinen sie alle, die sich opferten für die Freiheit. Mit wehenden Fahnen schreiten sie dem kommenden Tag, ihrer Zukunft entgegen.«[21] Tatsächlich: Es kann kein natürlicher Tod gewesen sein, denn nach einer Schrecksekunde folgt die Auferstehung des Volkshelden Severin auf dem Fuße: Mit ungebrochenem patriotischem Elan aufspringend, reißt er die weiße Fahne mit dem roten Adler vom Boden mit sich hoch (die vor seiner Füsilierung gar nicht da war). Magisch beflügelt, erheben sich mit dem »Rebellen« die beiden hingerichteten Tiroler Bauern. Nun hasten Heerscharen von Freiheitskämpfern Severins hoch über den Köpfen flatternder Fahne hinterher, die sich in dräuenden Nebelschwaden auf wunderbare Weise vervielfacht. Die Toten und die Lebenden entschweben wie auf Oblatenwolken schwerelos in sphärische Gefilde: in eine luminöse Ewigkeit, geführt von vielen Fahnen.
Der gläubige Trenker dürfte diese Metapher von der bildenden Kunst entlehnt haben: Die in der christlichen Ikonografie verwendete Kreuzfahne, die Christi Auferstehung pathetisch verklärt, wurde häufig als Ausdruck des Triumphes über den Tod präsentiert.

»Es darf eben jetzt keine Klassen mehr geben. Auch wir sind Arbeiter, Arbeiter der Stirn, und unser Platz ist neben dem Bruder, dem Arbeiter der Faust.«
(Hans Westmar in dem gleichnamigen Film 1933)

3. Der proletarische Spielfilm

Die Nazis wußten die Traditionswerte der Fahnengenealogie zu nutzen und in ihrem Sinne umzudeuten. Bei der formalästhetischen Würdigung von *»Hitlerjunge Quex«* sind sich auch ausländische Autoren darin einig, daß es sich um einen effektvoll inszenierten Film handelt und daß er an die besten gestalterischen Traditionen auch des proletarischen Films der

deutschen Stummfilmzeit anknüpft, etwa an Piel Jutzis *»Mutter Krausens Fahrt ins Glück«* (1929), G. W. Pabsts *»Die Dreigroschenoper«* (1931) oder Slatan Dudows *»Kuhle Wampe«* (1932). Außer auf die drei genannten Filme trifft V. Polianskijs These auf die meisten übrigen proletarischen Filme zu, wie er sie in seinem Aufsatz »Das Banner des Proletkults«[22] vertritt, wonach im Gegensatz zur Kunst der untergehenden Bourgeoisie die proletarische Kunst den Inhalt und nicht die Form in den Vordergrund stelle.
Auf dieser Linie argumentieren auch G. W. Pabsts pessimistischer Antikriegsfilm *»Westfront«* (1930) und seine völkerverbindende Adresse *»Kameradschaft«* (1931). Engagiert gegen reaktionär-chauvinistische Tendenzen und für die progressive Linke, gründet Pabst zusammen mit Piscator und Heinrich Mann 1930 den Volksverbund für Filmkunst, um Gesellschaft realistisch zu reflektieren, wie sie ist. *»Kameradschaft«* wurde bis auf drei Protagonisten ausschließlich mit Laiendarstellern aus dem Gedinge besetzt; das tatsächliche Grubenunglück von 1906 in den Minen von Courrières hat Pabst im Film als spontane Aktion deutscher Kumpels zur Rettung verschütteter französischer Kollegen ausdrücklich als »nach Versailles« aktualisiert. Der Film beginnt mit einer wochenschauähnlichen Reportage über die schweißperlende Maloche im Untertagebau und mit einer authentischen Einstimmung ins proletarische Wohnküchen-Milieu. Die im Filmrealismus so beglaubigte Botschaft demonstriert die Hoffnung, daß die menschliche Überwindung von Grenzen in der Solidarität der Arbeiterklasse auch politische Grenzen aufhebbar macht.
Als nach diesem »wunderbaren Ereignis« Sprecher beider Grubenschichten an der Nationengrenze unter freiem Himmel die Integrationsformel Brüderlichkeit beider Völker beschwören, schiebt Pabst einen ätzenden Epilog hinterher: Deutsche und französische Grenzbeamte, im Stollen getrennt durch ein neues Eisengitter, verlesen grenzensichernde Protokolle: »Die strikte symmetrische Geste der beiden Funktionäre ist eine Satire auf den Sieg bürokratischen Denkens. Versailles hat gesiegt.«[23]
Die im sozialen Elend und in gesellschaftlicher Erniedrigung lebenden 6,5 Millionen Arbeitslosen der Weimarer Zeit sind das Thema dieser Filme. Wie Piel Jutzi in *»Mutter Krausens Fahrt ins Glück«* (1929) verurteilten die Regisseure der Linken nicht einzelne durch wirtschaftliche Umstände kriminell gewordene Proletarier, sondern ihr »Milieu«, die Tristesse der Hinterhöfe, die Not in den Elendsquartieren. »Man kann jemand sowohl mit einer Wohnung wie mit einer Axt erschlagen«, ist ein die Situation treffend charakterisierendes Wort von Heinrich Zille, der zu Jutzis Film die Anregung gab. Als Mörder wird der Staat identifiziert: Die Unheil signalisierende Vorladung aufs Amt mit dem preußischen

Hoheitssiegel bringt Regisseur Jutzi groß ins Bild und blendet dann über auf die furchterregende Kontur des deutschen Adlers an Mutter Krausens Wanduhr.
Diese Filme waren in der Weimarer Republik Synonyme für zugleich politische und poetische Progressivität. Die ihnen gemeinsame optische Schärfe korrespondiert mit agitatorischer Verve. Der für den Proletarier Partei ergreifende Film will durch krasse Darstellung seiner Not Klassenbewußtsein wecken. Gemeinsame Folie war die unverhohlene Sympathie, mit der das proletarische Milieu und seine Menschen gezeigt wurden.
Als Nachzügler gehört in diese Kategorie des proletarischen Films stilistisch und tendenziell auch Erwin Piscators in Sowjet-Rußland gedrehter Film *»Der Aufstand der Fischer von St. Barbara«* (1934) nach der gleichnamigen Novelle von Anna Seghers.
Der Versuch der Nazis, die Linke durch teilweise Übernahme ihrer äußeren Formen und auch ihrer Gedankengänge zu schwächen, ist auch filmästhetisch zu belegen. Die Inhalte werden ausgetauscht, die Form bleibt erhalten. An die Stelle der roten Fahne tritt jetzt die Hakenkreuzfahne als »das farbige weithin sichtbare Signalzeichen« (Tucholsky) für den Aufbruch in eine neue Zeit. Anteile der alten Identität des Arbeiters mit sich selber und seiner Klasse werden unter der Flagge der neuen Solidarität versprochen und scheinbar auch eingelöst. »Wo wer' ick also schon hinjehör'n? Zu meine Klassengenossen jehör ick«, sagt Vater Völker, der in »Hitlerjunge Quex« von Heinrich George sympathisch gezeichnete arbeitslose Kommunist; dessen besitzlose Genossen hoffte die NS-Propaganda mit Hilfe solcher Filme in die Bewegung zu integrieren. Mit dem Versprechen: »Jeder muß wieder Arbeit und Brot haben«, macht sich SA-Mann Brand zum Anwalt auch der arbeitslosen Linken. Die neue klassenlose Klasse der Nationalsozialisten ist aber nicht das Ende der Klassen, sondern nur die Liquidierung des proletarischen Klassenbewußtseins unter einer roten Fahne. Das Rot des Sozialismus ist das künftige Rot des National-Sozialismus, aufgehellt durch eine weiße Sonnenscheibe mit einem Kraft und Zukunft symbolisierenden Hakenkreuz im Zentrum, das den Sowjet-Stern in den Orkus verdammt und endgültig liquidiert, was die Nazis für proletarische Obsession halten.
Eindeutig nationalsozialistische Spielfilme mit marschierender HJ und SA wurden nach 1933 nicht mehr hergestellt. Das Propagandaministerium fürchtete, die braunen Uniformen auf der Leinwand könnten kontraproduktiv sein. Goebbels machte seine Kritik an allzu stramm verfilmter NS-Ideologie am Beispiel »SA-Mann Brand« (1933) fest: »Wir wollen nicht, daß unsere SA-Männer durch den Film oder über die Bühne marschieren. Sie sollen auf der Straße marschieren.«[24] Schließlich habe die nationalsozialistische Regierung »niemals verlangt, daß SA-Filme ge-

dreht werden. Im Gegenteil... Sie sieht in ihrem Übermaß sogar eine Gefahr«, sagt Goebbels.[25] Von den im Hitler-Staat hergestellten etwa 1150 Spielfilmen waren höchstens 5 Prozent massive Propaganda-Filme, und davon waren die meisten Historien- oder Kriegsfilme. Das heißt jedoch nicht, daß die restlichen Spielfilme keine propagandistischen Zwecke verfolgten. Die Propaganda wurde nur subtiler. Stilbildend wurden Filme wie Borsodys *»Wunschkonzert«* (1940), der erfolgreichste Nazifilm überhaupt, Liebeneiners *»Ich klage an«* (1941) oder, für die Spätphase des Krieges wichtige Harlan-Filme wie *»Opfergang«* (1944) und *»Kolberg«* (1945), in denen individuelle Liebesgeschichten die Zuschauer in ihren Bann ziehen. Der Hintergrund, vor dem diese scheinbar harmlosen Episoden spielen, ist Eroberungskrieg bzw. Euthanasie und ein »scheinbar« sinnloser Durchhaltekampf. Was Harlan suggerieren will ist, daß die Entscheidungen für Krieg respektive »Vernichtung lebensunwerten Lebens«, also Eingriffe in das individuelle Glück, von den Betroffenen selbst getroffen werden, das heißt: von den jeweiligen Identifikationsfiguren der Zuschauer.
Wie subtil die Propaganda in diesen Filmen wirksam ist, zeigt vielleicht am besten die Tatsache, daß in einem Münchner Kino seit einigen Jahren bis heute jeden Sonntag all diese Filme unter dem Reihentitel »Sterne, die nie erlöschen« als Hits angepriesen und publikumswirksam vermarktet werden. *»Opfergang«* wird als »einer der schönsten und besten Farbfilme Veit Harlans« verkauft, als »ein unvergeßliches Erlebnis«. Johannes Meyers *»Männerwirtschaft«* (1941) ist »ein fröhlicher Film rund um die Liebe, bei dem Sie Ihre Sorgen vergessen« – genau darum ging es schließlich auch während des Krieges. Die mitgelieferte Ideologie stört offensichtlich heute sowenig wie damals.

III. Gründe für Hitlers Aufstieg

»Darum muß das Mildeste an uns, wie Friedrich Nietzsche sagt, noch zum Härtesten werden. Wir müssen schon über uns selber steigen, hinan, hinauf, bis wir auch unsere Sterne noch unter uns haben«

(Joseph Goebbels) [1]

Exkurs zur Entstehung des Nationalsozialismus

Heute, über vierzig Jahre nach dem Zusammenbruch des nationalsozialistischen Terrorregimes, stehen wir immer noch fassungslos vor der Frage, wie Stalingrad, wie Coventry und Auschwitz möglich werden konnten. Der sogenannte »Historikerstreit« der letzten beiden Jahre – ausgelöst durch die Frankfurter Römerberggespräche im Mai 1986 – [2] und durch Jürgen Habermas' Replik »Eine Art Schadensabwicklung«[3] auf Theorien Ernst Noltes, Michael Stürmers und Andreas Hillgrubers – belegt diesen Befund durch die Art und Weise wie hier von der Seite konservativer Historiker versucht wird, die Einzigartigkeit dieser Katastrophen zu leugnen und wie hier Verdrängungsbemühungen auch von höchster politischer Stelle mit den entsprechenden Legitimationen versehen werden.

Die Tendenz solcher Art »Gratwanderung zwischen Sinnstiftung und Entmythologisierung« (Michael Stürmer) liegt auf der Hand: Aus dem Schatten Hitlers herauszutreten, um aktuelle bundesdeutsche Politik von der »Hypothek« der nationalsozialistischen Verbrechen zu befreien, nicht zuletzt von der planmäßig durchgeführten Ermordung von sechs Millionen europäischer Juden.

Ernst Nolte versuchte schon 1963 in seinem Buch *Faschismus in seiner Epoche*[4] den Nationalsozialismus in einer gesamttotalitären Entwicklung als Reaktion des liberalen Bürgertums auf die »bolschewistische Bedrohung« darzustellen. Konsequent verführt ihn diese Theorie vom Faschismus als »Reaktion auf eine Bedrohung« dazu, schließlich auch den Holocaust zu entschuldigen. 1986 breitet er in seinem Aufsatz »Zwischen Mythos und Revisionismus« den abenteuerlichen Gedankengang aus, Chaim Weizmann habe im September 1939 für den Jüdischen Weltkongreß eine »Kriegserklärung« gegen die Nazis abgegeben und Hitler dazu »berechtigt«, Juden als Kriegsgefangene zu behandeln und zu deportieren. Allein das Datum September 1939 ist heillos verschleiernd: Das war vier Jahre nach den Nürnberger Rassegesetzen, ein Jahr nach der »Reichskristall-

nacht«, unmittelbar nach der Einführung des Judensterns, des Kainszeichens für den »Untermenschen«.
Von hier ist es dann nur noch ein kurzer Schritt zu der Schlußfolgerung: »Die *sogenannte* (Hervorh. d. Verf.) Vernichtung der Juden während des Dritten Reiches war eine Reaktion oder eine verzerrte Kopie (anderer staatsterroristischer Aktionen; Anm. d. Verf.), aber nicht ein erstmaliger Vorgang oder ein Original.« Auffällig ist, wie hier unterschwellig genau jene Legitimationen, welche die NS-Ideologie selbst verwendete, aufpoliert werden: Die »Berechtigung«, gegen Juden vorzugehen, der Holocaust als »Reaktion« auf eine »Bedrohung«, auf eine »asiatische Tat«[5]. Das Verdrängte kehrt wieder – versteckt, aber wirksam.
»Das wichtigste Versäumnis von Besiegten und Siegern aber war und ist, das Naziphänomen nicht als eine bloß extreme Konsequenz einer gemeinsamen Versuchung begriffen zu haben, die in uns allen angelegt ist. Hitler war einmalig. Auschwitz war einmalig... Aber die Deutschen unter Hitler, die seinem Regime der Unmenschlichkeit gehorchen, waren keine anderen Wesen als ihre heutigen Nachkommen, und diese gleichen in ihren Anlagen vielen anderen Völkerschaften« (Horst-Eberhard Richter)[6].
Natürlich ist es nicht einfach und nicht angenehm, mit der deutschen Vergangenheit zu leben. Doch eine solche Geschichtsinterpretation will eine *Verantwortung* (nicht *Schuld!*) an der deutschen Geschichte leugnen, will – das scheint das Wesentliche – keine Konsequenzen aus der Historie ziehen. Tatsächlich jedoch läßt sich, ob man will oder nicht, eine Indifferenz gegenüber dieser Geschichte gar nicht erreichen, und schon gar nicht mit solchen interpretatorischen Klimmzügen. Denn Geschichte wirkt mit den Menschen, die sie erlebt haben, weiter; sie geben ihre Erlebnisse und ihre Ideologie, ob sie wollen oder nicht, weiter an die folgenden Generationen. Der zentrale Ansatzpunkt der Vergangenheitsbewältigung muß also im Heute liegen, nicht in einer Uminterpretation der Vergangenheit. Die tiefenpsychologischen Prozesse dieses Phänomens beschreibt Horst Eberhard Richter.
Damit wird den nationalsozialistischen Verbrechen nichts von ihrer Einzigartigkeit genommen, aber als das einmalige Geschehen überdauernde Mahnung und Warnung werden sie ernstgenommen, und deshalb ist Richter Recht zu geben, daß unsere einzigartig schlimmen Erinnerungen für uns Deutsche auch eine besondere Chance bedeuten. Für die Jüngeren ist es wichtig, »daß sie in ihren Eltern und Großeltern wiedererkennen, was an gefährlichen Möglichkeiten auch in ihnen selbst steckt«.[7] So wird der Nationalsozialismus kein »exotischer Sonderfall«, sondern ein »Lehrstück« dafür, zu was Menschen fähig sind.
Das wird der Historie besser gerecht als die abgegriffenen Formeln des »Verstehens«, die wir hinter den Erklärungsversuchen von Nolte und

anderen erkennen. Dolf Sternberger hat jüngst den Nolteschen Versuch, Auschwitz »verstehbar zu machen«, vehement zurückgewiesen: »Die wahnsinnige Untat, die mit dem Namen ›Auschwitz‹ bezeichnet wird, läßt sich in Wahrheit gar nicht verstehen, sie läßt sich nur berichten. Auch wenn nachgewiesen würde, daß der Plan zur ›Endlösung der Judenfrage‹ in Hitlers Gehirn als eine Art Antwort auf frühere (›ursprünglichere‹) Untaten des Bolschewismus ausgeheckt worden wäre, so würde das die wirkliche Ausführung, nämlich den tatsächlichen fabrikmäßigen Massenmord, nicht um einen Deut verstehbarer machen. Allenfalls würde ein neues Licht auf die Kolportage-Phantasie des handelnden Verbrechers fallen... Wenn wahrhaftig die Absicht des Verstehens den Sinn von Wissenschaft ausmachte, so müßte man den Schluß ziehen, daß zur Erkenntnis des Phänomens ›Auschwitz‹ die Wissenschaft untauglich sei« (Dolf Sternberger: »Unverstehbar«, Frankfurter Allgemeine Zeitung v. 6.4.1988).

Jenseits des Dilemmas psychologisch-moralischer Determination ergibt sich für die historische Faschismus-Forschung freilich ein weiteres Problem: die Komplexität des Phänomens Faschismus, das nicht nur in seinen Erscheinungsformen, sondern auch in seiner Herkunft alle Lebensbereiche erfaßte. Es ergibt sich das Bild, daß die divergierenden Theorien über Entstehung und Rolle des Faschismus sich nicht nur in ihren ideologischen Prämissen und ihren methodischen Herangehensweisen unterscheiden, sondern auch in ihrem Gegenstand, das heißt bezüglich der Merkmale, die von den jeweiligen Richtungen für das entscheidende Kriterium in der Entwicklung faschistischer Ideologien und Herrschaftssysteme gehalten werden.

Faschismus-Theorien gab es bereits, bevor in Deutschland der Faschismus an die Macht kam, etwa die marxistische Analyse des italienischen Faschismus von August Thalheimer (1930)[8], diejenigen von Hermann Heller oder Theodor Geiger. Die Erklärungsversuche repräsentieren die Vielfalt der Erscheinungen ihres Gegenstandes: Georgi Dimitroff (1935)[9] beschreibt den »Klassencharakter des Faschismus«, Reinhard Opitz (1974)[10] sieht den Faschismus als »Diktatur des Monopolkapitals«, das die Gesellschaft normiere und alle nicht-monopolistischen Bestrebungen illegalisiere und verfolge. Neben diesen marxistischen Theorien macht eine Reihe von Autoren den Nationalsozialismus vor allem an der Person Adolf Hitlers fest, vor allem Joachim C. Fest[11], John Toland[12], Friedrich Heer[13]. Einige sozial-psychologische Theorien konzentrieren sich auf Mechanismus und Erscheinungsformen unterhalb der staatspolitisch-ökonomischen Abläufe. Wilhelm Reich[14] und Klaus Theweleit[15] untersuchen faschistische Selbstäußerungen auf ihre psychischen Mechanismen hin, um die Auswirkungen der historischen, sozialen und politischen Entwicklungen auf den *einzelnen* Menschen und damit die Voraussetzun-

gen der massenhaften Begeisterung für Hitler und seine Bewegung zu erklären. Schließlich wird in einer erweiterten Perspektive die Geschichte der aufgeklärten Industriegesellschaft als eine Entwicklung begriffen, die tendenziell auf Normierung, auf die Selbstentfremdung des Individuums, auf eine modernistische Maschinenvergötterung ausgerichtet ist (Adorno/Horkheimer[16], Ralf Dahrendorf[17]).
Die genannten Theorien beleuchten jeweils einzelne Aspekte des komplexen Problems Nationalsozialismus und schließen sich deswegen auch nicht grundsätzlich gegenseitig aus, wohl aber zum Teil methodisch. Für uns, die wir mit der Geschichte leben müssen und die nach einer Erklärung (nicht Entschuldigung) der Geschichte vor 1945 suchen, können daher einzelne Argumentationen und Gedankengänge unterschiedlicher Theorien durchaus hilfreich sein und die Situation vor und während der Nazi-Herrschaft verständlich machen. Denn, schreibt Saul Friedländer, der Nationalsozialismus sei »in seiner Einzigartigkeit wie unter seinen allgemeinen Aspekten Resultante einer großen Zahl von gesellschaftlichen, wirtschaftlichen und politischen Faktoren gewesen: der Kulminationspunkt von vielfach analysierten ideologischen Strömungen, das Produkt des Zusammentreffens archaischster Mythen und modernster Mittel des Terrors«[18].
In unserem Zusammenhang einer Darstellung nationalsozialistischer Wirklichkeitsauffassung und -darstellung in Dokumentarfilm und Wochenschau der Nazi-Propaganda müssen in erster Linie die historischen psycho-sozialen Voraussetzungen des Faschismus interessieren; es muß also um Fragen gehen wie: Warum haben sich so viele Menschen vom Faschismus angesprochen gefühlt, was für Menschen waren das, die sich vom Auftreten und von der Selbstdarstellung der Nazis in Dokumentarfilmen und Wochenschauen faszinieren und willenlos mitreißen ließen? Was sprach der Nationalsozialismus *im* Menschen individuell an? Damit geht es auch vor allem um die faschistische Ästhetik, denn daß die Begeisterung für den Faschismus nicht in erster Linie rationale Gründe hatte, sondern durch die für den einzelnen relevanten Erscheinungsformen, die Lieder, die Fahnenmeere, Aufmärsche, den Körperkult, die Feuersymbolik und ähnliches ausgelöst wurde, also letztlich religiöse Züge trug, darüber gibt die Strategie der Nationalsozialisten selbst Auskunft:
»Die breite Masse des Volkes besteht weder aus Professoren noch aus Diplomaten. Das geringe abstrakte Wissen, das sie besitzt, weist ihre Empfindungen mehr in die Welt des Gefühls [...] Ihre gefühlsmäßige Einstellung aber bedingt zugleich ihre außerordentliche Stabilität. Der Glaube ist schwerer zu erschüttern als das Wissen, Liebe unterliegt weniger dem Wechsel als Achtung, Haß ist dauerhafter als Abneigung, und die Triebkraft zu den gewaltigsten Umwälzungen auf dieser Erde lag zu allen Zeiten weniger in einer die Masse beherrschenden wissenschaftlichen Er-

kenntnis als in einem sie beseelenden Fanatismus und manchmal in einer sie vorwärts jagenden Hysterie« (Saul Friedländer).[19] Hitler selbst zieht die Konsequenz zu einem (säkularisierten, ersatzhaften) nationalreligiösen Selbstverständnis, das in der Aussage gipfelt: »Ich habe die Masse erweckt.«
Welche Teile der Bevölkerung das waren, die Hitler für ihren Erwecker hielten und an eine nationale Götterdämmerung fanatisch glaubten, diese Frage ist noch relativ am leichtesten zu beantworten. Allgemein gilt der Nationalsozialismus als eine »Mittelstandsideologie«,[20] wobei der Begriff »Mittelstand« allerdings mißverständlich ist, da er die tatsächlichen ökonomischen Verhältnisse verschleiert. Ein Blick auf die soziale Schichtung der NSDAP-Mitglieder im Jahr 1930 zeigt, daß die tragende Schicht der Bewegung sich aus Angestellten und Selbständigen rekrutierte: Der Prozentsatz beider Gruppen innerhalb der Partei war mehr als doppelt so hoch wie ihr Anteil an der Gesamtgesellschaft[21].
Selbständige und Angestellte waren die Hauptbetroffenen jenes vielleicht verhängnisvollsten Mißstandes in der Weimarer Republik, des fast völligen Fehlens sozialer Sicherung, insbesondere angesicht der rapide steigenden Arbeitslosigkeit. So erscheint es kaum verwunderlich, daß der erste massenhafte Schub an Parteieintritten im Jahre 1930 erfolgte (von Februar 1930 bis Januar 1931 stieg die Mitgliederzahl von 200000 auf 400000), also unmittelbar nach Beginn der Weltwirtschaftskrise, die besonders für die deutsche Wirtschaft katastrophale Folgen hatte. Millionen von Kleinunternehmern mußten ihr Geschäft aufgeben, die Zahl der Arbeitslosen stieg auf über sechs Millionen; 1932 war jedes zweite Gewerkschaftsmitglied arbeitslos. Unter der Regierung Brüning wurden die Beamtengehälter um zwanzig Prozent, die Löhne um zehn bis fünfzehn Prozent gekürzt und, was sich besonders fatal auswirkte, die Arbeitslosenunterstützung wurde noch weiter heruntergeschraubt. Bereits 1932 erkannte der Soziologe Theodor Geiger die Brisanz der sozialen Situation und die darauf gründende Strategie der Nationalsozialisten, den sozialen Absteigern in ihrer neuen Bewegung das Gefühl der Geborgenheit zu geben: »Die organisatorische Verdichtung des gesellschaftlichen Netzes, das alles (und alle) einfing, gewährte auch Schutz gegen die universale Angst, durch die Maschen zu fallen und ins Elend abzugleiten.«
Die Angestellten waren von der Krise deswegen besonders hart betroffen, weil es ihnen an einer gewerkschaftlichen Vertretung ihrer partikularen Interessen fast völlig fehlte und ihr sozialer Abstieg sich bei Verlust des Arbeitsplatzes desto krasser gestaltete. Ihre Anfälligkeit für den Faschismus begründet Siegfried Kracauer in seinem Essay »Die Angestellten«[22] damit, daß dieser zu Beginn des 20. Jahrhunderts sich herausbildende Stand bis in die zwanziger und dreißiger Jahre hinein in Deutsch-

land kein eigenes Standesbewußtsein entwickeln konnte und auch keine geeignete Interessen-Vertretung zustandebrachte. Der proletarischen Ideologie entfremdet, verstehen sich die Angestellten als Aufsteiger, ohne jedoch gleichzeitig Herr ihrer eigenen Arbeit zu werden. So bilden die Angestellten eine identitätslose und ökonomisch labile Schicht, die auch noch kaum eigene Zielvorstellungen entwickelt.
Wer die Effizienz der Wirkungsmechanismen nationalsozialistischer Propaganda in den zwanziger und frühen dreißiger Jahren jedoch auf das Versprechen der Beseitigung von Arbeitslosigkeit und sozialen Mißständen reduziert, greift sicher zu kurz. In einem Wahlaufruf der NSDAP aus dem Jahre 1932 wird Hitler nicht nur als »die letzte Hoffnung« derer beschworen, »denen man alles nahm, Haus und Hof, Ersparnisse, Existenz, Arbeitskraft«, in national-religiös gefärbtem Ton wird er schließlich zum »lodernden Fanal aller, die eine deutsche Zukunft wollen«, »die an Deutschlands Wiederauferstehung glauben«[23].
Den Mythos vom Führer, der das deutsche Volk durch »Stahlgewitter« in eine Götterdämmerung führt, betont auch Ralf Dahrendorf als jenen utopischen Zug, in dem er im Nationalismus einen »brutale(n) Bruch mit der Tradition und den Stoß in die Modernität«[24] erkennt. Hitler hatte eine säkularisierte, nationale Transzendenz durch eine rauschhafte Revolution einzulösen versprochen, die Stärke und Macht zum allein gültigen Recht erheben sollte. Die Nazis sprachen von dem, was wir heute Machtergreifung oder Machtübernahme nennen, immer als »Revolution«. Diese Revolution sollte alles umfassen, was überhaupt das Leben des Menschen ausmacht. Dies setzte aber voraus, die soziale Situation in der Weimarer Republik als verelendet und die Lage in der Weltpolitik und Weltwirtschaft als hoffnungslos darzustellen. Die Tatsache, daß sich die Wähler der NSDAP vorwiegend aus dem konservativen bis reaktionären bürgerlichen Lager (voran die DNVP) rekrutierten, während die katholischen (Zentrum und BVP) und die linken Parteien ihren Wähleranteil bis 1932 im wesentlichen halten konnten[25], zeigt, wie schnell es den Nazis gelungen war, kleinbürgerliche Ängste und Hoffnungen zu mobilisieren, die sich an den sozialen Mißständen der Weimarer Republik ebenso entzündeten wie an der Niederlage im Ersten Weltkrieg und an dem »Diktat von Versailles«. Nicht zuletzt mit Hilfe der Medien war es Hitler gelungen, die labile Stimmung im Namen eines mächtigen, rassisch »reinen«, von der Macht des »jüdischen« Großkapitals gesäuberten und vom Marxismus geläuterten Deutschland zu einer Art revolutionärer Aufbruchstimmung umzulenken.
Es bleibt als Tragik der Geschichte anzumerken, daß die linken Kräfte als Gegenpol in einer sich zunehmend radikalisierenden Gesellschaft – neben den Nationalsozialisten die einzige auf eine utopische Zukunft ausgerichtete Bewegung, die den Menschen Hoffnungen und Ziele zu ver-

mitteln imstande war – nur halbherzig und viel zu spät zu einer Einheitsfront zusammenfanden.
In seiner zweibändigen Psychoanalyse faschistischer *Männerphantasien*[26] beschreibt Klaus Theweleit die Gründe für das tiefliegende, das Bewußtsein, ja die gesamte Persönlichkeit ausschaltende Bedürfnis nach Machtdemonstration, nach dem Aufgehen des Ich im Kampf, nach dem »erlösenden Schuß«, und zwar anhand von Autobiographien und Tagebüchern ehemaliger Soldaten des Ersten Weltkrieges und späterer Freikorpskämpfer. Wie diese Männer – und fast ausschließlich Männer bestimmten ja Ideologie und Strategie der Nazis – im Rückblick ihre Kriegserlebnisse darstellen, ist mit »Sexualunterdrückung«, wie sie Wilhelm Reich in seiner *Massenpsychologie des Faschismus* als Quelle faschistischer Machtphantasien darstellt, wie ich finde, nur unzureichend charakterisiert. Diese kriegerischen Männer wurden ja für die Nazis zum vorbildhaften Einzelkämpfer, in dem sich sinnbildhaft die Rolle des heldenhaften Einzelnen im Kampf der faschistischen Gemeinschaft erfüllt. In den Filmen wie *»Hitlerjunge Quex«*, *»SA-Mann Brand«* oder *»Hans Westmar«* wurde deren heroisches Vorbild für Millionen von Kinogängern multipliziert.
Theweleit weist nach, daß es sich bei den Kämpfern nicht um neurotische Verdrängung sexueller Bedürfnisse handelt, die sich in kriegsverherrlichenden Phantasien auslebt. Vielmehr liege bei ihnen eine »Grundstörung«[27] vor, die es ihnen nicht erlaube, überhaupt je ein funktionsfähiges, belastbares Ich, eine individuelle Persönlichkeit auszubilden.
Als Ursache dafür benennt Theweleit die repressive Erziehung der Wilhelminischen Ära und als völlige Destruktion der Persönlichkeit das Kriegserlebnis, das diesen Männern, und mit ihnen einer ganzen Generation, die Jugend raubte. Die totale Fixierung auf den Krieg, mit dessen wenig ruhmreichem Ende sie ihre einzige Sinngebung verlieren, läßt sie in ihren Erinnerungen zu imaginären Einzelkämpfern werden, die als Grundpfeiler gegen »Rote Fluten«, »Flintenweiber«, »Meere von Schleim, Schmutz und Brei« stehen. Für sie ist der Kampf ein »inneres Erlebnis« (Ernst Jünger), sie haben den Krieg verinnerlicht. So wurden sie zur Avantgarde nationalsozialistischen Lebensgefühls und zum Vorbild all derer, die Deutschland zu Macht und Ruhm führen wollten und gar nicht anders konnten, falls der psychischen Konstellation geglaubt werden darf.
Es wäre sicher ungerecht, die psychischen Mechanismen, wie sie den Freikorpskämpfern nachgesagt werden, auf die Masse der deutschen Kriegsgeneration zu extrapolieren. Allerdings repräsentieren sie sehr wohl ein Idealbild der nationalsozialistischen Ideologie, um schon bald zu einer Identifikationsfigur für Millionen deutscher Jungen und Männer zu werden, die in Büchern, Heften und Filmen die Kriegserlebnisse nachempfanden.

Diese Entpersönlichung prägt die gesamte nachfolgende Ästhetik der nationalsozialistischen Bewegung: Kampf, Macht, Tod als Rausch, der große phallische einzelne Held in sturmumbrauster Schlacht. Sie ließ diesen Männern, die nichts waren ohne die Masse, der sie als kämpfende Helden vorauszogen und die sie im Ersten Weltkrieg so schnöde im Stich gelassen hatte, idealtypisch die Vollendung im Kampf beziehungsweise das Aufgehen in der Masse zum innersten Bedürfnis werden.

»Ein letztes noch: Die Ekstase. Dieser Zustand des Heiligen, des großen Dichters und der großen Liebe ist auch dem großen Mute vergönnt. Das ist ein Rausch über allen Räuschen. Entfesselung, die alle Bande sprengt... Da ist der Mensch wie der brausende Sturm, das tosende Meer und der brüllende Donner. Dann ist er verschmolzen ins All, er rast den dunklen Toren des Todes zu wie ein Geschoß dem Ziel. Und schlagen die Wellen purpurn über ihm zusammen, so fehlt ihm längst das Bewußtsein des Übergangs. Es ist als gleite eine Woge ins flutende Meer zurück.«[28]

Jünger zelebriert den Krieg als sexuelles Erlebnis (an anderer Stelle des Buches heißt es: »Das Blut durch Hirn und Adern wirbelte wie vor ersehnter Liebesnacht und noch viel heißer und toller«);[29] der Krieg ist ihm aber auch ein kulturelles Ereignis. Was Ernst Jünger hier beschreibt, ist eine alte sozial-darwinistische Grundannahme: Die kulturelle Höherstellung des Siegers, die Einheit von Sieg, Macht und Kultur. Jüngers ganzes Buch »Der Kampf als inneres Erlebnis« lebt von der Verherrlichung des Kampfes in diesem Stil.

Nochmals Ernst Jünger, nochmals »Kampf als inneres Erlebnis«: »Eine Kultur mag noch so hochragend sein – erlischt der männliche Nerv, ist sie Koloß auf tönernen Füßen. Je mächtiger ihr Bau, desto fürchterlicher der Sturz... gerade deshalb ist es heilige Pflicht der höchsten Kultur, die stärksten Bataillone zu haben.«[30] Die Kultur in allen ihren Dimensionen besteht also in den hochragenden Bataillonen. Spätestens hier wird deutlich, daß die faschistische Ideologie eine andere, den einzelnen viel direkter, viel tiefer betreffende Dimension besaß als das bloße Versprechen, Arbeitslosigkeit zu beseitigen und andere soziale Mißstände in Ordnung zu bringen. Die Ästhetisierung der Politik – und das bedeutet eben die völlige Vereinnahmung des einzelnen in die (Massen-, Kampfes-, Truppen-) Formen und Formationen – hatte von allen Bereichen des öffentlichen Lebens Besitz ergriffen, die »stärksten Bataillone« wurden zur »höchsten Kultur«.

Die totale und totalitäre Ästhetik hatte bei den Nationalsozialisten bloß einen anderen Namen: Propaganda. Die Wirkung der Propaganda heute nachzuvollziehen ist ohne die Kenntnis der historischen Voraussetzungen von Massen-Rezeption kaum mehr möglich. In den Zwanziger Jahren prägt jedoch das traumatische Erlebnis, sein Leben quasi »sinnlos« im Krieg riskiert zu haben und dann auch noch einen »schmachvollen« Frie-

den diktiert zu bekommen, die Erfahrung einer ganzen Generation. Diese Erfahrung der Sinnlosigkeit wiederholte sich nach dem Zweiten Weltkrieg mit dem Unterschied, daß der Krieg im nachhinein anders bewertet wurde: Die Kapitulation wurde nicht als »Schmach« erlebt, sondern zumindest von den meisten als Befreiung.
Diese völlig gegensätzliche Bewertung ist neben vielem anderen Grund dafür, daß die Erfahrung der Sinnlosigkeit nach 1945 keine ähnliche Dynamik entwickelt wie in den zwanziger Jahren. Das Erlebnis des Kriegsendes wird in dem DDR-Spielfilm *»Die Russen kommen«* (1968/87) von Heiner Carow aus der Sicht des 16jährigen Hitlerjungen Günter reflektiert, der erleben muß, wie alle seine Hoffnungen und Werte über Nacht zerrinnen. Weil die strikt individuelle Perspektive eines faschistischen Helden – so zum erstenmal projiziert in einem DEFA-Film – 1968 offensichtlich eine zu große Zumutung für die Vergangenheitsbewältigung in der DDR war, verschwand der Film im Archiv und konnte erst 1987 uraufgeführt werden. In diesen Film wurden ausführliche Sequenzen aus Veit Harlans Nazi-Propagandafilm *»Kolberg«* eingeschnitten, um so die gesamte Dramaturgie des Kampfes um die Festung Kolberg deutlich werden zu lassen: Die Aufopferung der Bevölkerung, das Durchhalten bis zum letzten Blutstropfen und vor allem die letzte Entscheidung statt durch das reguläre Militär durch die Bürgerwehr. In *»Die Russen kommen«* sehen die Jugendlichen des Dorfes das Durchhalteepos *»Kolberg«* im Kino und ihre Reaktionen spiegeln die verschiedenen Funktionen der Propagandafilme: Ablenkung vom Kriegsalltag (ein Soldat auf Heimaturlaub und eine junge Frau nutzen die Kinosituation zu einem Schäferstündchen) und zum anderen die Motivation zum Krieg und zum Tod; die Gesichter der Pimpfe leuchten, als die Kolberger schließlich die französische Attacke auf ihre Festung abgewehrt haben.
»Es scheint, daß über den Faschismus die Faschisten bisher zuwenig befragt worden sind, und die, die ihn angeblich durchschaut haben, zuviel« – so richtig dieser Ausgangspunkt für Klaus Theweleits Untersuchung auch ist, so kann dies andererseits nicht bedeuten, den Nationalsozialismus vorwiegend an der Person Adolf Hitlers festzumachen; im Gegenteil: Eine solche Personalisierung des Systems setzt sich dem Verdacht aus, seinerseits der Faszination des Führermythos verhaftet zu sein wie etwa die Joachim-Fest-Film-Dokumentation *»Hitler – eine Karriere«* (1977). Es muß vielmehr darum gehen, die psychischen und sozialen Zustände der Menschen zu analysieren, die diesem Führerkult verfielen, die angesichts der damaligen Dokumentar-Filme und Wochenschauen in Tränen ausbrachen, die tausendfach enthusiastisch »Heil« riefen.
Um diesen Enthusiasmus millionenfach zu entzünden, stellten die Nazis alle Medien und Mittel, die verfügbar waren, in den Dienst der Propaganda. Dennoch ist es bezeichnend nicht nur für den Erfolg, sondern auch

für Inhalt und Form der nationalsozialistischen Propaganda, daß es vorwiegend die modernen, zukunftsweisenden Massenkommunikationstechniken waren, deren sich Goebbels bediente: Der Rundfunk – und am wirkmächtigsten – der Film.
In *Dialektik der Aufklärung* verweisen Adorno und Horkheimer darauf, daß der »Schritt vom Telefon zum Radio die Rollen klar geschieden (habe). Liberal ließ jenes den Teilnehmern noch die des Subjekts spielen. Demokratisch macht dieses alle gleichermaßen zu Hörern, um sie autoritär den unter sich gleichen Programmen der Stationen auszuliefern.«[31] Im weiteren bringen die Autoren für ihre These jedoch vorwiegend Beispiele aus der Avantgarde der technisierten Kunst, dem Film. Nicht gegen die technischen Möglichkeiten der Kunst- und Phantasieproduktion wenden sich Adorno und Horkheimer, sondern gegen ihre Instrumentalisierung zur Nivellierung der Ideen- und Gedankenproduktion. Unter dem Eindruck des deutschen Faschismus 1944 herausgegeben, diagnostiziert das Buch die »Selbstzerstörung der Aufklärung«[32] in der totalitären Gleichschaltung aller Gedankenäußerungen via industrieller Techniken.
Die besonderen Möglichkeiten des Films zur Massenbeeinflussung analysiert Helmut Färber: »Im Film fallen Wirklichkeit, Bilder und Reklamehaftigkeit von Bildern in eins, und ergeben eine Wirklichkeit zweiten Grades. Auch ihrer Herkunft nach nicht zusammengehörige Bilder können in Filmen durch eine Art Schwerkraft einen Zusammenhang vorstellen: Dadurch sind Filme unmittelbar der Demagogie verwandt.«[33] Auf ein anderes propagandawirksames Merkmal des Films verweist Béla Balász: »Die Bilder enthalten in ihrer Einstellung die Einstellung des Regisseurs zum Gegenstand. Seine Zärtlichkeit, seinen Haß, sein Pathos oder seinen Spott. Daher die propagandistische Gewalt des Films. Denn er braucht seinen Standpunkt nicht zu beweisen; er läßt ihn uns optisch selber einnehmen.«[34]
Das Kamera-Auge und die Montage – diese beiden filmtechnischen Möglichkeiten – lassen den Zuschauer den Film als Realität wahrnehmen: Sie ziehen ihn unwiderstehlich in ihre Realität mit ihren vom Regisseur autoritär bestimmten Gesetzen hinein. Ein Entkommen gibt es nicht. Aber darin ist der Film nur Abbild und Funktion der ihn hervorbringenden modernen industrialisierten Welt, die das Individuum negiert, wie dies der nationalsozialistische Dokumentarfilm exemplarisch und auf zynische Weise vorführt. Der Film verkörpert und perfektioniert das, worauf die ganze nationalsozialistische Bewegung fußte und was in einem viel weiteren Sinn als dem heutigen Wortgebrauch alle Bereiche und Dimensionen des Lebens erfaßte: Propaganda.

IV. Filmpropaganda im Dritten Reich

> »Der durchschlagendste Erfolg einer weltanschaulichen Revolution wird immer dann erfochten werden, wenn die neue Weltanschauung möglichst allen Menschen gelehrt und, wenn notwendig, später aufgezwungen wird...«
>
> *(Adolf Hitler)*[1]

1. Geschichte der Propaganda

Als Meister der Propaganda werden die Nazis ihren Platz in den Annalen des Massenbetrugs und der Volksverhetzung behalten. Diesen Ruhm macht ihnen niemand streitig. Ja, es scheint durchaus gerechtfertigt, die nationalsozialistische Bewegung als »Propaganda-Bewegung« zu charakterisieren. »Wir müssen der Propaganda ein aktives, modernes Tempo einhauchen und müssen ihr Leben und Atem geben«, empfiehlt Joseph Goebbels in einem Vortrag in Nürnberg am 16. 9. 1935 vor den Gau- und Kreispropagandaleitern der Bewegung. Wie kein anderer Politiker vor und nach ihm hatte Hitler vom Beginn seiner politischen Aktivität an genaue Vorstellungen von der Wirkungsweise und den Wirkungsmöglichkeiten der Massenwerbung modernen Stils.

Selbst als die nationalsozialistische Bewegung noch ein nach Dutzenden zählender, versprengter Haufen war, unterschieden sich ihre Versammlungen und Werbeveranstaltungen deutlich von denen anderer politischer Splittergruppen. Wie ein gewiefter Werbemanager hatte Hitler seine Strategie entworfen, um sein Produkt – also sich selbst – massenwirksam an den Mann zu bringen, ohne dabei Reklame mit Propaganda zu verwechseln. Zu dieser Strategie gehörten einheitliche Parteisymbole, sehr früh bereits eine eigene Parteizeitung und später eine eklektizistische NS-Massenkultur; vor allem aber gehörte dazu die ausgefeilte Dramaturgie seiner öffentlichen Auftritte, die er nicht nur in der Zeit kurz vor der Machtergreifung, sondern erst recht danach ins Gigantische, ja Zirzensische zu steigern wußte. So reiste Hitler nicht wie seine politischen Kontrahenten per Automobil oder Eisenbahn durch die Lande, sondern stieg am liebsten als mythischer Retter aus den Wolken, nämlich im Flugzeug, zum deutschen Volk hernieder.

Da Inszenierungswahn und Inszenierungsstil des Nationalsozialismus hinreichend bekannt sind, dürften diese wenigen Hinweise genügen.

Auch wenn in dieser Zeit »Propaganda« als höherer Zweck der Politik – und oft genug auch als deren niederer Inhalt – zur Perfektion gesteigert

wurde, so hat der Nationalsozialismus die »Propadanda« doch nicht erfunden. Deshalb seien einige Bemerkungen zur Geschichte der Propaganda erlaubt, um das historische Material überblicken zu können, das Hitler für seine Zwecke skrupellos aufgriff und verformte.
Ursprünglich war Propaganda eine nur in ihrem Kontext verständliche Wortprägung des katholischen Klerus, die in der Gegenreformation entstand. Um ihren Glaubenskampf vor allem im Deutschland Luthers zu intensivieren, gründeten die römischen Kardinäle während des Pontifikats von Papst Gregor XV. die »Sacra Congregatio de Propaganda Fide«; das ist jene berühmt-berüchtigte gegenreformatorische Propagandakongregation von 1622, die mit anderen Missionseinrichtungen den (katholischen) Glauben in aller Welt festigen sollte.
Während der französischen Julirevolution von 1830 verweltlichten dann konspirative Kreise die kirchenlateinische Formel, um sie für ihre »La Propaganda« genannten internationalen Kampagnen einzusetzen. Es war zunächst die äußerste Linke, die »Propaganda machen« wollte für ihre jeweilige Sache.
Bald importierten Wortführer des revolutionären Aktivismus in Rußland mit dem Schlagwort zugleich auch das Agitationsrezept aus Frankreich. Der Anarchist Sergej G. Netschajew führte mit dem Slogan »Propaganda der Tat« (1869) den Begriff in den Sprachgebrauch des russischen Anarchismus ein. Als Urheber des »Katechismus der Revolution« wurde Netschajew dann später von Marx und Engels heftig kritisiert. Er starb nach zehnjähriger Haft in der Festung Peter Pauls; in den »Dämonen« hat Dostojewski, selbst Anhänger eines »utopischen Sozialismus«, den S. G. Netschajew in der Figur des Pjotr Stepanowitsch Werchowenski literarisch verewigt.
Den Wettstreit um relevante Begriffe für Zwecke der Indoktrination verspottete Lenin mit jenem oft zitierten ironischen Diktum, demzufolge die Propaganda wenigen viele Ideen vermittle, die Agitation hingegen vielen wenige Ideen (1903). Andererseits war ja gerade Lenins KPdSU die erste organisierte Massenbewegung, welche die Propaganda als Instrument für die ideologische Mobilisierung eines ganzen Volkes entdeckte und als Waffe gebrauchte. Nicht nur Presse und Radio wurden verpflichtet, den Massen die totalitären Programme in Hirn und Herz zu hämmern; auch Literatur, Filmkunst, die bildenden Künste, ja sogar Musik wurden instrumentalisiert, um die Revolution gegen zügellosen Individualismus, der die Staatsräson gefährden könnte, in Schutz zu nehmen. Allerdings wurde erst unter Stalin 1932 der Sozialistische Realismus als einzige und offizielle Kunstrichtung im Herrschaftsbereich des Kommunismus etabliert. Fortan durfte gesellschaftliche Realität nur noch abgebildet werden, um das positive Wirken des Sozialismus als des obersten Prinzips der neuen Wirklichkeit hervorzuheben; damit sollte der »Neue Mensch« als

zugleich typischer Sowjet-Held ebendieser neuen Gesellschaft identifiziert werden können. Jedes Abweichen vom Pfad der parteiamtlichen Tugenden wird als Formalismus oder als bürgerliche Verfallskunst nicht nur verbal gebrandmarkt; Repression, Arbeitsverbot und Verfolgungen sind die Antwort auf unabhängige Kunst.
Bei seiner Absicht, mit ähnlicher Unbedingtheit, wenn auch mit inhaltlich konträren Tendenzen Presse, Film und Künste nationalsozialistischen Propagandazwecken zu unterwerfen, konnte sich Hitler auf »Vorarbeiten« im eigenen Land berufen. So hatte schon General Erich Ludendorff in einem Brief an das Kriegsministerium in Berlin vom 4. Juli 1917 den Begriff »Propaganda«, gerade im Zusammenhang mit unserem Thema »Film«, ins Spiel gebracht. Angesichts der weltweit Haß gegen das deutsche Reich schürenden amerikanischen Filmpropaganda bedürfe es laut Ludendorff mit Blick auf die »fernere Kriegsdauer... der besonderen Anstrengungen der deutschen Filmpropaganda, um eine wirkungsvolle Aufklärung zu erzielen«.
Tatsächlich beobachten wir während des Ersten Weltkrieges eine weltweit äußerst effektiv funktionierende Filmpropaganda der Staaten, die gegen das Kaiserreich Krieg führten. In Großbritannien konnte Premierminister Lord Asquith bei Ausbruch des Ersten Weltkriegs an eine alte Propagandatradition anknüpfen, für die schon der britische Außenminister des Jahres 1826, George Canning, im Unterhaus eine prognostische Sentenz überliefert hat. Für den Fall des Kriegseintritts seiner Majestät, prophezeite er, würden sich »unter unserer Fahne alle Unzufriedenen desjenigen Landes versammeln, mit dem wir in Unfrieden leben«.[2] Lord Asquith hatte gleich 1914 ein »Office of Propaganda« ins Leben gerufen, das der Regierung unmittelbar unterstellt war. Zu den Beratern gehörte auch Lord Alfred Northcliffe, bis 1928 zwei Jahrzehnte lang als Presse-Zar eine Art britischer Hugenberg. Als zeitweiliger Leiter der Abteilung »Propaganda in Enemy Countries« konnte er unter David Lloyd George seinen Einfluß noch vergrößern. Northcliff, der in seinen diversen Organen den publizistischen Weltkrieg mit der Horrorvision von »kinderschändenden Bestien« eröffnet hatte, feierte neben Landkrieg und Seeblockade die scharf gezündete alliierte Propagandawaffe als dritten kriegsentscheidenden Faktor. »Die einfachsten Bilder konnten durch die damals gebräuchlichen Zwischentitel zur Hetze werden, etwa vor einer Aufnahme deutscher Soldaten mit den Worten: ›Und dann kamen die Horden Kaiserlicher Kindermörder‹.«[3]
Während Charlie Chaplins Film *»Shoulder Arms«* (1918) eine »vollendete Verhöhnung des Militärs« (Tucholsky) darstellt, in dem Charlie träumend den deutschen Kaiser entführt, als niederträchtige Feindpropaganda verurteilt wird, fordert Kurt Tucholsky dagegen: »Dieser helle Film gehört in das dunkelste Deutschland. Übern Rhein, Chaplin, übern

Rhein.«[4] Der zweifellos hemmungsloseste aller alliierten Propagandafilme, *»The Kaiser – The Beast of Berlin«*, wurde auf Plakaten entsprechend feindselig angekündigt: »Haltet eure Revolver in der Tasche und schießt nicht in unsere Leinwand am nächsten Freitag, denn an diesem Tage spielen wir ›Das Tier von Berlin‹.« Der Unterschied in der Qualität der Hetzpropaganda zwischen Alliierten und Kaiserreich ist im Ersten Weltkrieg kein absoluter mehr. Auch Frankreichs Ministerpräsident Aristide Briand gründete (im Oktober 1915) eine Zentralstelle für Propaganda (Maison de la Presse), die von Georges Clemenceau gegen Kriegsende zu einem Staatssekretariat für Propaganda ausgeweitet wurde.
Unter dem ausdrücklich zum Friedens-Präsidenten gewählten Woodrow Wilson waren von einflußreichen Industriekreisen wie Andrew Carnegie oder Henry Ford zunächst pazifistische Spielfilme wie *»Intolerance«* (1916) von D. W. Griffith oder *»Civilisation«* (1916) von Thomas Ince finanziell gefördert worden. James Stuart Blackton leitet dann mit dem ersten chauvinistischen Filmdrama *»The Battle Cry of Peace«* (1916) die Wende ein. Mit dem Kriegseintritt der USA am 5. Apri 1917 organisiert das »Committee for Public Information« die US-Filmpropaganda, deren Kriegswochenschauen gewerblich vertrieben und über Pathé und Hearst in über 20000 europäische Kinos geschleust wurden. George Creel, dem als Leiter der »US-Film-Division« die Filmpropaganda unterstand, resümiert selbstzufrieden: »In unserem Kampf um die öffentliche Meinung in fremden Ländern wurde das Hindernis einer gegnerischen Presse in fast jedem einzelnen Fall überwunden durch unseren Gebrauch des Films zur Information und Werbung«.[5] Die Kriegspropaganda kann aber nur da erfolgreich sein, wo der Humus dafür gut vorbereitet wurde. Aldous Huxley meint dazu, daß »politische und religiöse Propaganda nur bei jenen effektiv wird, die entweder teilweise oder vollkommen von ihrer Wahrheit überzeugt sind.«[6]
Da den Propagandafilmen mit ihrer tristen Tendenz kein Unterhaltungswert zugesprochen wurde, hat das mehr an Umsätzen als an Politik interessierte Hollywood bald nach dem Ersten Weltkrieg wieder das schnulzige Melodram entdeckt. Diesem ausschließlich kommerziellen Interesse ist die Tatsache zuzuschreiben, daß zwischen 1933 und Kriegsbeginn kaum ein amerikanischer Film den Nationalsozialismus thematisierte. Im Gegenteil: In den USA liefen mit großer Resonanz Nazi-Dokumentarfilme vom Kaliber *»Olympia«* (1938) von Leni Riefenstahl oder Kriegsverherrlichungen vom Schlage *»Sieg im Westen«* (Ende 1940) von Fritz Hippler, also noch zu Beginn des Zweiten Weltkrieges: »Cheer up America – the show will go on« lautete denn auch ein Werbespruch von MGM im Jahre 1941.
In seinen Kriegserinnerungen bestätigt Ludendorff 1919 den Einfluß der gegnerischen Propaganda als Ursache für den grassierenden Defätismus,

wenn er schreibt: »Blockade und Propadanda begannen nach und nach unsere geistige Kriegsfähigkeit ins Wanken zu bringen. Auf die feindliche Propaganda starrten wir wie das Kaninchen auf die Schlange. Sie war sich bewußt, wie die Worte Verständigungsfrieden, Abrüstung nach dem Kriege, Völkerbund und dergleichen mehr auf das deutsche Volk wirken würden.«[7] Auch Hitler schrieb auf das Konto der Feindpropaganda, daß er von ihrer »unerhörten Geschicklichkeit und wahrhaft genialen Berechnung« letzten Endes »unendlich gelernt« habe.
Der Verlagsdirektor der *Leipziger Illustrierten Zeitung*, Ludwig Klitzsch, hatte bereits 1910 eine »nationalpolitische Werbearbeit« empfohlen, um der »Einkreisungspolitik der späteren Feindmächte mit gleichen Propagandamitteln« entgegenwirken zu können. Klitzsch lud die deutschen Wirtschaftskapitäne ins Hotel Adlon nach Berlin ein, um auf die »große Wirkung der Filmpropaganda unserer Wirtschaftskonkurrenten« hinzuweisen und Gegenoffensiven vorzuschlagen. Deutschland dürfe sich auf dem Weltmarkt nicht einfach an die Wand drängen lassen. Angeblich hatte Frankreich im Jahr 1909 Hetzfilme gegen Deutschland in Ägypten verbreitet, »um sich den Ruhm zu sichern, nicht nur der Erfinder der Kinematographie, sondern auch des Hetzfilms zu sein«.
Aber erst während des Krieges, 1916, konnte Klitzsch die Oberste Heeresleitung und das Auswärtige Amt mit dem Argument überzeugen, daß die britische Regierung allein für ihre in Lateinamerika gegen Deutschland gerichtete Propaganda einen Kredit von 80 Millionen Mark für »Hetzfilme« bereitgestellt habe.[8] Im Gegenzug wurde 1916 von der Reichsregierung gemeinsam mit anderen Interessenten die Deulig gegründet, die mit dokumentarischen Tendenzfilmen deutsche Propaganda auch im Ausland lancieren soll. Die »Deutsche Lichtbild Gesellschaft« wurde mit Produktion und Vertrieb von Propagandafilmen beauftragt, bis General Ludendorff unter seiner Feldherrnperspektive auch auf dem Felde des Films das Kommando übernehmen wollte. So wurde Anfang 1917 in Berlin die »Bufa« gegründet, das Königliche Bild- und Filmamt. Von den Litfaßsäulen annoncierten schon bald die Werbeplakate: »Heldentaten unserer unvergleichlichen Truppen, von Kaiser Wilhelm mitten im Bereiche des feindlichen Feuers und von stolzen Vorbeimärschen der Feldgrauen an ihrem Obersten Kriegsherrn«.
Der Erste Generalquartiermeister Ludendorff befehligte nun also auch die Waffe Film: Damit der Film »seine gewaltige Bedeutung als politisches und militärisches Beeinflussungsmittel nicht verliere«, sei es »für einen glücklichen Abschluß des Krieges unbedingt erforderlich, daß der Film überall da, wo die deutsche Einwirkung noch möglich ist, mit dem höchsten Nachdruck wirkt«. Dieser Aufruf eines Generalstabschefs des Feldheeres kann rückblickend als eigentliches Gründungsdokument der im selben Jahr (Dezember 1917) entstandenen Ufa gewertet werden.

Wie sich die naiven Gemüter des Königlichen Bild- und Filmamtes (Bufa) eine wirkungsmächtige Gegenpropaganda ausmalten, erhellt aus einem amtlichen Auftrag an die Imperator-Film-Gesellschaft vom 5. Februar 1917, unter dem Titel *»Die Schuldigen des Weltkrieges«* einen offiziellen Propagandafilm mit folgenden Vorgaben zu drehen:

1. Die Anstifter des Weltbrandes;
2. Wer blies das Feuer an? (Sir Edward Grey am Schreibtisch);
3. Wer goß Öl ins Feuer? (Clemenceau, der Fanatiker der Revanche);
4. Wer gab sich her als Spießgeselle? (Sassanow, der Lakai der Entente);
5. Wer war der Mörder von Sarajevo? (Cinoci, Kriegsminister und Millionendieb);
6. Die Meute der Mordbrenner;
7. Wer verwüstete und besudelte Ostpreußen? (Nicolajewitsch, der Mordkosak);
8. Wer wollte, daß deutsche Kinder keine Milch, deutsche Mütter kein Brot haben? (Asquith, der uns verhungern lassen wollte);
9. Wer verbündete sich mit den wilden Stämmen aller Erdteile? (Der treue Diener Englands, Poincaré, Greys Mitverschwörer);
10. Wer ließ deutsche Ärzte, Schwestern, Offiziere und Soldaten martern, morden, verstümmeln? (Delcassé, der Sklave König Eduards);
11. Wer belügt und betrügt die ganze Welt? (Briand, der Schwätzer der Grande Nation);
12. Wer ist schuldig an Baralong und King Steffen? Wer will den Krieg bis aufs Messer? (Lloyd George, der Satan Englands);
13. Wer ist der größte Heuchler Europas? (Bratianu mit dem Doppelgesicht);
14. Wer brach dem Dreibund die Treue? (Somino, der meineidigste der Räuberbande);
15. Wer hält das Strafgericht? (Hindenburg)

Das Projekt *»Die Schuldigen des Weltkrieges«* ist offensichtlich nicht verwirklicht worden.

Ludendorff bereitete noch im Kriege die Zentralisierung des Filmwesens vor, »um nach einheitlichen großen Gesichtspunkten eine planmäßige und nachdrückliche Beeinflussung der großen Massen im staatlichen Interesse zu erzielen«. Ein Major Alexander Grau, Pressereferent im Kriegsministerium, wurde für die Realisierung des Ludendorffschen Ukas abkommandiert. Wes Geistes Kind Ludendorff tatsächlich war, erhellt aus seiner Gründung des »Tannenbergbundes« im Jahre 1926, der sich als militanter Kampfbund gegen die sogenannten »überstaatlichen Mächte« wie Juden, Freimaurer, Marxisten, Jesuiten definierte. Bei einer Drittelbeteiligung des Reichs-Schatzamtes am Aktienpotential von 25 Millionen Reichsmark wurde ein konkurrenzloses Filmkartell gegründet.

Die »Messter-Filmgesellschaft«, die »P. Davidsons (Film Union« und alle zur »Nordisk« gehörenden Filmgesellschaften wurden in der »Universal A. G.« (Ufa) unter dem schlichten Auftrag zusammengeschlossen, für Deutschlands Größe zu werben. »Man dachte dabei nicht nur an direkte Propaganda, sondern einerseits auch an Filme, die dem Ausland ein Bild vom Wesen deutscher Kultur geben...«[9]

Der erste Arbeitsbericht des neuen Konsortiums vom 10. Oktober 1918 gibt viel von jenem Geist zu erkennen, wie er sich einer Kriegsgründung verdankt: »Im engsten Zusammengehen mit den leitenden Regierungsstellen, Oberstleutnant von Haeften, Militärische Stelle des Auswärtigen Amtes, Major Grau, Kgl. Kriegsministerium, Geheimrat Walter, Reichsschatzamt, wurden unter Führung des Herrn von Stauß, Deutsche Bank, und alsbaldiger Beteiligung der Fürstlich-Donnersmarckschen Verwaltung die Verhandlungen erweitert, um einen Zusammenschluß in der Filmindustrie zu schaffen, der einerseits ein lebenskräftiges und aussichtsvolles Wirtschaftsunternehmen darstellen sollte, andererseits die Garantien dafür bot, daß wichtige Aufgaben auf dem Gebiet deutscher Propaganda, deutscher Kultur- und Volkserziehung im Sinne der Reichsregierung gelöst werden. Das privatwirtschaftliche Programm ging dahin, einen Konzern zu schaffen, in dem die wichtigsten Betätigungen der Filmindustrie, nämlich Fabrikation, Verleihgeschäft und Theater, ausreichend vertreten waren.«[10]

Die Ufa bekam schon damals ihren quasi staatlichen Charakter. Den Nationalsozialisten sollte es nach der Machtergreifung daher nicht schwerfallen, dieses Firmenoligopol »durch gezielte Wirtschaftsförderung und autarkistische Schutzmaßnahmen zur Kooperation zu bewegen und es allmählich in ein dem Regime gefügiges Monopol zu verwandeln«.[11] Denn bis dato getrauten sich die Deutschen nach Worten von Gottlieb Hermes nicht, Filme zu machen »wie die Belgier, die unser Heer und seinen obersten Führer verunglimpfen, oder wie die Franzosen«. Statt dessen fertigten die arglosen Deutschen nach Friedensschluß Filme, »die von lehrhafter Betrachtung, mit Statistik und sonstiger Wissenschaft reichlich beschwert... im Auslande heute noch wie zu der Zeit, wo sie entstanden, wenig oder gar keine Aussicht auf Aufnahme haben«.[12] Diesen defensiven Zustand eines unterentwickelten Chauvinismus im deutschen Film galt es schleunigst und mit Hilfe der Ufa und deutschnationalen Tönen weltweit in die Offensive zu wenden.

Nach Beendigung des Krieges verdankt die deutsche Kulturfilmindustrie zwei Männern ihren rapiden Aufbau: Emil Georg von Stauß, Direktor der Deutschen Bank, der die finanzielle Ausstattung erfolgreich einleitete, indem er für seine Bank die Aktien des Reiches und der Nordisk erwarb, und der bereits erwähnte Alexander Grau, der für das Konzeptionelle zuständig war.

Als entschlossener Wegbereiter für eine Entwicklung des Films als Propagandawerkzeug trat bald der Deutschnationale Alfred Hugenberg auf den Plan, der spätere Mitbegründer der Harzburger Front. Eiskalter Profiteur der Inflation, kaufte Alfred Hugenberg dutzendweise Provinzblätter zusammen, darunter den vielgelesenen *Berliner Lokal-Anzeiger*. Mit dem 1916 von ihm erworbenen riesigen Scherl-Konzern und seiner Nachrichten-Agentur verfügte er bald über das größte Presse-Imperium, das es in Deutschland je gegeben hatte. Mit dem Erwerb der Deulig Film GmbH und der bankrotten Ufa (1927) konnte er auch noch das Medium Film in den Dienst seiner reaktionären Politik stellen. Damit konnte der Medienzar ungehindert Stimmung machen gegen die Weimarer Republik und gegen Stresemann, gegen den Pakt von Locarno und gegen den Völkerbund, gegen Internationalismus, Liberalismus, Sozialismus, Pazifismus.
Die patriotisch eingefärbten Beiträge seiner Wochenschauen, die chauvinistische und anachronistische Ideen von deutscher Suprematie verbreiteten, sollten zunächst dabei behilflich sein, den deutschen Kaiser wieder auf den Thron zu heben. Später, als dieser Versuch mißlungen war, dienten sie dann mit mehr Erfolg dazu, Hitlers völkische Ideen zu propagieren. Mit dem Einsatz dieser kartellartigen Konzentration an Meinungsmanipulation hat Hugenberg Hitler schließlich zur Macht verholfen. Er hatte sich davon erhofft, mit Hilfe Hitlers weitergehende private und politische Interessen realisieren zu können. Hitler blieb Hugenberg aber nur für eine kurze Weile dankbar: Bereits sechs Monate nachdem er Hugenberg zum Reichswirtschaftsminister in sein erstes, noch gemischtes Kabinett nach der Machtergreifung berufen hatte, mußte der deutschnationale Medienzar auf massiven Druck des Führers am 27. Juni 1933 seinen Hut nehmen. Kurze Zeit später wurde auch seine Deutschnationale Partei aufgelöst.
Mit diesem kurzen Exkurs soll die nationalsozialistische Propaganda keineswegs in eine Reihe mit katholischer oder auch stalinistischer Propaganda gestellt werden. Lediglich von Ludendorff führt eine gerade Linie zu Hitler. Aufgezeigt werden sollte allerdings, daß »Propaganda« kein originäres nationalsozialistisches Produkt ist. Nationalsozialistische Propaganda als Versuch, unter »Ausschaltung des Denkens« (Hitler) Gedanken und Gesinnung tiefgreifend zu beeinflussen, ist jedoch ohne Hinweis auf ihre ideologischen Grundlagen nicht zu erklären, deren Wurzeln vorwiegend im 19. Jahrhundert liegen. Hier sollen nur einige massenpsychologische Thesen skizziert werden, auf die Hitler und seine Helfer sich bei ihren Praktiken der seelischen Gleichrichtung und geistigen Nivellierung der Masse stützten, und mit deren Hilfe sie ihre menschenverachtenden und lebensvernichtenden Inszenierungen »wissenschaftlich« untermauern wollten.
Der französische Sozialpsychologe Gustave Le Bon (1841–1931) entwickelte mit seiner Massenpsychologie ein pseudowissenschaftliches, elitä-

res und zynisches Menschenbild, dem seine Ablehnung von Demokratie und Sozialismus zugrunde lag. Auf dieser Grundlage stellten sich dann alle jene Demagogen, deren Praktiken auf Gebrauch, das heißt Mißbrauch von Wahrheit und von Menschen zielten. Die »Massenpsychologie« ist eine Variante der konservativen Revolutionstheorie des 19. Jahrhunderts. Der Autor von *Psychologie der Massen* (1895), Le Bon, charakterisiert darin das von ihm verächtlich »Primitivperson« genannte und im Massenverhalten entpersönlichte Individuum durch folgende Merkmale: »Schwinden der bewußten Persönlichkeit, Vorherrschaft des unbewußten Wesens, Leitung der Gedanken und Gefühle durch Beeinflussung und Übertragung in der gleichen Richtung, Neigung zur unverzüglichen Verwirklichung der eingeflößten Ideen. Der einzelne ist nicht mehr er selbst; er ist ein Automat geworden, dessen Betrieb sein Wille nicht mehr in der Gewalt hat. Allein durch die Tatsache, Glied einer Masse zu sein, steigt der Mensch also mehrere Stufen von der Leiter der Kultur hinab«.[13]
Das auf einen »Automaten« reduzierte, durch gemeinsame Affekte mit vielen anderen zur Masse verbundene Individuum ist Zielobjekt der Propaganda. Auch wenn Le Bon die Masse zwar prinzipiell als zerstörerisch ansieht, so sieht er aber auch »tugendhafte« Funktionen der Masse, wie sie dann auch für die Nationalsozialisten wichtig wurden: »Man bringt sie (die Masse; d. Verf.) leicht dazu, sich für den Triumph eines Glaubens oder einer Idee in den Tod schicken zu lassen, begeistert sie für Ruhm und Ehre, daß sie sich, wie im Zeitalter der Kreuzzüge, fast ohne Brot und Wasser zur Befreiung des göttlichen Grabes von den Ungläubigen, oder wie im Jahre 1793 zur Verteidigung des vaterländischen Bodens fortreißen läßt.«[14] Die Manipulierbarkeit der Massen beschreibt Le Bon in dem Kapitel »Die Führer der Massen und ihre Überzeugungsmittel«, als ob er eine Gebrauchsanweisung für künftige Faschisten verfaßt hätte.
Als einflußreichster Nachfolger des demokratiefeindlichen Le Bon gilt der spanische Kulturphilosoph Ortega y Gasset. Dessen populäres Werk *Aufstand der Massen* von 1930, das auch heute noch gern gelesen wird, ergänzt die »Massenpsychologie« um eine bemerkenswerte Variante. Nach Ortega sind nämlich die negativen Eigenschaften der Masse nicht nur auf diese beschränkt, sondern gelten auch für den einzelnen. Dieser von Ortega als »Massenmensch« bezeichnete einzelne dient der Elite zur Stützung ihres Selbstwertgefühls. Ortegas Definition der Massen gipfelt in dem überheblichen, heute kaum mehr nachvollziehbaren Satz: »Masse ist jeder, der sich nicht aus besonderen Gründen – im Guten oder im Bösen – einen besonderen Wert beimißt, sondern sich schlechtwegs für Durchschnitt hält, und dem doch nicht schaudert; der sich in seiner Haut wohl fühlt, wenn er merkt, daß er ist wie alle.«
Sigmund Freud antizipierte 1921 mit seiner Theorie des Massenführers die von der Diktatur zu manipulierende Masse. Nach seiner hier nur sinn-

gemäß dargestellten Auffassung kommt es auf libidinöser, also triebhafter Basis zu einer Identifikation der Massenmitglieder mit dem Führer, der auf diese Weise zum »Über-Ich« der Masse werde.
Einen einflußreichen Verfechter elitärer Überheblichkeit läßt Thomas Mann im *Doktor Faustus* (1947) indirekt auftreten. Deutlich erkennbar sind es die Thesen des französischen Sozialisten Georges Sorel (1847–1922), die bei einem Herrenabend im nachrevolutionären München des Jahres 1919 eben die illustre Gesellschaft dazu provozieren sollen, das Aufgeben von Wahrheit, Wissenschaft und Vernunft lustvoll zu bejahen. An diesen Diskurs läßt Thomas Mann seinen Chronisten Serenus Zeitblom sich schaudernd erinnern. Georges Sorels Lehre von der Gewalt als Triebkraft und Mythos, die auch Mussolini stark beeinflußt haben soll, hat Thomas Mann nach den Erfahrungen der Hitler-Zeit folgendermaßen auf den Punkt gebracht:
»daß im Zeitalter der Massen die parlamentarische Diskussion sich zum Mittel politischer Willensbildung als gänzlich ungeeignet erweisen müsse; daß an ihre Stelle in Zukunft die Versorgung der Massen mit mythischen Fiktionen zu treten habe, die als primitive Schlachtrufe die politischen Energien zu entfesseln, zu aktivieren bestimmt seien. Dieses war in der Tat die krasse und erregende Prophetie des Buches, daß populäre oder vielmehr massengerechte Mythen fortan das Vehikel der politischen Bewegung sein würden: Fabeln, Wahnbilder, Hirngespinste, die mit Wahrheit, Vernunft, Wissenschaft überhaupt nichts zu tun haben brauchten, um dennoch schöpferisch zu sein, Leben und Geschichte zu bestimmen und sich damit als dynamische Realitäten zu erweisen.«[15]

»Die erste Aufgabe der Propaganda ist die Gewinnung von Menschen für die spätere Organisation; die erste Aufgabe der Organisation ist die Gewinnung von Menschen zur Fortführung der Propaganda. Die zweite Aufgabe der Propaganda ist die Zersetzung des bestehenden Zustandes und die Durchsetzung dieses Zustandes mit der neuen Lehre, während die zweite Aufgabe der Organisation der Kampf um die Macht sein muß, um durch sie den endgültigen Erfolg der Lehre zu erreichen.«[16]

(Adolf Hitler)[16]

2. Voraussetzungen für Hitlers Aufstieg

So war Hitler und seiner Propadandamaschinerie auf vielfache Weise auch geistesgeschichtlich der Weg bereitet. Aktuelle politische und soziale Faktoren sorgten schließlich dafür, daß die unheilvolle Saat auf fruchtbaren Boden fiel. Wie konnten sich solch dürftige Ersatzideale,

hohle Leerformeln und unethische Thesen überhaupt als »dynamische Realitäten« (Thomas Mann) erweisen?
Bei der Untersuchung der Frage, welche Motive wesentliche Teile eines 70-Millionen-Volkes bewogen haben mögen, sich einem politischen Rattenfänger wie Adolf Hitler auszuliefern, bezieht sich Adorno in seinem Aufsatz über die »Aufarbeitung der Vergangenheit« auf sozialpsychologische Untersuchungen amerikanischer Wissenschaftler: Danach ist die Charakterstruktur von Wählern, also von Massen, orientiert an den Dimensionen von Macht und Ohnmacht, Starrheit und Reaktionsfähigkeit, Konventionalismus, Konformismus, mangelnde Selbstbestimmung, schließlich »überhaupt mangelnde Fähigkeit zur Erfahrung« usw. Adorno folgert daraus, daß Massen sich gern mit realer Macht schlechthin identifizieren, und zwar »vor jedem besonderen Inhalt«. Denn im Grunde, meint Adorno, verfügten die meisten Menschen nur über ein relativ schwaches Ich, und bei ihrer Suche nach Ich-Stärke bedürften sie existentiell der Identifikation mit großen Kollektiven und des Schutzes durch ebendiese. In dieser Auffassung folgt Adorno also Sigmund Freud.
Mit solchen sozialpsychologischen Deutungen möchten wir uns heute nicht mehr anfreunden, denn wir wollen schließlich wissen, aufgrund welcher konkreten Lage und welcher Lebensperspektive welche Menschen sich der Nazi-Bewegung meinten anschließen zu sollen, nicht nur, um aus der materiellen Not, sondern auch aus der »Krise der Seele« herauszufinden, als die Georg Simmel die Lage nach 1900 beschrieb. Die soziale Struktur der Anhängerschaft Hitlers hat der Soziologe Theodor Geiger bereits 1932 analysiert. Die gegen Ende der Weimarer Republik durch Arbeitslosigkeit und weltweite Wirtschaftskrise heraufbeschworene soziale Not spielte Hitler in die Hände und half ihm, jenes Gefühl zu verbreiten, für jedermann werde gesorgt, jeder könne vor den »Naturkatastrophen der Gesellschaft« beschützt werden:
»Die organisatorische Verdichtung des gesellschaftlichen Netzes, das alles (und alle) einfing, gewährte auch Schutz gegen die universale Angst, durch die Maschen durchzufallen und ins Elend abzugleiten.«
Hitler und die ihm nahestehenden Kreise verstanden in der Tat den Eindruck zu erwecken, als ob die katastrophale wirtschaftliche und soziale Lage nur noch durch die von ihm repräsentierten und zur Systemveränderung entschlossenen, radikalen Kräfte zum Besseren gewendet werden könne; eine heillose Inflation wie die von 1922/23 würde sich unter Hitler nicht wiederholen. Unter vollem Einsatz seiner Propagandamittel hat er dem Volk den Glauben vermittelt, daß unter seiner Herrschaft der Faschismus eine Totalität entwickeln werde, die alle Probleme lösen helfe, eine als gut und heilsam und auch noch als gerechtfertigt erscheinende Totalität.

Die propagandistisch wirksam lärmenden Appelle an die verletzten nationalen Instinkte und das historische Selbstbewußtsein suchten ihre Argumente in dem zu begründen, was Hitler das »Versailler Schanddiktat« nannte. Tatsächlich hatte das Deutsche Reich durch den Friedensvertrag von 1918 erhebliche territoriale Verluste hinnehmen müssen: An Frankreich war Elsaß-Lothringen zurückgefallen, das Saarland blieb bis 1935 unter französischer Verwaltung, das Rheinland war bis 1936 entmilitarisiert; durch die Errichtung eines breiten Polnischen Korridors war Ostpreußen vom Reichsgebiet abgetrennt und Danzig mit dem neuen Status eines Freistaates dem Völkerbund unterstellt worden; weite oberschlesische Landstriche waren an den Polnischen Staat verlustig gegangen. Schließlich war die Besetzung des Ruhrgebietes durch französische und belgische Truppen ein Stachel mit schmerzhafter Langzeitwirkung im Fleisch der nationalen Selbstachtung.
Die Bewegung bezog ihr massenhaftes soziales Potential außer aus ehemaligen Kriegsteilnehmern und dem Heer von sechs Millionen Arbeitslosen auch aus dem deklassierten Kleinbürgertum und aus großen Teilen des sozial aufgestiegenen »neuen Mittelstands«, dem sogenannten Stehkragenproletariat der Angestellten.
Hitler verdankte seinen Wahlerfolg 1933 außer dem bereits einsetzenden Terror auch der Menge der Wähler, die sich angesichts der totalen Konfusion der durch das Verhältniswahlrecht möglich gewordenen vielzu vielen Parteien-Programme desorientiert wähnten sowie all derer, die sich unzufrieden fühlten mit Deutschlands ramponiertem Ansehen in der Welt. Deutschland habe in den Tagen der Entscheidung geradezu nach Ordnung gelechzt, räumt Hitler ein. Der Parlamentarismus schien sich selber ad absurdum geführt zu haben, wenn 1932 nur noch 13 Sitzungstermine für notwendig gehalten wurden und die Gesetzgebung weitgehend durch Notverordnungen des Reichspräsidenten quasi außer Kraft gesetzt wurde. Aus diesem Jammertal versprachen die Nationalsozialisten die Massen herauszuführen. Außerdem hat Hitler es verstanden, aus dem Bankrott der anderen Parteien Kapital zu schlagen.
Alexander und Margarete Mitscherlich verweisen auf die Interdependenzen, die bei dieser Sogwirkung der massenmedialen Verführung eine bedeutende Rolle spielten und »das passive Ergriffenwerden des wehrlosen Mannes auf der Straße« beförderten. Mitscherlich erkennt die Problematik zu Recht nicht erst in der Katastrophe, man müsse sie vielmehr bereits mit Beginn »des ungetrübten Einverständnisses zwischen Volk und Diktator« datieren. Das deutsche Volk war schließlich in bedeutenden Teilen einverstanden mit einer Führung, »die typisch deutsche Ideale mit unserem Selbstgefühl aufs neue zu verbinden wußte. Da wurde die Chance zur uniformierten Darstellung unseres Selbstwertes gegeben. Sichtbar gegliederte Autoritätshierarchien traten plötzlich in Fülle vor das Auge des

durch ›Parteiengezänk‹ enttäuschten Volksgenossen. Die Präzision unseres Gehorsams wurde gebührend erprobt, und der fast grenzenlose Wille, uns den Hoffnungen des Führers würdig zu erweisen, durfte ausschweifen.«[17]

Gegen die »Verursacher« der je persönlichen Miseren versprachen die Nazis exemplarische Strafexpeditionen zu unternehmen: gegen die Bolschewiken, Marxisten, Kapitalisten, diese drei kollektiven Volksfeinden, und vor allem gegen die Juden und immer wieder gegen sie. Der bei jeder Gelegenheit geschürte Antisemitismus wurde zum archimedischen Punkt nationalsozialistischer Propaganda.

So sollte mit Hilfe der Projektion entsprechender Thesen durch Presse, Rundfunk, Film und öffentliche Reden sich erfüllen, was Adorno die »kollektiven Machtphantasien« der Menschen nennt, die als einzelne ohnmächtig waren und nur »als eine solche Kollektivmacht überhaupt sich als etwas dünkten«. Daher fielen Hitlers propagandistisch aufbereitete Dolchstoß-Legenden auf fruchtbaren Boden, zumal sie verbunden waren mit einem Rachegelöbnis. Ein neues nationales Selbstbewußtsein sollte entstehen, an dem jeder einzelne partizipieren würde. Die nationale Schande von Versailles galt es zu tilgen; den »alles zersetzenden« Einfluß der Juden galt es samt den Verursachern zu eliminieren; der von Kapitalismus und Kommunismus geschürte Klassenkampf war im Wir-Gefühl einer neuen deutschen Volksgemeinschaft aufzulösen: die vom sozialen Absturz bedrohte Arbeiterschaft und das notorisch unzufriedene Kleinbürgertum.

Weil der Kapitalismus aber nicht so einfach aus der Welt zu schaffen war wie – wenigstens vorerst – die Kommunisten, sollte er in den Dienst der nationalen Sache gestellt werden. Die Nationalsozialisten durften ihre sozialistischen Pflichten mit der Gründung der staatstragenden Arbeitsfront und mit der Begründung der klassenlosen Volksgemeinschaft erfüllt sehen; daher konnten sie die Eigentumsordnung und »das schaffende, arische Kapital« unangetastet lassen.

Die aufgeheizten nationalen Gefühle riefen nach dem verbindenden roten Tuch »mit dem großen Hakenkreuz für den kleinen Mann« (Bertolt Brecht). Die NSDAP mit ihrer völkischen Ideologie und ihren Organisationsformen »kombinierte massenwirksame formal-revolutionäre Symbole mit einem die Klassenstruktur verschleiernden, reaktionären Inhalt. Uniformen und Dienstgrade, Orden und Ehrenzeichen dienten der Integration und der Eröffnung ›individuellen Aufstiegs‹ in eine neugeschaffene militante Hierarchie... So wurden zahlreiche Möglichkeiten der Befriedigung individuellen Ehrgeizes ohne Gefährdung der Eigentumsordnung befördert.«[18]

Parallel zu dieser neuen personalen Rangordnung sollte die Hierarchie jener neuen faschistischen Tugenden verwirklicht werden, die als Funda-

ment des neuen Staates einander bedingen: Treue, Ehre, Kameradschaft, Gehorsam, Opferbereitschaft, Kampfgeist, Tapferkeit. Diese martialischen Tugenden nahmen die Nationalsozialisten als Legitimation, die Feinde dieser braunen Werteskala auszumerzen.
In der Kombination dieser die Macht der Nazis stabilisierenden Tugendskala erkennt Saul Friedländer einen »einzigartigen Ausdruck eines Zusammenströmens von Ideen, Emotionen und Phantasmen«, die in allen anderen modernen Gesellschaften des Westens auseinandergehalten würden. Der Nationalsozialismus sei »in seiner Einzigartigkeit wie unter seinen allgemeinen Aspekten Resultante einer großen Zahl von gesellschaftlichen, wirtschaftlichen und politischen Faktoren gewesen: der Kulminationspunkt von vielfach analysierten ideologischen Strömungen, das Produkt des Zusammentreffens archaischer Mythen und modernster Mittel des Terrors.«[19]
Aufgestaute oder angefachte Aggressionen von Gefolgschaftsleuten tobten sich ungehindert und ungestraft an all jenen aus, die als »Repräsentanten des Systems« (der Weimarer Republik) von Hitler kenntlich gemacht und der Willkür preisgegeben wurden. Das waren vor allem die Juden. Hitler hat nach eigenen Worten »die Masse fanatisiert«, um sie zum Werkzeug seiner Politik zu machen. Sie sollte über den affektiven Gehalt der Bewegung »mit ergriffen« werden.

> »Nur einer tausendfachen Wiederholung einfachster Begriffe wird die Masse endlich ihr Gedächtnis schenken.«
> *(Adolf Hitler)*[20]

3. Ministerium für Volksaufklärung und Propaganda

Da die Masse sich für Hitlers destruktive Utopie zum Teil begeisterte und bedeutende Teile der Bevölkerung sich die nebulösen Versprechungen zu eigen machten, war völlige Unterwerfung die folgenschwere Mitgift, die Hitler »seinem« Volk auf den Weg gab. Die bisherige Desorientierung der Masse, die sie zur leichten Beute Hitlers werden ließ, wurde durch verordnete »Gesinnung« oder durch Nazi-Ethik ersetzt. Da der Nationalsozialismus außerstande war, eine kohärente eigene Ideologie zu begründen, machte er sich an die Plünderungen anderer Weltanschauungen oder schuf Ersatzreligionen durch eine Art abwehrende Anti-Ideologie, die den Zweck verfolgte, die neue Gesellschaftsordnung und die Macht aufrechtzuerhalten. Im Grunde hatte die Propaganda gar keine Ideologie zu vermitteln; sie ersetzte die Ideologie durch sich selbst. Die Propaganda ist die Botschaft – bis in die Schulbücher hinein. Am 11. März 1933, sechs Wochen nach der »Machtergreifung« und sechs Tage nach den mit nur

43,9 Prozent gewonnenen Wahlen, wurde die Errichtung des »Reichsministeriums für Volksaufklärung und Propaganda« beschlossen. Als dessen Leiter wurde am 13. März Joseph Goebbels ernannt und tags darauf vereidigt. Ein gleichzeitiger Erlaß des Reichspräsidenten von Hindenburg nennt die Aufgaben dieses Ministeriums, dessen Name den Begriff der Aufklärung pervertierte:
»Für Zwecke der Aufklärung und Propaganda unter der Bevölkerung über die Politik der Reichsregierung und den nationalen Wiederaufbau des deutschen Vaterlandes wird ein Reichsministerium für Volksaufklärung und Propaganda errichtet.«
Programmatisch verkündet der oberste Demagoge dieses Ministeriums die Ziele der totalen Massenbeeinflussung: »Von hier aus müssen die großen Impulse kommen. Es gibt zwei Arten, eine Revolution zu machen. Man kann einmal den Gegner so lange mit Maschinengewehren zusammenschießen, bis er die Überlegenheit dessen anerkennt, der im Besitze dieser Maschinengewehre ist. Dies ist der einfachere Weg. Man kann aber auch durch eine Revolution des Geistes die Nation umgestalten und damit den Gegner nicht vernichten, sondern sogar gewinnen. Wir Nationalsozialisten sind diesen zweiten Weg gegangen und werden ihn weitergehen. Das ganze Volk dem neuen Staat zu gewinnen, wird unsere vornehmste Aufgabe in diesem Ministerium sein.« Die Gleichschaltung, die nun vor allem Aufgabe des neu geschaffenen Ministeriums war, charakterisiert NS-Kultusminister Bernhard Rust am 12. Mai 1933 freimütig so:
»Unsere Gleichschaltung bedeutet, daß die neue deutsche Weltanschauung als schlechthin gültige die beherrschende Stellung über allen anderen einnehmen soll.«
Daß Gleichschaltung nur ein Euphemismus war, zeigte sich bald sehr drastisch. Denn Gleichschaltung bedeutete Vernichtung. Wer sich nicht gleichschalten ließ, der mußte weichen. Der Rundfunk war bereits nach wenigen Wochen derart gleichgeschaltet, daß Goebbels ein Jahr später sogar die »energische Politisierung« rügen mußte – offenbar taten eifrige Volksgenossen des Guten zuviel.
Auch Film, Theater, Presse und alle übrigen Bereiche publizistischer, künstlerischer und wissenschaftlicher Tätigkeit unterwarfen sich wenig später den Propaganda-Diktaten. Was jetzt konsequent verwirklicht wurde, hatte Hitler bereits 1925 in *Mein Kampf* formuliert. Obwohl 1933 bereits über zwei Millionen Exemplare (!) des Buches im Umlauf waren (ein Bestseller ohne Leser), nahmen die Konsequenzen aus Hitlers menschenverachtenden Thesen offensichtlich auch die wenigen Kenner des Buches nicht ernst. Hitler hatte in *Mein Kampf* den Auftrag der Propaganda in einem nationalsozialistischen Staat unmißverständlich so antizipiert:
Propaganda ist »in Inhalt und Form auf die breite Masse anzusetzen«. Deshalb habe »jede Propaganda ... volkstümlich zu sein und ihr geistiges

Niveau einzustellen nach der Aufnahmefähigkeit des Beschränktesten unter denen, an die sie sich zu richten gedenkt. Damit wird ihre rein geistige Höhe um so tiefer zu stellen sein, je größer die zu erfassende Masse der Menschen sein soll.«[21]

In dem Maße, wie Hitlers zynische Einschätzung des Massenniveaus des Volkes, das allen seinen Taten applaudierte, von der Wirklichkeit noch übertroffen wurde, bestätigt sich die »Richtigkeit« der Auffassung, daß Propaganda »ausschließlich zu messen (ist) an ihrem wirksamen Erfolge«. Die ersten Reichstagswahlen im Ein-Parteien-Staat am 12. November 1933 bestätigten dies Rezept und brachten der NSDAP 92 Prozent der Stimmen: »Die Schlacht ist geschlagen, der Sieg errungen. Während noch am gestrigen Sonntag die Flaggen und Fahnen ... jeden Deutschen aufforderten, seiner Pflicht zu genügen, wehen sie heute als Fanale des Jubels und des Sieges.«[22]

Das heißt aber auch, daß in der Propaganda das »geistige Niveau« derjenigen sich enthüllt, die wie Goebbels und Rosenberg eine Ideologie total und in einer Weise »vermarkten«, wie sie an Skrupellosigkeit nicht zu überbieten ist. In seinem Buch *Blut und Ehre* kommt Alfred Rosenberg zu dem Schluß, daß im Vergleich zu den anderen Künsten »der Film durch seine Eigenschaft, primär auf das Poetische und Gefühlsmäßige, also Nichtintellektuelle einzuwirken, massenpsychologisch und propagandistisch von besonders eindringlicher und nachhaltiger Wirkung sei«.[23] Auch für Goebbels lautet das erste Gebot des Films, »keine Psychologie zu treiben, sondern durch Bilder zu erzählen«.[24] Hitlers Vorgehen, das er harmlos »Willensbildung« nennt und dessen Ziele totale Unmündigkeit und Hörigkeit sind, beruht auf einem wohldurchdachten Rezept. Für Hitler hat sich nach eigenen Worten »jede wirkungsvolle Propaganda auf nur sehr wenige Punkte zu beschränken und diese schlagwortartig so lange zu verwerten, bis auch bestimmt der Letzte unter einem solchen Worte das Gewollte sich vorzustellen vermag«.[25]

Diese »sehr wenigen Punkte« waren in der braunen Aufbruchsphase ab 1933 andere als während Hitlers späteren Eroberungskriegen. Die Argumentationen der mittleren Phase unterschieden sich wiederum von jenen allerletzten, welche die Herren des untergehenden Dritten Reiches »schlagwortartig verwerteten«. In den ersten sechs Jahren bis zu Hitlers Überfall auf Polen sollten die Parolen der Nazi-Propaganda das deutsche Volk ideologisch chloroformieren, das heißt, mit ihnen sollten dem Volk jene fragwürdigen Kriterien eingehämmert werden, die seine rassische Überlegenheit gegenüber allem sogenannten Artfremden bezeugen und als neue nationale Tugenden ausrufen sollten. Die von allen Volksgenossen nachvollziehbaren Propagandarezepte lieferten zur massenhaften Mobilisierung »primitivster Masseninstinkte« (Goebbels) griffige, schlagwortartige Phrasen.

Wissenschaftlich unhaltbare Behauptungen und Elite-Vorstellungen von »Reinheit der Rasse«, von »arischem Blut« sollten einen auffallenden Kontrast zum negativen Bild des Juden bilden und signalisieren, daß dem deutschen Volk eine tödliche nationale Gefahr seitens der »Untermenschen« drohe.
Das Gegensatzpaar »Entartete Kunst« und »Völkische Kultur« sollte die Usurpation der Künste durch die verordneten nationalen Ideale und nationalsozialistischen Idole vorbereiten. Hitler war »felsenfest« davon überzeugt, daß die Kultur »nahezu ausschließlich schöpferisches Produkt des Ariers« sei.[26] Wortmontagen wie »Deutsche Kultur«, »Deutsche Volksgemeinschaft«, »Deutsche Jugend«, »die deutsche Frau«, »Deutsches Blut« usw. waren auch als implizite Herabsetzung alles Nicht-Deutschen zu verstehen. Bestimmte hehre Tugenden wurden allein den Deutschen zugesprochen: Sauberkeit, Disziplin, Tapferkeit, Opfermut, Treue, Ehre usw. »Meine Ehre heißt Treue«, stand auf allen SS-Koppelschlössern. Menschen mit solchen und anderen hochstilisierten Tugenden sollten das Tausendjährige Reich konstituieren.
Zur Vorbereitung der Eroberungskriege Hitlers und zu ihrer Rechtfertigung als Akt der Verteidigung wurden eingängige Metaphern geboren, die das Heer von Mitläufern für den »Endsieg« mobil machen sollten. Hans Grimms Roman *Volk ohne Raum* bot Argumente zur Rechtfertigung der Eroberung der Ostgebiete an. Das »Schand-Diktat von Versailles« diente als Legitimation für den Überfall auf Frankreich. »Was konnte man aus dem Friedensvertrag von Versailles machen?« fragt Hitler rhetorisch und meint: »In der Maßlosigkeit seiner Unterdrückung, in der Schamlosigkeit seiner Forderungen liegt die größte Propagandawaffe zur Wiederaufrüttelung der eingeschlafenen Lebensgeister einer Nation.«
Die Horror-Version einer »Verschwörung von Weltjudentum und Freimaurern gegen Hitlerdeutschland« sollte der deutschen Massenseele die Notwendigkeit eines Präventiv-Krieges gegen die von »Volksfeinden« beherrschten »Plutokratien« vor Augen führen. Um den Film für diese Ziele instrumentalisieren zu können, unterstellte sich Goebbels 1940 auch noch die vier bestehenden Wochenschauen (Ufa, Tobis, Deulig, Fox) und faßte sie zur einheitlichen »Deutschen Wochenschau« zusammen. »Die Nachrichtenpolitik im Krieg ist ein Kriegsmittel. Man benutzt es, um Krieg zu führen, nicht um Informationen auszugeben«, notierte Joseph Goebbels in sein Tagebuch.
Als 1943, nach der verlorenen Schlacht von Stalingrad, Hitlers Kriegsglück sich zu wenden begann, erfand die Goebbelssche Maschinerie der Lügen-Propaganda immer wieder neue Durchhalteparolen, die er mit »Filmdokumenten« überzeugungsvoll »belegen« ließ. »Von sowjetischen Bestien grausam verstümmelte deutsche Soldaten« oder »von ostischen Untermenschen geschändete Frauen«, schwelgten die Haßtiraden einer

Wochenschau-Propaganda, die in der Heimat die letzten Reserven gegen den Todfeind mobilisieren wollte. Die nicht näher zugeordneten »Dokumente« waren für den Durchhaltewillen wichtig: in den getöteten Landsleuten auf der Leinwand sollte jeder Deutsche seine Mutter, Frau oder Schwester sehen, sollte jede Deutsche den eigenen Mann, Sohn, Bruder, Vater erkennen. Nicht zuletzt mit Hilfe dieser Greuel-Propaganda konnte Hitler seinen Krieg bis Mai 1945 verlängern.
So wie die Deutschen sich mit dem Namen ihres Führers grüßten, so sollten sie bereit sein, mit seinem Namen auf den Lippen zu sterben. Hölderlin im Marschgepäck, konnte jeder Fahnenjunker im Schützengraben aus »Hyperion« einen Vers zitieren, der den Opfertod verklärt: »Und Siegesboten kommen herab: Die Schlacht ist unser. Lebe droben, o Vaterland. Und zähle nicht die Toten! Dir ist, Liebes, nicht einer zuviel gefallen!« Diese Hölderlin-Worte seien »eine harte und tapfere Lehre des Krieges, die erst in einem höheren Sinne Trost und Stärke geben kann«, beschwichtigt Goebbels den Helden-Tod in seiner Rundfunkrede zur Weihnacht 1942 am 24. Dezember.
Der Weg in den als Götterdämmerung verbrämten Untergang ist propagandistisch perfekt vorbereitet worden, so daß ihn nicht nur viele Frontsoldaten, sondern auch die Getreuen in der Heimat teils fatalistisch, teils fanatisch beschritten. Adorno demonstriert am Beispiel von Liedern wie »Volk ans Gewehr«, was für ihn faschistische Exhortationen sind, und kommt zu dem Schluß, daß sich Hochgefühle »bis zur irrationalen Begeisterung für den eigenen Tod« einüben lassen.[28] Diese Lust am eigenen Untergang, diese dem Faschismus immanente Todessehnsucht wurde aber aus propagandistischen Gründen geleugnet. Zur Konstituierung einer »Sinngebung«, die sich der Seele des deutschen Volkes bemächtigen und es zu emotionalen Verhaltensweisen anstiften sollte, hat der Nationalsozialismus im Rückgriff auf altertümelnden Traditionskult besondere Selbstdarstellungsrituale und einen speziellen Feierstil ausgebildet. Beide sollten so etwas wie eine »emotionale Vergewaltigung« der Massen bewirken. Als Beispiel für solche das Gemüt einfangende Massenveranstaltungen sei jenes magische Zeremoniell genannt, dessen gravitätischen Vollzug Bannerträger und Standarten-Schwenker begleiten: Die Abfolge von Fahnenlied, Fahnenspruch, Fahneneid, Fahnendefilee und Weihe der Standarten durch die »Blutfahne« findet ihren Höhepunkt im gemeinsamen Absingen von »Die Fahne hoch...«. Viele symbolische Ausdrucksformen der Nazi-Ideologie orientieren sich, besonders bei Himmlers SS, an altgermanischem Brauchtum und an teutonischem Mummenschanz. Leni Riefenstahl hat aus dieser Mixtur heidnischer Mythen und magischer Zeichen eine Ästhetik der kinematographischen Nazi-Ikonografie entwickelt. Das deutsche Volk sollte nicht »vernünftig« denken, sondern gefühlsmäßig.

Totalitäre Propaganda bemächtigt sich auch der Tiefen des Unbewußten. Der ideale nationalsozialistische Mensch leistet sich keine eigenen Argumente und keine kritischen Urteile mehr; er hat die vorgeprägten Leitbilder und standardisierten Überzeugungen verinnerlicht und handelt dementsprechend kompromißlos. »Persönlichkeit und Individuum auszuschalten«, nennt Hermann Glaser als Ziele der Propaganda. Die Menschen waren »als Reflexbündel vom Instinkt, vom Trieb, vom ›Rükkenmark‹ her zu manipulieren. Die NS-Propaganda glaubt sich am Schaltbrett der menschlichen Seele«.[29] Aber die Propaganda stiftet keine neue Transzendenz, sie setzt sich nur an ihre Stelle. Um die »Volksseele« erfolgreich verführen zu können, hatte Goebbels eine unterschwellig wirkende Ästhetik der Effizienz entworfen und sie vor allem den optisch-akustischen Medien auferlegt. Der dokumentarisch genannte Film schien für die Volksverführung besonders geeignet, denn mit ihm ließ sich die Lüge durch authentisch erscheinende Bilder am überzeugendsten als Wahrheit darstellen. Sie hatten begriffen, »daß man nicht besser lügen kann als mit Tatsachen«, sagt Hans Richter in »Der politische Film«.
Da der Nazismus keine geistige, sondern nur eine »elementare Bewegung ist, darum kann man ihm nicht mit Argumenten beikommen«, denn Argumente zeigten nur Wirkung, sofern die Bewegung durch Argumente auch groß geworden wäre (Wilhelm Stapel). Ziel der Massensuggestion war die Kaschierung der Geistlosigkeit alles dessen, was unter dem Sammelbegriff »Bewegung« zur politischen Heimat deklariert wurde. Dieses Ziel soll vor allem durch optisch-ästhetische Mittel erreicht werden, die Leni Riefenstahl mit *»Triumph des Willens«* (1934) zum künstlerischen Modell entwickelte. Im Gewande der Kunst oder mit kunstvoll drapierten Wirklichkeiten sollte die »Bewegung« sich Einfluß verschaffen. Nur in diesem Sinne spektakuläre Werke verdienen nach Goebbels das Prädikat »Kunst« und »Volksbildung«. Bereits Leo Tolstoi hat gewußt, daß Einfluß und Beeinflussung nicht nur Zeichen dafür seien, »daß etwas als Kunst betrachtet wird, sondern daß jenes Maß an Einfluß auch den einzigen Maßstab für den Wert der Kunst bestimmt«.
Das Kino als »eines der modernsten Massen-Beeinflussungsmittel« darf laut Goebbels deshalb »nicht sich selbst überlassen« bleiben (Goebbels am 9. Februar 1934). Diese Maxime veranlaßt Goebbels zu jenem berüchtigten Bekenntnis: »Wir gehören nicht zu jenen Heimlichtuern, die eine kindliche, alberne Scheu vor dem Wort ›Propaganda‹ oder ›Tendenz‹ besitzen« (Goebbels am 5. November 1939). NS-Filmpropagandist Hans Traub definiert bereits 1933 »aktive Propaganda« als »bewußte Anwendung tendenziöser Mittel zu einem politischen Zweck, zur Zielwerdung einer Gesinnung«.[30]
Daß Goebbels sich, wie übrigens auch Hitler, gern als besonders film-

interessiert gab, beweist ein geselliger Abend, zu dem die deutsche Filmwirtschaft im Jahre 1933, vierzehn Tage nach Goebbels' Ernennung zum Propagandaminister, eingeladen hatte, und zwar die »Dachorganisation filmschaffender Künstler Deutschlands«, der »Reichsverband deutscher Filmtheaterbesitzer« und die »Spitzenorganisationen der Filmwirtschaft«. An diesem Abend lobte sich Goebbels als einen »Mann, der niemals dem deutschen Film fern gestanden« habe, mehr noch, er sei ein »leidenschaftlicher Liebhaber der filmischen Kunst«. Goebbels warnte freilich die Deutsche Filmwirtschaft auch unmißverständlich: »Bei den gefährlichen Auswirkungen des Films hat der Staat die Pflicht, regulierend einzugreifen.«

Wie er sich dieses »regulierende Eingreifen« dachte, dafür hatten Goebbels' Schlägertrupps bereits im Dezember 1930, anläßlich der Premiere von Lewis Milestones *»Im Westen nichts Neues«* in Berlin, eine Probe aufs Exempel gegeben. Wegen Gefährdung der öffentlichen Sicherheit verbot der reaktionäre Berliner Polizeipräsident daraufhin den Film. »Gegen die nationalsozialistische Gesindelpartei gibt es nur die Logik des dickeren Knüppels, zu ihrer Zähmung nur *eine* Pädagogik: A un corsaire – corsaire et demi«, protestierte Carl von Ossietzky 1930 in der *Weltbühne* gegen die Kassation des Films durch eine »obskure Zensurkammer«.[31] Noch überzeugender als der im gleichen Jahr gedrehte deutsche Antikriegsfilm *»Westfront 1918«* von G. W. Pabst gelingt es dem Film von Milestone, mit realistischen Kampfszenen den Krieg zu desillusionieren. Das Schicksal von sieben Jungen im Schulalter, die den herbeigesehnten Krieg als Hölle erleben und bis auf einen krepieren, ist ein filmisches Plädoyer für den Pazifismus. Was Goebbels, der »klumpfüßige Psychopath« (Ossietzky) bereits an Erich Maria Remarques Roman ekelerregend fand, der die von Hindenburg und Ludendorff propagierte Dolchstoßlegende entlarvt, das hatte der Film mit unerbittlichem Realismus noch vielfach gesteigert.

Gleich nach der Machtergreifung verbot Goebbels Fritz Langs Film *»Das Testament des Dr. Mabuse«* (1932/33), jene gespenstische Allegorie auf die politische Zerrissenheit der aktuellen Weimarer Gegenwart. Ein Vergleich zwischen dem paranoiden Führer und dem psychopathischen Demagogen Mabuse schien den Nazis allzu naheliegend. (Die Filmzensur, mit der das Verbot möglich wurde, war allerdings bereits während der Weimarer Republik, mit dem von der Nationalversammlung am 12. Mai 1920 verabschiedeten Reichslichtspielgesetz eingeführt worden.)

Kurz zuvor hatte Goebbels in seiner Rede vor der Filmwirtschaft einen anderen Film ebendesselben Regisseurs, *»Die Nibelungen«* (1922/24), als vorbildlich hingestellt. Goebbels zählte *»Die Nibelungen«* zu den Filmen, die »einen unauslöschlichen Eindruck auf mich gemacht« haben: »Hier ist ein Filmschicksal nicht aus der Zeit genommen, aber so modern, so zeitnah, so aktuell gestaltet, daß es auch die Kämpfer der nationalsozialistischen Bewegung innerlich erschüttert.« Wie die Anwesenden auf Goebbels' Rede reagierten (»Ich selbst habe an vielen Abenden der vergangenen Zeit mit dem Reichskanzler im Lichtspielhaus gesessen und Entspannung gefunden«, hieß es in dieser Rede auch), war in der Zeitschrift *Die Filmwoche* nachzulesen: »Stürmischer Beifall aller Erschienenen dankte dem Reichsminister; die anwesenden Mitglieder der Partei stimmten das Horst-Wessel-Lied an, das die Versammlung der Filmschaffenden stehend anhörte.«

Das Vertrauen Hitlers in die Effizienz seiner Propagandamaschinerie versuchte Joseph Goebbels nicht nur durch martialische Reden zu gewinnen, sondern auch durch konkrete Maßnahmen und Gesetze. So erließ er beispielsweise das folgenschwere »Gesetz über die Errichtung einer vorläufigen Filmkammer« vom 14. Juli 1933; es erlaubte ihm unter anderem, alle Verträge mit jüdischen Künstlern und Mitarbeitern der Ufa ohne Einhaltung einer Frist zu kündigen.

»Kein Mensch, er mag hoch oder niedrig stehen, kann das Recht besitzen, von seiner Freiheit Gebrauch zu machen auf Kosten des nationalen Freiheitsbegriffes. Dies gilt auch für die schaffenden Künstler.« Dies erklärte Goebbels am 15. November 1933 anläßlich der Eröffnung der Reichskulturkammer. Vor Mitgliedern der »Reichsfachschaft Film« nimmt Goebbels zehn Wochen später kein Blatt mehr vor den Mund. So sei er überzeugt, »daß der Film eines der modernsten und weitreichendsten Mittel zur Beeinflussung der Massen ist, die es überhaupt gibt«.

Die Nazis überließen den Film, wie versprochen, nicht sich selbst. Mit Verboten, Zensur und Prüfung jeder formalen wie inhaltlichen Details schuf sich der Nationalsozialismus einen Film, wie ihn Goebbels 1934 ankündigte: »Wir haben die Absicht, dem Film ein deutsches Gesicht zu geben.« »Möge die helle Flamme des Enthusiasmus niemals verlöschen«, ruft Goebbels den hunderttausend Gläubigen des Nürnberger Reichsparteitages von 1934 zu. »Diese Flamme allein gibt der schöpferischen Kunst moderner politischer Propaganda Helligkeit und Wärme.« So wurde 1942 die »Ufa-Film-GmbH« gegründet und damit die völlige Verstaatlichung der deutschen Filmindustrie auch in ihren Organisationen nachvollzogen. Ein straffes Netz aus »Reichsfilmkammer«, »Reichsfilmdramaturg«, »Reichsbeauftragter für die deutsche Filmwirtschaft« und »Reichsfilmintendant« spannte sich über die gesamte deutsche Filmorganisation. Daß die Propagandastrategen dem Film immer größere Bedeutung beimaßen, dafür nur ein Beispiel: Noch am 30. Januar 1945 ließ man den Durchhaltefilm *»Kolberg«* von Veit Harlan zur Premiere in die belagerte Festung La Rochelle einfliegen, um den Durchhaltewillen der Soldaten zu stärken, für den Kampf bis zum bitteren Ende.

Denkt daran, daß da, wo die Fahne weht,
nicht ein belangloses Tuch flattert.
Denkt daran, daß hinter dieser Fahne der Wille
von Millionen steht, die in Treue, Tapferkeit
und inbrünstiger Liebe mit Deutschland
verbunden sind. Bleibt in Glück und Not
mit dieser Fahne untrennbar verbunden.
Verteidigt sie, wenn sie angegriffen wird, und
deckt sie sterbend mit eurem
jungen Körper, wenn es sein muß, so wie
eure Kameraden aus dem Krieg und aus der
Kampfzeit der vergangenen Jahrzehnte es taten.
(Baldur von Schirach bei der Weihe der Bannfahnen der HJ in der Potsdamer Garnison-Kirche am 24. Januar 1934)

4. Die Jugendfilmstunden der Hitler-Jugend

»Diese Jugend, die lernt ja nichts anderes als deutsch denken, deutsch handeln, und wenn diese Knaben mit zehn Jahren in unsere Organisation hineinkommen und dort zum ersten Mal überhaupt eine frische Luft bekommen und fühlen, dann kommen sie vier Jahre später vom Jungvolk in die Hitler-Jugend, und dort behalten wir sie wieder vier Jahre. Und dann geben wir sie erst recht nicht zurück in die Hände unserer alten Klassen- und Standeserzeuger, sondern dann nehmen wir sie sofort in die Partei, in die Arbeitsfront, in die SA oder in die SS, in das NSKK und so weiter. Und wenn sie dort zwei Jahre oder anderthalb Jahre sind und noch nicht ganze Nationalsozialisten geworden sein sollten, dann kommen sie in den Arbeitsdienst und werden dort wieder sechs und sieben Monate geschliffen, alles mit einem Symbol, dem deutschen Spaten. Und was dann nach sechs oder sieben Monaten noch an Klassenbewußtsein oder Standesdünkel da oder da noch vorhanden sein sollte, das übernimmt dann die Wehrmacht zur weiteren Behandlung auf zwei Jahre, und wenn sie nach zwei oder drei oder vier Jahren zurückkehren, *dann nehmen wir sie, damit sie auf keinen Fall rückfällig werden, sofort wieder in die SA, SS und so weiter, und sie werden nicht mehr frei ihr ganzes Leben«* (Adolf Hitler).[32]
Vor dem düsteren Hintergrund einer als politisches Chaos diffamierten und bewußt destabilisierten Vielparteien-Republik entfaltete die Jugendbewegung Ende der zwanziger Jahre ihre Aktivitäten. Die meisten der enttäuschten Jugendlichen, die auf der Suche nach der schönen Seele und der unschuldigen Natur waren, stammten aus bürgerlichen Kreisen. Ihre Wandervogelmotive waren eher dumpf gefühlsmäßig als rational bestimmt. Sie suchten emotionalen Ersatz für die ihnen vorenthaltene Freiheit. Immer mehr von ihnen betrachteten die Welt aus einer Sinnperspektive, die sie mit Werten der Vergangenheit romantisch verklärten. Ihre

Welt fanden sie beim Sonnwend-Feuer und beim Zelten, bei George und Rilke, in gemeinsam gesungenen bündischen Liedern, beim Zitieren von hehrem Gedankengut, in der Gemeinschaft Gleichgesinnter, gelegentlich auch homoerotischer Kameraden. Viele entwickelten »eine pathetische Liebe zur Natur und eine mystische Vaterlandsliebe«.[33]
Im Vorwort zum *Zupfgeigenhansl*, jenem auch in der Weimarer Zeit noch populären Liederbuch, heißt es bezeichnenderweise: »Und darum, weil wir Enterbte sind, weil wir in unserer Halbzeit den Stachel und die Sehnsucht nach jenem ganzen, harmonischen Menschentum nur um so stärker in uns fühlen, ist jenes Volkslied unser Trost und Labsal, ein unersetzlicher, durch nichts wiederzuerringender Schatz.«[34]
Die Nationalsozialisten haben es verstanden, die latenten Sehnsüchte dieser Generation nach dem ganz anderen Leben und ihre Wünsche nach Ablösung vom Elternhaus Hitlers Zwecken dienstbar zu machen. Sie haben das Bündel an unerfüllten Wünschen zu einer Ideologie der Adoleszenz verarbeitet, deren Organisationsform schließlich die Hitler-Jugend wurde.
Die zehn- bis vierzehnjährigen Pimpfe waren die am leichtesten verführbare Generation des Nationalsozialismus. In ihrer Unschuld wurden sie zur leichten Beute für die neue Bewegung, die mit ihren eingängigen Schlüsselworten aus dem braunen Katechismus die Kinderherzen verzauberte: Das Vokabular aus preußischer Militärtradition wurde mit dem Gedanken-Repertoire der bündischen Jugend zu einer neuen Denkweise vermischt, die den Nerv traf. Der Religionsunterricht und die Werte, die er vermittelte, wurden als entbehrlich empfunden, als die Nazis attraktive Alternativen anboten. Jugendliche Begeisterungsfähigkeit und naive Gläubigkeit wurden auf Bereiche gelenkt, in denen die Jugend Aktivitäten entfalten und aufgestaute Energien ausleben konnte, ja, wo sie sich auf der Seite der Sieger wähnen durfte. Die damalige Inflation von Sieger- und Ehrennadeln hat diesen psychologischen Hintergrund. Dem Bedürfnis der Jugend nach Kameradschaftlichkeit und ihrem Hingabeverlangen entsprach die Hitler-Jugend mit einem faszinierenden Programm: Geländespiel, große Fahrt, Massensport, Zeltlager, Sonnwend- und Morgenfeiern stießen auf jugendlichen Enthusiasmus, der sich an eine romantisch mystifizierte höhere Sache verströmte. Ihr Symbol war die Hakenkreuzfahne. Mit welch heiligem Ernst die Pimpfe und Hitlerjungen um diese Reliquie zu kämpfen verstanden, dafür gibt die *Deulig-Tonwoche Nr. 275* vom 7. April 1937 ein anschauliches Bild unter der Ankündigung »Kriegsspiele um HJ-Banner«. In der zerstrittenen Weimarer Republik wurden die von den Nationalsozialisten vereinnahmten Wirkungselemente, die säkularisierten Mythen und germanischen Kultformen, von vielen sowohl aus der bürgerlichen wie aus der Arbeiterjugend als faszinierende Alternative zu ihren bisherigen Sozialisationsformen empfun-

den. Sie lagen ihnen näher »als die traditionellen christlichen Werte und Normen, die andererseits aber aus diesen entwickelt wurden«.[35]
Bei einer Analyse dieses psychologischen Phänomens läßt sich aber »kein Element ermitteln, das spezifisch faschistisch wäre... Das Besondere liegt nicht in den einzelnen Elementen, sondern in ihrer Gliederung«. Im Vorwort zur »Inszenierung der Macht«[36] wird eine Vielzahl von Faktoren dafür verantwortlich gemacht, daß ein Klima entstehen konnte, in dem »die Individuen durch ihre freiwillige Einordnung in das Gefüge gesellschaftliche Handlungsfähigkeit erlangten«. Die Jugendlichen konnten sich im neuen Gemeinschaftsgefühl stark und zu höheren Zwecken berufen fühlen. Diese Momente »glückhafter Sinnlichkeit und gelingender kollektiver Veränderung« ließen die Jugend in die große Bewegung hineinwachsen und ihre zuverlässigsten Anhänger werden. Aber weder hier noch auf Heimabenden oder im Schulunterricht allein waren das nationalsozialistische Gedankengut und der Wille zum »gemeinsamen Überlebenskampf« zu vermitteln. Dazu bedurfte es anderer Mittel.
Die Vorbilder, denen es nachzueifern galt, sollten auf der Leinwand präsentiert und im Bewußtsein der Betrachter lebendiggemacht werden, das heißt: nacherlebbar in einem lebenslangen Lernprozeß. Die ersten originären Parteifilme der Bewegung in diesem Sinne sind *»Hitlerjunge Quex«* (1933), *»SA-Mann Brand«* (1933) und *»Hans Westmar«* (1933). Mit allen drei Propaganda-Figuren wurden Wirkungen über das ästhetische Filmerlebnis hinaus erzielt; auch Nichtparteigänger wurden durch Schauspieler, die bereits vorher populär waren, wie Berta Drews, Heinrich George, Hermann Speelmanns, zum Kinobesuch motiviert. Ein Film wie *»Hitlerjunge Quex«* war Indiz dafür, wie phänomenologisch bewußt die Regie von Hans Steinhoff »an die kurze Tradition des proletarischen Films von Weimar anknüpfte und sich der vertrauten Erscheinungen bediente, um in ihnen die neue Weltanschauung zu verbreiten«.[37]
Parteipropaganda zu verbreiten, das war eine Aufgabe, die bereits Ende des gleichen Jahres ausschließlich den Kultur- und Dokumentarfilmen und den Wochenschauen übertragen wurde. Den authentischen Bildern der »neuen Wirklichkeit« traute Goebbels die größere Überzeugungskraft als dem Spielfilm zu. Während der Kurzfilm die Gedanken beschlagnahmen sollte, hatte sich der Spielfilm künftig allein der Aufgabe zu widmen, dem Volk »gute Unterhaltung« zu bieten und dem Führer die gute Laune seines Volkes zu sichern. Wie sich bald herausstellen sollte, fanden Dokumentarfilme der Leni Riefenstahl und Kurzfilme bei den Jugendlichen größeren Anklang als sogenannte »Problemfilme«.
Goebbels' Filmpropagandisten hatten ihre Erkenntnisse unter anderem einer Dissertation aus dem Jahre 1933 entliehen, nach der die »Jugend

bereits damals in ihren größten Teilen dem natürlichen, sauberen und ungekünstelten volksbewußten Film viel eher ihre Zuneigung schenkte als dem sogenannten ›Liebesfilm‹ oder einem der üblichen Durchschnittsfilme ... Die Antworten der Jugendlichen stellten klar die Geschmacksrichtung der Jugend heraus, die sich für das Gute, Starke und Natürliche, für das Heldische begeistert ... Überhaupt spricht alles das den Jugendlichen besonders an, was Bewegung, Spannung und Sensation in sich birgt, gemäß dem wachsenden Betätigungs- und Erlebnisdrang in diesem Alter.«[38]

Eine Jugend, anfällig für alle kitschigen, »schönen« Fiktionen, das war der Ausgangspunkt für Goebbels' demagogischen Gebrauch ästhetischer Medien wie dem Film. Wie war das Indoktrinationsmedium Film möglichst vielen Jugendlichen möglichst regelmäßig zugänglich zu machen? Da innerhalb des wöchentlichen Kinoprogramms Kurz- und Dokumentarfilme nicht mit großer Publikumsresonanz rechnen konnten, wurden für Hitlers Jugend Sonderveranstaltungen organisiert, in denen nicht einzelne Pimpfe oder Jungmädel vor der Leinwand saßen, sondern eine Gemeinschaft. Nur wenn »die starke Gemeinschaftswirkung« zustande kommt, kann nach Meinung der Zeitschrift *Der deutsche Film* (Dezember 1937) Kino zum Erlebnis werden, also nur, wenn im Kino ein Publikum sitzt, das innerlich gleichgerichtet ist, das, sagen wir, weltanschaulich eine Meinung verkörpert und dem dann ein Film vorgeführt wird, der ebenfalls in der Haltung Ausdruck dieser Gemeinschaft ist«. Gemeinschaftsbildende Kraft aber könne ein Film nur dann äußern, »wenn diese Gemeinschaft in den Beschauern schon vorbereitet und lediglich durch das filmische Geschehen hervorgehoben wird, d. h. der Film ideelich der Gemeinschaft etwas zu sagen hat. Beides finden wir in den Jugendfilmstunden der Hitler-Jugend.«

Die erste Jugendfilmstunde hatte an »Führers Geburtstag« 1934 in Köln ihre großangelegte Premiere. Die Veranstaltungen waren nicht staatlich gefördert; sie sollten sich selbst tragen. Der Eintrittspreis war mit 20 Pfennig gering, der Gegenwert im Sinne von Gemeinschaftserlebnis groß. Fanfarenklänge, Trommelwirbel, Horst-Wessel-Lied und markige NS-Lyrik waren Elemente einer quasi-sakralen Erbauung, die vielen den Gottesdienst ersetzte. Denn wenn ein Film eine »seinem Inhalt entsprechende Umrahmung erhält, wird seine Wirkung vertieft und der Sinn für das Echte, Wertvolle und Schöne durch den äußeren Hinweis besonders geweckt«.[39] Der »Bedarf an Affirmation und Selbstbestätigung« (Habermas) wurde bei solchen Gelegenheiten vollauf gedeckt. Schon der Anmarsch in geschlossener Formation unter der Hakenkreuzfahne »gibt der Vorstellung einer Hitlerjugend-Filmstunde einen ganz anderen Auftakt, eine ganz andere Resonanz«. »Sie wird, wenn die Plätze eingenommen sind, vertieft durch den Gesang der Lieder, die in der Hitler-Jugend eine so bedeutsame Rolle spielen, weil sie aus dem volksbewußten Geiste dieser Jugend geboren, immer wieder eine durch nichts zu übertreffende gemeinschaftsbildende Kraft offenbaren.«[40] »Auch Du gehörst dem Führer!« lautete der auf die »Jungmädel« gerichtete imperative Zeigefinger auf Plakatanschlägen.

Mit der gesetzlichen Einführung der »Jugenddienstpflicht« am 1. Dezember 1936 schuf Hitler sich eine Staatsjugend: Fast alle zehn- bis achtzehnjährigen Jungen und Mädchen wurden herangezogen. Von den insgesamt 8,87 Millionen Jugendlichen dieser Jahrgänge waren im Jahr 1939 8,7 Millionen als Zwangsmitglieder erfaßt. Denn »von der Jugend hängt die Zukunft des deutschen Volkes ab«. Die gesamte deutsche Jugend »muß deshalb auf ihre zukünftigen Pflichten vorbereitet werden«, heißt es in der Präambel zur Verkündigung des Gesetzes der Reichsregierung, das folgenden Wortlaut hat:

»§ 1. Die gesamte deutsche Jugend ist in der Hitler-Jugend zusammengefaßt.

§ 2. Die gesamte deutsche Jugend ist außer in Elternhaus und Schule in der Hitler-Jugend körperlich, geistig und sittlich im Geiste des Nationalsozialismus zum Dienst am Volk und zur Volksgemeinschaft zu erziehen.

§ 3. Die Aufgabe der Erziehung der gesamten deutschen Jugend in der Hitler-Jugend wird dem Reichsjugendführer der NSDAP übertragen. Er ist damit Jugendführer des Deutschen Reiches. Er hat die Stellung einer obersten Reichsbehörde mit dem Sitz in Berlin und ist dem Führer und Reichskanzler unmittelbar unterstellt.

§ 4. Die zur Durchführung und Ergänzung dieses Gesetzes erforderlichen Rechtsverordnungen und allgemeinen Verwaltungsvorschriften erläßt der Führer und Reichskanzler.

Berlin, den 1. Dezember 1936
Der Führer und Reichskanzler
Adolf Hitler
Der Staatssekretär und Chef der Reichskanzlei
Dr. Lammers«

Bereits vor der gesetzlichen Vereinnahmung der Jugend hatten die Organisationen der Hitler-Jugend bedeutenden Zulauf: Von Ende 1932 bis Ende 1934 stieg die Mitgliederzahl von 107956 Jungen auf 3,577 Millionen, die des BdM von 24000 auf 1,334 Millionen.[41]

Sofort mit Einführung der Jugendfilmstunden im Jahre 1934 wurden etwa 300000 Jugendliche erfaßt, obwohl sie zunächst nur in einigen Großstädten des Reiches organisiert worden waren. In der Saison 1938/39 war die Teilnehmerzahl bereits auf über zweieinhalb Millionen angewachsen; die Zahl der Veranstaltungen betrug 4885. Später haben fast alle 5275 Licht-

spielhäuser mit einer Kapazität von durchschnittlich 750 Sitzplätzen einmal im Monat ihre Säle für Jugendfilmstunden zur Verfügung gestellt. Nach der Erfolgsstatistik des Joseph Goebbels vom 29.9.1940 wurden allein »im Rahmen der Winterarbeit« der Jahre 1934 bis 1940 in 19694 Jugendfilmstunden insgesamt 9411318 jugendliche Besucher gezählt. Die höchste Besucherzahl wurde im Jahre 1942/43 mit insgesamt 11,2 Millionen Jugendlichen in 45290 Vorführungen erreicht.[42]
Auf dem flachen Land, wo es im Gegensatz zur Stadt so gut wie keine kulturelle Zerstreuung gab, nicht einmal ein Kino, boten Jugendfilmstunden in Schulgebäuden, in Wirtshaus- oder Gemeindesälen begehrte Abwechslungen. Allein im Berichtsjahr 1942/43 wurden die rund 18250 Vorführungen in der kinolosen Provinz von nahezu 2,5 Millionen Hitler-Jungen und -Mädel besucht, während in den Städten mit ortsfesten Lichtspielhäusern im selben Jahr 24100 Filmveranstaltungen von 8355000 Zuschauern besucht wurden.
In den ländlichen Bezirken waren 1942/43 mehr als 1500 mobile Filmtrupps unterwegs, um die Botschaften des Führers unters Volk zu bringen. Wie ein geheimes Protokoll des SD (R 58/159)[43] vom 3. April 1941 »nach oben« berichtete, waren diese Filmprogramme in Provinzgemeinden ohne Filmtheater deshalb besonders beliebt, weil sie oft das einzige Angebot an Unterhaltung und Information boten und schon deshalb für die Indoktrination wie geschaffen waren. Und die deutschen Filmtheater waren verpflichtet, »aufgrund einer Anweisung der Reichsfilmkammer an Sonntagen monatlich einmal, soweit die örtlichen Verhältnisse es erforderlich machen, auch zweimal zur Durchführung von Jugendfilmstunden zur Verfügung zu stehen.«[44]
Die Teilnahme an sonntäglichen Jugendfilmstunden war zwar offiziell kein »Dienst«, sondern freiwillig, aber sooft der Jungstammführer seine Fähnlein und die Ringführerin ihre Mädels zu Filmen wie *»Das große Eis«, »Nanga Parbat«, »Triumph des Willens«, »Fest der Jugend«* und *»Fest der Schönheit«, »Hitlers 50. Geburtstag«, »Feldzug in Polen«* oder *»Sieg im Westen«* einluden, erschienen die Jugendlichen massenweise am Sammelplatz und füllten die Kinos bis auf den letzten Platz.
Doch es wurden auch Spielfilme wie *»Fridericus«, »Der große König«, »Bismarck«, »Die Entlassung«* gespielt, denn nach Hitler »fehlte unserer Erziehung die Kunst, aus dem geschichtlichen Werden unseres Volkes einige wenige Namen herauszuheben, und sie zum Allgemeingut des gesamten deutschen Volkes zu machen, um so durch gleiches Wissen und gleiche Begeisterung auch ein gleichmäßig verbindendes Band um die ganze Nation zu schlingen ... Man vermochte nicht, aus den verschiedenen Unterrichtsstoffen das für die Nation Ruhmvolle über das Niveau einer sachlichen Darstellung zu erheben und an solch leuchtenden Beispielen den Nationalstolz zu entflammen.«[45]

Die Nazis wußten geschickt zu suggerieren, daß diese triste, mythenlose Zeit des »bürgerlichen«, »marxistischen«, »verjudeten« Weimarer Staates dringend leuchtende Vorbilder brauche, die den Weg zum »Licht« wiesen. Man brauche »Luther-Naturen«, wie Alfred Rosenberg die Mythenträger bezeichnete, »um in diesem Chaos die Herzen emporzureißen...« Sie sollten »die Herzen bewußt um-magnetisieren«.[46]
Aber auch große Forscher, Erfinder und Künstler werden in Filmen wie *»Robert Koch«, »Friedrich Schiller«; »Friedemann Bach«, »Andreas Schlüter«* und *»Diesel«* präsentiert, denn es darf »ein Erfinder nicht nur groß erscheinen als Erfinder, sondern muß größer noch erscheinen als Volksgenosse. Die Bewunderung jeder großen Tat muß umgegossen werden in Stolz auf den glücklichen Vollbringer derselben als Angehörigen des eigenen Volkes. Aus der Unzahl all der großen Namen der deutschen Geschichte aber sind die größten herauszugreifen und der Jugend in so eindringlicher Weise vorzuführen, daß sie zu Säulen eines unerschütterlichen Nationalgefühls werden«.[47]
Seit den 40er Jahren spielen antisemitische Filme in den Jugendfilmstunden eine wichtige Rolle. Filme wie *»Der ewige Jude«*, *»Jud Süss«, »Leinen aus Irland«, »Die Rothschilds«* wecken den Anschein historischer Argumentation. Nach Hitlers Worten sollen »der Rassesinn und das Rassegefühl instinkt- und verstandesmäßig in Herz und Gehirn der [...] Jugend hinein(brennen). Es soll kein Knabe und kein Mädchen die Schule verlassen, ohne zur letzten Erkenntnis über die Notwendigkeit und das Wesen der Blutreinheit geführt worden zu sein«.[48]
Im Kriege folgen dann die Schlachtengemälde und Heldenstücke samt Hurra-Patriotismus in Filmen von *»Stukas«* über *»U-Boote westwärts«* und *»Kampfgeschwader Lützow«* bis zum noch im März 1945 gespielten Durchhalteepos *»Kolberg«*. Mit diesen Filmen sollte die Jugend kriegstauglich und todesmutig gemacht werden, sollte seelisch auf ihr Selbstopfer vorbereitet werden.
Nicht erst seit Kriegsbeginn, sondern von Anfang an galten Filme mit verweichlichender, pazifistischer Tendenz als strikt tabu für die Hitlerjugend. Denn ein »gesundes, auf seine Wehrhaftigkeit und die Verteidigung seiner Grenzen bedachtes Volk und eine in diesem Geiste erzogene Jugend ist den Einwirkungen von Kriegsfilmen mit pazifistischer Tendenz nicht zugänglich. Zudem ist die ganze Fragestellung für uns Deutsche nur noch von historischer Bedeutung, da die nationalen Filme des neuen Deutschland die Klarheit ihres Bekenntnisses und die Eindeutigkeit der Darstellung die Frage der psychischen Wirkung erheblich einfacher gestalten, zumal sie auch auf eine einheitlichere Willensrichtung der deutschen Jugend stoßen als die früheren Filme«.[49]
Die Unterwerfung der Hitler-Jugend unter das Diktat des »totalen Krieges« meinte weniger das Sammeln von Wollsachen für die Winterfront im

Osten, von Altmetall für das letzte Gefecht oder von flurschädigenden Kartoffelkäfern während der Unterrichtszeiten. Es bedeutete vielmehr den Einsatz ganzer Gymnasialklassen an Flakgeschützen bei Fliegeralarm. Aber den Höhepunkt bildete der Befehl vom 24. Juni 1943 zur Aufstellung der 12. SS-Panzerdivision »Hitler-Jugend« für den Endkampf in Frankreich. Zehntausend 16jährige Jünglinge sind bei den verzweifelten deutschen Gegenoffensiven am 6. Juli und am 4. September 1944 bei Caen und Yvoir de Meuse sinnlos verheizt worden. »Es ist ein Jammer«, lamentierte Generalfeldmarschall Gerd von Rundstedt zu spät, »daß diese gläubige Jugend in aussichtsloser Lage geopfert wird.«

Die Hölle dieses »Stahlgewitters« bekamen die Pimpfe in ihren Jugendfilmstunden nicht zu sehen; statt dessen bekamen sie Kommentare der Wochenschau zu hören wie den folgenden: »An einem Teilabschnitt der Front erleben wir ein Gefecht der SS-Division-Hitlerjugend... an brennenden amerikanischen Panzern vorbei geht es weiter; deutsche Panzer rollen nach vorn.« (Juli 1944). Daß sie in den sicheren Tod rollen, verschweigt die Deutsche Wochenschau. Vorher werden sie aber noch 28 kanadische Panzer abschießen: Sie sprangen die alliierten Panzer an »wie Wölfe, bis wir sie gegen unseren Willen erschießen mußten«, erinnert sich ein englischer Panzerkommandant.[50]

Noch jüngere Jungen wurden auf Befehl des Reichsjugendführers vom 27. Februar 1945 mit Panzerfäusten und Tellerminen in den längst verlorenen Endkampf getrieben, um bis in die letzten Kriegstage hinein ihrem Mythos Adolf Hitler zu dienen: »In Liebe und Treue zum Führer und zu unserer Fahne«, wie der Hitler-Jugend-Eid es befahl. Zu ihrem Opfermut hatten sie nicht zuletzt die Kriegsfilme der Jugendfilmstunden motiviert.

Als Goebbels am 25. Oktober 1942 anläßlich der Eröffnung der HJ-Filmstunden der Spielzeit 1942/43 über den »Deutschlandsender« zur deutschen Jugend sprach, da sagte er nichts zum Thema Film, aber viel über das Heldenethos deutscher Jungen im Kriege. Der Propagandaminister hatte sich gerade am Besuch »einiger dreißig Hitler-Jungen im Alter zwischen vierzehn und siebzehn Jahren« berauscht, die »ausnahmslos das Eiserne oder das Kriegsverdienst-Kreuz« trugen. Zwei von ihnen hatten in einer Bombennacht je ein englisches Kampfflugzeug abgeschossen und »waren dafür auf dieselbe Weise ausgezeichnet worden wie der Soldat an der Front«. Durch diesen »Volksdienst« seien sie »moralisch um viele Zentimeter gewachsen«.[51] Wer unter den Jungen in den Lichtspielhäusern des Reiches, in die Goebbels' Rede an diesem Sonntagmorgen übertragen wurde, wäre da nicht gern mitgewachsen?

Bernhard Wicki wird nach dem Kriege den fehlgeleiteten heroischen Idealismus von Hitlers Jugend in seinem Spielfilm *»Die Brücke«* (1959) thematisieren und die ganze Absurdität jugendlicher Opfergänge mit brutaler Optik vergegenwärtigen: Wie Schüler sich amerikanischen Panzern in den Weg werfen, um noch in den allerletzten Kriegstagen sinnlos zu krepieren.[52]

»Der Nationalsozialismus hat den Leuten ... nichts außer Macht anbieten können. Dennoch muß man sich fragen, warum es Deutsche bis zum 8. Mai 1945 gab, die bis zum letzten Blutstropfen kämpften, wenn das Regime nichts anderes darstellte als eine blutige Diktatur. Es muß eine Form der Bindung an die Machthaber vorliegen« (Michel Foucault).[53]

Goebbels erinnert sich an jenen tapferen Hitler-Jungen, der, aus einem brennenden Panzer gezogen, noch atmete, »meistens außer Bewußtsein, drei Tage lang, ohne ein Wort der Klage über seine Lippen zu bringen, und gab dann mit einem hingehauchten Gruß an den Führer sein Leben auf. Wenn Schopenhauers Satz, daß man den Mann unter anderem daran erkennen könne, wie er zu sterben verstehe, richtig ist, so war dieser Jüngling ... ein vollkommener Mann.«[54]

Nur vier Wochen nach Beginn der Schlacht um Stalingrad gab Goebbels den Jugendfilmstunden den Auftrag, im Sinne Hitlers aus den Hitler-Jungen »vollkommene Männer« zu machen und ihnen Filme zu zeigen, die durch das Vorbild der Kinohelden auf den frühen Soldatentod vorbereiteten. Filmstunden, die das Heldenopfer feiern, werden emotional gestützt durch poetisch-kitschige Verklärungen in Lyrik und Lied, etwa der folgenden Qualität:

»Nun laßt die Fahnen fliegen
in das große Morgenrot,
das uns zu neuen Siegen
leuchtet oder brennt zu Tod!

Denn mögen wir auch fallen,
wie ein Dom steht unser Staat!
Ein Volk hat hundert Ernten
und geht hundertmal zur Saat.

Deutschland, sieh uns, wir weihen
dir den Tod als kleinste Tat!
Grüßt er einst unsre Reihen
werden wir zur großen Saat!«
(Hans Baumann)

In jeder Jugendfilmstunde wurde auch die aktuelle Wochenschau gezeigt. Für Goebbels war sie »gespielte Wirklichkeit«. Vor allem während des Krieges erhielt die Wochenschau mit der Propagierung von Hitlers Angriffszielen eine besondere Funktion: »Die Wochenschau ist augenblick-

lich das beste Volksführungsmittel, das wir besitzen«, notiert Goebbels 1941 in sein Tagebuch.[55]
Durchschlagende Wirkung sollte die Wochenschau in geschickter Kombination mit entsprechenden Spielfilmen erzielen, die als »filmische Epen deutschen Heldentums« (Goebbels) den Nachschub an »Helden« garantieren sollten. Diesem Thema des Films als Funktionsmittel im Kriege widmet die parteiamtliche Wochenzeitung *Das Reich*[56] in ihrer Nr. 23 vom 8. Juni 1941 einen Leitartikel, in dem es u. a. heißt: »In den Wochenschauberichten vom Polenfeldzug hatte er (der einzelne) zum ersten Male das aufwühlende Erlebnis, daß er vom Film mitten in das Zeitgeschehen gestellt wurde. Von diesem Wochenschauerlebnis her hat das Publikum, am stärksten wohl im Sommer 1940, eine unbewußte, aber sehr wirksame Filmpolitik betrieben... In Stoff, Technik und Wirkung sind diese Filme der Wochenschau sehr verwandt.« Gemeint sind Spielfilme wie *»Kopf hoch, Johannes«, »Wunschkonzert«, »Feinde«, »Kampfgeschwader Lützow«, »Stukas«* oder *»U-Boote westwärts«*. Nicht nur wurden in diesen Filmen zum Teil Dokumentarsequenzen verwendet, vor allem ist die Wochenschau »spürbar ihr Sauerteig geworden. Gleich ihr bringen diese Filme den Zuschauer in die unmittelbare Erlebnisnähe zum Geschehen... Es sind Szenen, die den engen Zusammenhang dieser Filmspezies mit der Wochenschau deutlich zeigen«.
Da das deutsche Volk durch Siegesnachrichten verwöhnt war, Goebbels andererseits bemüht sein mußte, das durch die Wochenschau angesammelte Vertrauenskapital nicht durch erfundene Siege in einer Zeit zu verspielen, in der es nur noch Niederlagen gab (»Feindsender« klärten die deutschen Hörer darüber auf), wurden die großen Rückzüge durch »Siege« kleinerer Stoßtrupps, von U-Booten oder von einzelnen Flugzeug- und Panzerbesatzungen verschleiert. In ihrer Summe ergaben die kleinen Siege den Eindruck einer großen »Vorwärtsverteidigung« mit gelegentlichen »taktischen Rückzügen« und »beweglichen Frontbegradigungen«, also eines relativ positiven Geschehens. Um den Bogen nicht zu überspannen, blieb der Tod der eigenen Helden bis zuletzt für die Leinwand strikt tabu. »Damit der Bogen nicht breche«, sagt Nietzsche, ist schließlich »die Kunst da« – hier die Filmkunst des Weglassens.
Da aber die Jugend »auch weiter ein Recht auf Lachen (hat), darum bringen die Jugendfilmstunden auch den lustigen Film«. Denn »die nationalsozialistische Jugenderziehung ist keine bitterböse, strenge und gewaltsame ›Ausrichtung‹ auf bestimmte ›heroische‹ Vorstellungsinhalte, sondern die Hitler-Jugend erkennt das gesunde Lebens- und Entspannungsbedürfnis der Jugend an«, meint der Filmpublizist Hans Joachim Sachsze.[57]
Von den lustigen Filmen, die während des Krieges produziert wurden,

gelangten folgende auch in die Jugendfilmstunden: Rabenalts *»Weißer Flieder«*, Kurt Hoffmanns *»Quax, der Bruchpilot«*, Käutners *»Kleider machen Leute«* und *»Wir machen Musik«*, Weiß/Spoerls *»Die Feuerzangenbowle«*, Rühmanns *»Sophienlund«* oder Willi Forsts *»Wiener Blut«*. Die Jugend sollte »im Einerlei des harten Kriegsalltags Entspannung, aber auch Aufrichtung und Erbauung im Kino finden« (Goebbels).

Um auf die staatliche Filmproduktion besser einwirken zu können, aber auch um das Interesse der Jugendlichen an politischen Vorgängen und tendenziös aufbereiteter Thematik zu testen, wurden regelmäßig Befragungen über die Beliebtheit der vorgeführten Filme durchgeführt. Auf die Frage »Welche Filme haben dir gut gefallen?« haben sich die Jugendlichen eindeutig zu den folgenden formal *und* inhaltlich auch in der Presse als Spitzenwerke rezensierten Filmen bekannt (in der Reihenfolge der Häufigkeit der abgegebenen Urteile):

»Der große König«, »Bismarck«, »Die Entlassung«, »Friedrich Schiller«, »Heimkehr«, »Ohm Krüger«, »Reitet für Deutschland«, »Andreas Schlüter«, »Stukas«, »Kadetten«, »Diesel«, »Wunschkonzert«, »Kampfgeschwader Lützow«. Weit abgeschlagen übrigens der antisemitische Film *»Jud Süss«*, der gegenüber dem Streifen *»Der große König«* mit 1161 Nennungen nur 92 Punkte erhielt.[58]

Der Propaganda-Film wurde natürlich nicht nur in den Jugendfilmstunden gezeigt, sondern mit vielleicht noch größerer Resonanz auch dort, wo sich die schulpflichtige Jugend täglich versammelte, im Klassenzimmer, in der Schulaula. Die schon in der Weimarer Zeit aktiven Stadt- und Landesbildstellen verfügten nicht nur über ein gut sortiertes Filmlager, sondern auch über transportable 16-mm-Projektoren, um die Filme in jeder Schulklasse, in jedem Seminarraum einer Universität, bei jedem Heimabend vorführen zu können. Bernhard Rust, seit 30. April 1934 Reichsminister für Wissenschaft, Erziehung und Volksbildung, wollte vor allem mit Hilfe des audiovisuellen Mediums die Jugend im Geiste von Militarismus, Germanentum und Antisemitismus erziehen: »Wir brauchen eine neue arische Generation ... oder wir werden die Zukunft verlieren.«

Um die Zukunft zu gewinnen, sollte nationalsozialistische Gesinnungsbildung bereits in der Kindheit einsetzen. Die totale Anpassung des Einzelnen an die politisch reglementierte neue Gesellschaft sollte in den Aufgabenbereich der Schule fallen. Diese Gesinnungsplanung »vollzieht sich vor und zu einer Zeit, in welcher der junge Mensch eben diese Individualität und die Identität mit sich selbst verstärkt zu gewinnen hofft: in der Pubertät«.[59]

Berhard Rust hatte per Minister-Erlaß bereits am 26. Juni 1934 den politischen Film als Unterrichtsstoff in die Schule eingeführt: »Der nationalso-

zialistische Staat stellt die deutsche Schule vor neue große Aufgaben. Sollen sie erfüllt werden, so müssen alle pädagogischen und technischen Hilfsmittel eingesetzt werden. Zu den bedeutungsvollsten der Hilfsmittel gehört der Unterrichtsfilm. Erst der neue Staat hat die psychologischen Hemmungen gegenüber der technischen Errungenschaft des Films völlig überwunden, und er ist gewillt, auch den Film in den Dienst seiner Weltanschauung zu stellen. Das hat besonders in der Schule zu geschehen und zwar unmittelbar im Klassenunterricht.«
1943 hatten die Landesbildstellen mit ihren 37 Zentralen im ganzen Reichsgebiet eine optimale Streuung ihrer Propagandafilme erreicht; über das Subsystem der 1242 Stadtbildstellen im Lande gelangten die Filme an die gewünschten Adressaten. Außerdem verfügte die Reichspropagandaleitung im Jahre 1936 bereits über 32 Gaufilmstellen, 771 Kreisfilmstellen und 22357 Ortsgruppenfilmstellen.[60]
Im *Film-Kurier* vom 31.12.1936 berichtet Curt Belling, Reichshauptstellenleiter der NSDAP, im Aufsatz »Film und Partei«: »Über 300 Tonfilmwagen, ausgerüstet mit modernsten Filmapparaturen, durchlaufen täglich das Reich, und wo immer sie erscheinen, versammeln sich hunderte deutscher Menschen zum Gemeinschaftserlebnis und nehmen durch den Film am großen politischen Geschehen unserer Tage teil. So war es möglich, auch an jene 25 Millionen Menschen, die abseits der großen Siedlungen und Verkehrswege leben, die Probleme unserer Zeit in lebendiger Form heranzubringen.«[61]

»Faßt an Kameraden, faßt an! Wenn am Ende dieses Krieges einst am Tag des großen Sieges unser Führer um sich schaut, soll er leuchtend neben den Armeen auch die Banner seiner Jugend sehen« (Refrain des Kriegseinsatzliedes aus dem Dokumentarfilm »*Junges Europa II*« [1942] von Alfred Weidenmann).

5. Feldpost-Brief eines alten Soldaten vom Westwall an seinen sechzehnjährigen Sohn:

»Mein Junge! Ich bin stolz auf Dich! Der Fahnenträger Deines Jungbannes bist Du geworden. Keine andere Nachricht von Dir könnte mich mit tieferer Freude erfüllen als diese. Ich danke der Vorsehung, daß sie mich alten Soldaten mein Schicksal in so stolzer Weise erfüllen läßt. Als ich ungefähr so alt war wie Du heute, mein Sohn, da durfte ich hinausziehen in den großen Krieg. Ich durfte mich einreihen in den lebendigen Wall der Leiber rings um unser Vaterland, der, eingefressen in feindliche Erde, jedem Eisenhagel und Feuerorkan trotzend, die Heimat schützte, Tage,

Wochen, Monate, Jahre. Und plötzlich war das alles zu Ende. Wir mußten heimkehren, wurden für alle Opfer verhöhnt. Man riß uns die Fahnen herunter, in denen wir immer nur die Heimat selbst erblickt hatten. Wir mußten die heiligen Tücher selbst den Flammen übergeben, um sie vor Entehrung zu bewahren. Wir kamen in eine taumelnde Welt zurück, die sie eine Welt des Friedens nannten und die eine einzige Schande war. Viele von uns, die vier Jahre lang auf dem ganzen Erdball allen Höllen des Weltbrandes getrotzt, zerbrach es jetzt vor Ekel und Verachtung. Vielen gelang es, sich mit zusammengebissenen Zähnen in das Geschick zu finden. Mich trieb es mit anderen wieder hinaus – Baltikum – Oberschlesien... Du weißt von diesen Stationen meines Soldatenlebens, mein Sohn.

Aber während wir noch trauerten, bangten, verzweifelten oder uns wehrten, erstand aus unserer Mitte, aus dem Heer der unbekannten, durch alle Grauen des Krieges gegangenen Soldaten: Der Führer.

...Er hißte *inmitten der Zweifelnden und Hoffnungslosen eine Fahne*, eine *neue Fahne* in *den alten heiligen Farben und Zeichen, die Fahne des einigen Reiches und einigen Volkes*. Mit wenigen Getreuen, die sich um ihn scharten, marschierte er in den Kampf für das große ferne Ziel.

Um die Zeit, da Du geboren wurdest, mein Junge, weihten *die ersten Toten diese Fahne mit ihrem Blute*. Sechzehn waren es, *die als erste für den Glauben an diese Fahne ihr Leben gaben*.

In zähem, unendlich mühseligem und opferreichem Ringen eroberte der Führer sein Volk. Und er baute das Reich, das große, starke, ewige Reich. Er wurde der Führer und Vater aller Deutschen.

Nun *weht die Fahne dieses Reiches*, und *keine Gewalt der Erde kann sie wieder herabziehen. Ihr Schaft steht unerschütterlich jedem Deutschen in das Herz gerammt*, ob Mann oder Frau, Greis oder Kind. *Ein Volk trägt die Fahne*.

Während wir hier am Westwall auf den Feind warten, wandern die Gedanken in die Heimat zurück. Und sie sind anders als vor fünfundzwanzig Jahren, sind ruhig, froher, siegesgewiß. Mein Junge, so trage Du mit reinem Herzen und starken Händen den vielen Tausenden Deiner jungen Kameraden *die Fahne des Jungbannes voran. Nur der Beste, Stärkste, Kühnste, Tapferste soll Fahnenträger sein!* Du weißt es.

In diesem Sinne grüßt Dich

Dein Vater. Februar 1940«[62]

V. Die nichtfiktionalen Genres der NS-Filmpropaganda

»Der harmonisch gebildete Mensch müßte, wie Goethe es war, zugleich im gegenständlichen und im abstrakten Denken gewandt sein. Der Kulturfilm ist also ein kulturell wünschenswertes Gegengewicht gegen die Überwucherung des abstrakten Denkens und gegen die Einseitigkeit vorwiegend intellektueller Bildung.«

(Das Kulturfilmbuch, 1924)[1]

1. Kultur- und Lehrfilm

a. Die Kultur der Tante Ufa

Nicht nur die Ästhetik des Kulturfilms ist eine typisch deutsche Erscheinung, sondern auch der Begriff »Kulturfilm« selbst. Von der Zellteilung der Amöben bis zum Titanen Michelangelo behandelt er alles, was Biologie und Medizin, Forschung und Technik, Kunst und Literatur, Ehthnografie und Geografie erforschen, und vereinnahmt sie auf seine spezifische Art höhere Weltbetrachtung. Die deutschen Kulturfilmgestalter entzaubern Schöpfung und Kosmos. Die Franzosen nennen den deutschen Kulturfilm respektvoll »Film de niveau«, die Amerikaner »Oddities«, also etwa «Leckerbissen«. In den USA wurden allein zwischen 1926 und 1929 an die hundert deutsche Kulturfilme in Tausenden von Kopien durch die größten Theaterketten geschleust.

»Unter all den Gaben, die das lebendige Bild uns bescherte, scheint keine kostbarer und beglückender als der Blick in die Wunderwelt des Alls... Das tausendfältige mikroskopisch kleine Leben in einem Wassertümpel, Kampf ums Dasein, Vermehrung unsichtbarer Infusorien, das langsame Wachsen, Blühen, Verwelken der Pflanzen, die Unergründlichkeit des Firmaments, der Sterne, das Reich der Wolken, der Lichtstrahlen, der Wärmeströmungen, der Kreislauf des Blutes, der durchdringende Blick der Röntgenstrahlen, die Operationskunst der Arztes, aber auch die grandiose Welt der modernen Fabriken... das unendliche All und die kleine Welt der Menschen... Der Kulturfilm ist der große Zauberer, der uns Geheimsnisse schauen läßt, wie selbst die kühnste Phantasie sie nicht großartiger und bunter ersinnen könnte« (Rudolf Oertel, 1941).[2]

Nicholas Kaufmann, lange Jahre Leiter der Ufa-Kulturfilmabteilung, erläuterte 1955 im »Filmforum« die Genese des Kulturfilms nachträglich etws nüchterner:[3] Im Kaiserreich Wilhelms II. hatte sich die Regierung mit 25 Millionen Goldmark an der Gründung der Ufa unter der Bedingung beteiligt, eine besondere Abteilung für die Produktion von Filmen zur Belehrung, Aufklärung und Weiterbildung einzurichten. Da diese Art von Filmen der Abteilung »Kulturpflege« des Innenministeriums unterstand, wurde sie am 1. Juli 1918 kurzerhand als »Kulturabteilung« der Ufa bezeichnet, und folglich nannte man deren Produkte »Kulturfilme«. Die Spitzenorganisation der deutschen Filmwirtschaft (SPIO) definiert 1925 den Kulturfilm eng als Trias: *Lehrfilm, wissenschaftlicher Film, reiner Landschaftsfilm*.

Ein Schweizer Konversationslexikon bringt 1947 den »Kulturfilm« noch folgendermaßen auf den Begriff: »Kulturfilm ist ein Sammelname für alle Filme mit kulturellen Zielen: wissenschaftliche Forschungsfilme, Unterrichtsfilme für Volks-, Fach- und Hochschulen, Expeditions- und Reportagefilme, Aufklärungs- und Werbefilme, Dokumentarfilme. Kulturfilme im engeren Sinn: unterhaltend-belehrende Beiprogramm-Einakter zur Vorführung in Kinos.« Also ein Sammelsurium der verschiedensten Subkategorien einerseits und ein Oberbegriff für autonome Genres wie Dokumentarfilm, Reportagefilm oder Werbefilm andererseits.

Kaufmann, der, unterstützt von Wilhelm Prager, mit dem Kulturfilm *»Wege zu Kraft und Schönheit«* (1925) die Ästhetik des deutschen Kulturfilms entscheidend mitgeprägt hat, legt Wert auf die Betonung der Tatsache, daß dies Genre keine Erfindung der Nazis war. Er verweist auf den Katalog des »Theaterfähigen Beiprogrammfilms«, der bereits Anfang 1919 87 fertige und 44 in Produktion befindliche Kulturfilme aus 21 verschiedenen Bereichen aufführte. Im Vorwort des Katalogs findet sich diese bezeichnende Passage: »Die Wunden, die der Krieg geschlagen hat, können nur geheilt werden durch Erfüllung der Kulturaufgaben der Welt. (!) Zu diesen Aufgaben gehört der durch den Krieg arg in Mitleidenschaft gezogene Wiederaufbau des Unterrichts und der humanen Bildung.« 1918 gab es in Deutschland bereits 3130 »ortsfeste« Kinos, das war ein Filmtheater auf 18000 Einwohner.

Die Erstausgabe des biologischen Kulturfilms deutscher Provenienz verdankt die Ufa Ulrich K. T. Schulz: nämlich den populär-wissenschaftlichen Film *»Der Hirschkäfer«* (1920/21), mit dem im Tauentzien-Palast der »Beiprogrammfilm« aus der Taufe gehoben wurde. Nachdem Schulz mit seinem Kameramann Krien die Methode des Zeitraffers perfektioniert hatte, entwickelte er mit Hilfe der Optik-Firma Zeiss in Jena die erste mikroskopische Filmapparatur, um hinter die »Geheimnisse« des Mikrokosmos zu kommen. Was den Filmleuten bei ihrer Pirsch ins Unbekannte noch fehlte, war ein Fernglas mit langen Brennweiten, also ein Teleobjektiv, um das scheue Wild in einer Lichtung oder den fernen Flug exotischen Gefieders einzufangen. 1923 »schufen sich

Schulz und dessen Kameramann Krien aus einem alten Photo-Objektiv ihr erstes ›Fernobjektiv‹. Die erste Kamerajagd auf Rot- und Damwild konnte erfolgreich gestartet werden«, erinnert sich E. W. M. Lichtwark.[4]

Mit seiner technischen Vervollkommnung wollte der Kulturfilm sich nicht nur künstlerisch, sondern auch thematisch von der Eindimensionalität der Wochenschauberichte emanzipieren. Im Gegensatz zum Wochenschau-Objektiv, das nur wiedergeben kann, was auch das menschliche Auge sieht, sollte der Kulturfilm alles zeigen, was zu erfassen das Auge nicht in der Lage ist: die Vielfalt der Welt hinter den Dingen und die Geheimnisse der Natur. Nur der Kulturfilm bietet »einzigartige Dokumente aus dem Leben am gestirnten Himmel über uns« (N. Kaufmann). Um diese Entdeckungen zu bewerkstelligen, brauchte man den Röntgenschirm, eine Mikrokosmos-Fernrohr-Kombination, Zeitraffer, Zeitlupe, Tele-Objektiv und Objektive mit diversen Brennweiten. Man schwelgt in den technischen Kategorien des »panchromatischen Film« (1928: *»Der geheimnisvolle Spiegel«* von R. Reinert), der »Schlieren-Kinematografie« (1932: *»Unsichtbare Wolken«* von Martin Rikli) oder der 1929 erfundenen »Insektenoptik« (1934: *»Der Ameisenstaat«*, von Ulrich K. T. Schulz, 1935 in Venedig preisgekrönt). Panchromatische Filme sind solche, die auf alle Farben und Spektralbereiche empfindlich reagieren; die Schlieren-Optik, eine Erfindung von A. Toepler und E. Abbe, erlaubt unterschiedliche durchsichtige Stoffe wie Kondensierungen, Wolken oder Gase sowie uneinheitliche Bildhelligkeit und Strömungsbilder in der Bewegung nuanciert sichtbar zu machen.

Kaufmann erinnert sich 1955 an die Zeit vor 1945: »Drei Devisen gab es für uns. Die erste hieß: ›Mein Feld ist die Welt‹. Das bedeutet, daß in sachlicher Beziehung der Thematik überhaupt keine Grenzen gesetzt waren.« Um seine eigene Entnazifizierung zu untermauern, zählt er nur harmlose, biologische, naturlyrische und naturwissenschaftliche Kulturfilme aus dem Katalogzeitraum 1941 bis 1944 auf: *»Tiergarten Südamerika«, »In der Obedska Bara«, »Meerestiere in der Adria«, »Das Sinnesleben der Pflanzen«, »Können Tiere denken?«, »Unsichtbare Wolken«, »Unendlicher Weltraum«, »Röntgenstrahlen«, »Radium«*. In diesen Streifen konnte sich »wurzelechtes Schöpfertum« Goebbelscher Spielart entfalten.

Diese Wunder der Natur, während des Krieges immer häufiger auf den Leinwänden der immer stärker zerstörten Heimat zu sehen, sollten der Ablenkung dienen. Den Zerstörungen wird die unberührte Reinheit der Natur entgegengehalten als Augenschmaus für den von Kriegsbildern getrübten Blick.

Kaufmanns zweite Devise lautet: »Greift nur hinein ins volle Leben,

wenn Ihr es richtig filmt, so ist es interessant.« Folglich zählt er (unpolitische?) Filmfeuilletons auf: *»Jugend im Tanz, »Jagd unter Wasser«, »Der Zirkus kommt«, »Der Geisbub«.*
Die dritte Ufa-Devise gibt sich lateinisch: »Suum cuique!«, worunter Kaufmann versteht, daß jedem Thema eben jene Gestaltung zu geben sei, die seinem Wesen entspreche.
Die Ufa gründete am 1. Juli 1918 eine eigene Abteilung für Kulturfilm und Lehrfilm, die auf dem Ufa-Gelände Berlin-Babelsberg über mehrere Ateliers und ein technisches Equipment verfügte, das auf den jeweils neuesten Stand gebracht wurde. Es besaß zum Beispiel ein perfektes Mikrolaboratorium, das den hohen Standard des biologischen Films garantierte. Filme wie *»Kraftleistung der Pflanzen«, »Der Bienenstaat«, »Mysterium des Lebens«, »Natur und Technik«, »Hochzeiten im Tierreich«, »Bunte Kriechwelt«, »Können Tiere denken?«* oder *»Tiergarten des Meeres«* setzten Maßstäbe jedenfalls der technischen Perfektion; sie erfüllten bereits damals zwei Forderungen, die Nelson Goodman erst 1967 postulierte: Das wissenschaftliche Ziel sei Erkenntnis, das ästhetische Ziel Befriedigung.[5]
Neben der Ufa produzierten auch Bavaria, Tobis, Wien-Film und andere Firmen Kulturfilme. Der Bavaria-Film *»Germanen gegen Pharaonen«* (1939) zum Beispiel versucht im Vergleich altägyptischer und germanischer Kulturdenkmäler, die menschliche Frühgeschichte aufzuhellen; gespielte Szenen ergänzen, was die Objekte ideologisch schuldig bleiben. Aufsehen erregte im Jahre der Machtergreifung Svend Noldans Kulturfilm *»Was ist die Welt?«* (1933), eine Schöpfungsgeschichte in neun Akten, die den damaligen »Ufa-Standard« noch übertraf. Max Planck soll über die technischen Leistungen und die Filmtricks nicht wenig gestaunt haben, mit deren Hilfe es Noldan gelungen war, Entwicklungen, »die in Wirklichkeit Millionen Jahre erforderten, bildlich anschaulich zu machen«. Max Planck war davon überzeugt, »daß solche Filme nicht nur einen engen Kreis sogenannter Intellektueller ansprechen, sondern breitesten Schichten des Volkes viel geben können«, zumal sich der »einfache Mann im Volk nach einer Erfüllung seines Lebens, nach der Möglichkeit sich sehnt, all das Sein und Werden, das er um sich sieht, in einem tieferen Sinn erfassen zu können«. Zu den Klängen von Beethovens »Die Himmel rühmen des Ewigen Ehre« entschwindet in dem Film unser Planet als kaum noch wahrnehmbarer Punkt im Weltall.
Der Leiter der Kulturabteilung im Ufa-Konzern hieß seit dem Gründungstag (1. Juli 1918) Ernst Krieger, »ein Frontmajor mit vielen Kriegswunden und Regimentskamerad des Ufa-Direktors Grau«. Wie sich Oskar Kalbus erinnert, war »diese alte Verbindung vom Kasernenhof her außerordentlich wichtig«;[6] Kalbus war von 1919 bis 1926 zuständig für

die wirtschaftlichen und propagandistischen Belange des Ufa-Kulturfilms.
Die beiden Mediziner Dr. Curt Thomalla und Dr. Nicholas Kaufmann waren für die Sektion des wissenschaftlichen Films verantwortlich. Gemeinsam produzierten sie auch die ersten medizinischen Ufa-»Großfilme«: *»Die Geschlechtskrankheiten und ihre Folgen«, »Die Pocken, ihre Gefahren und deren Bekämpfung«, »Die weiße Seuche«, »Krüppelnot und Krüppelhilfe«, »Säuglingspflege«.*
Allein in den ersten fünf Jahren hat die Ufa-Kulturabteilung insgesamt 135 Filme über medizinische und pharmazeutische Themen hergestellt. Da diese Filme im Kino jedoch keinen Erfolg hatten und für den Schulunterricht zu anspruchsvoll waren, geriet das Unternehmen bald in finanzielle Nöte.
Für den Schulfilm wurde im April 1919 beim Zentralinstitut für Erziehung und Unterricht eine »Bildstelle« zur Förderung des Lehr- und Unterrichtsfilms eingerichtet. Originalton des Kultusministers in der Preußischen Landesversammlung: »Trotzdem aber ist die Regierung der Auffassung, daß es auch heute keine bessere, werbende Kapitalanlage gibt, als möglichst viel Geld in die Volksbildung, und insbesondere in die Volksschule, hineinzustecken. Von den deutschen Schulen muß der Wiederaufbau, die innere Genesung des Volkskörpers ausgehen.«
Die Kulturabteilung der Ufa hatte bis zum Ende der Inflation im Jahr 1923 über 400 Lehrfilme und unterrichtsgeeignete Kulturfilme hergestellt. Zuvor hatte man den Kulturfilm als »quantité negligéable« in der Schule vernachlässigt und als allenfalls geeignet für Sedanfeiern oder Kaisers Geburtstag gehalten. Die Inflation setzte der Entwicklung dann ein vorläufiges Ende. Mit dem Gesetz vom 13.10.1923 über die Einführung der Rentenmark als Zwischenwährung sollte das deutsche Währungssystem stabilisiert werden. Viele kleinere Filmfirmen gingen zugrunde. Um weitere Pleiten zu verhindern, dekretiert die Reichsregierung das sogenannte Kontingentsystem: Für jeden importierten Film sollte ein deutscher produziert werden.
Mit der Finanzkrise des Kulturfilms fiel die allgemeine Flaute des Kinos zusammen. Man versuchte aus der Not eine Tugend zu machen und die Filmwirtschaft zu verstaatlichen. »Die private Lichtspielbühne ist abhängig von den Bedürfnissen des Volkes und den Ansprüchen desselben. (Demgegenüber) kann eine aus öffentlichen Mitteln unterhaltene Lichtspielbühne unbeeinflußt bleiben von wechselndem Geschmack und wechselnder Mode«, hatte der konservative Reichstagsabgeordnete M. Pfeiffer bereits 1917 erklärt.[7] 1919 fordert auch der Sozialist Fritz Tejessy in der Zeitschrift *Die Glocke* die rigorose Kommunalisierung aller Kinos ähnlich wie in »Räte-Ungarn«, denn »die Überschwemmung mit anrüchigen Filmstücken« habe katastrophale Ausmaße angenommen.

Die »Kulturfilm-Optimisten« hatten im »Sturmjahr der Kommunalisierungsbewegung 1919« bereits eine riesige Phalanx von kommunalen Lichtbühnen, Urania-Theatern, Kirchenkinos, Vereinskinos usw. vorausgesehen, von Häusern, die nichts als Kulturfilme spielten und eines Tages einen »gewaltigen Kulturfilmbedarf« erzeugen würden.[8] In »Der Wagenlenker« plädiert Willy Stuhlfeld für die Verstaatlichung »aller als Goldgruben charakterisierten Lichtspieltheater Bayerns«. Zu der Verstaatlichung oder Kommunalisierung ist es aber wohl auch deshalb nie gekommen, weil die mächtige Ufa schärfstens dagegen protestierte, die bei einer Kommunalisierung der Kinos »schwere Gefahren für den Fortbestand unserer Gesellschaft und damit auch eine Gefährdung der Reichsbeteiligung bei unserer Gesellschaft« heraufziehen sah (11.11.1919). Der deutsche Kulturfilm ist auch durch die materiellen Konsequenzen aus der Vergnügungssteuerverordnung vom 9. Juni 1921 in ihren Entfaltungsmöglichkeiten lange Zeit behindert worden – bis 1926. Die Kommunen als quasi stille Teilhaber schöpften zwischen 25 und 80 Prozent vom Gewinn an der Kinokasse ab. Diese »sittenwidrige« Einnahmequelle quittiert mit ironischem Unterton der »Bildwart« 1926 mit einem Vergleich zu Nackt-Revuen, die für die Lustbarkeit nur mit einem fünfprozentigen Steuersatz zur Kasse gebeten würden. Die Ufa mußte nach Hans Traub im Geschäftsjahr 1921/1922 »mehr als den gesamten Reingewinn an Billettsteuern« in Höhe von 63 Millionen Mark abführen. Erst durch einen mit der Reichsratsverordnung vom 10. Juni 1926 mit der Vergnügungssteuer gekoppelten Finanzausgleich, der eine Höchstgrenze von 15 Prozent der Bruttoeinnahmen festsetzte und darüberhinaus noch den Kulturfilm den Kinobesitzern dadurch schmackhaft machte, daß ihnen eine einträgliche Steuerermäßigung garantiert wurde, war die Talfahrt beendet. Der pejorative Begriff »Steuerschinder« für den Vorfilm oder Beiprogrammfilm stammt aus dieser Zeit.
Der Vorsitzende des Ufa-Aufsichtsrates und Staatssekretär Leopold Gutterer beurteilt aus NS-Perspektive die Ermäßigung der Lustbarkeitssteuer als »dem Wesen der Systemzeit« entsprechend: »Erstens war sie rein materiell, zweitens war es eine halbe Maßnahme, und drittens erreichte sie das Gegenteil des Beabsichtigten ... Damals war es, als für die Filme aus Natur und Forschung der Name Kulturfilm populär wurde, leider oft in einem negativen Sinn.«[9]
Nun schießen die Tümpel-, Insekten- und Vogelfilme ins Kraut: *»Die verborgenen Wunder unserer Gewässer«*, *»Biene Maja und ihre Abenteuer«* (von Wolfram Junghans nach dem Buch von Waldemar Bonsels), *»Mit den Zugvögeln nach Afrika«* (von Bengt Berg) oder *»Kampf um die Scholle«* (von Erich Waschneck). Aber auch andere typische Kulturfilmsujets besetzen die Leinwand, Kunst als Realität zweiten Grades. Hans Cürlis gründet 1919 sein Institut für Kulturforschung, beschwört den

»Geist der Gotik« oder läßt den *»Dom über der Stadt«* aufscheinen. Er führt das Ganzanderssein der Kunstwelt vor, eine vom Leben abgehobene, aufs Piedestal gestellte Welt.

Heiterkeitserfolge würden heute manche der verlogenen, parareligiösen Filme über die kleinen Großartigkeiten der Körperkultur ernten, Filme wie *»Insel der Seligen«, »Die Grazilen«, »Licht, Luft, Leben«*. Während Kurt Tucholsky über die ihre schönen Blößen badenden Najaden in Max Reinhardts erstem Filmpoem *»Insel der Seligen«* (1913) lästert, sie hätten mit Kunst gar nichts zu tun,[10] so vermag die Zeitschrift »Bild und Film« immerhin »eine Verkörperung des Gedankens« darin zu erkennen: »Dies ist hier zur größten Vollendung geführt und damit das Prinzip des Schauwerts (als das fundamentale Kinoprinzip der Bewegung) in hohem Maße erfüllt.«[11]

In ihrer Zurückhaltung sind diese Filme bescheidene Vorläufer von Prager/Kaufmanns *»Wege zu Kraft und Schönheit«* (1925) – die Haut als Botschaft. 1926 befriedigt allein die Ufa mit 90 Kulturfilmen und über 850 Lehr- und Unterrichtsfilmen den vorher selbst forcierten allgemeinen Kunstbedarf. Aber bei allem künstlerischen Erfolg ließ der lukrative zu wünschen übrig: 1926 wurde die Ufa-Abteilung Kulturfilmproduktion »aus Gründen der Betriebsrationalisierung« (Ufa-Dienst vom 11.1.1927) aufgelöst; erst nach der Fusionierung von Ufa und Deulig im Frühjahr 1927 ging es wieder aufwärts.

Dem wissenschaftlichen Film und seinen populären Varianten wurden größte Aufmerksamkeit und entsprechende Mittel angedient. Durch Verpflichtung anerkannter Wissenschaftler gewann der deutsche wissenschaftliche und populärwissenschaftliche Film als lehrreiche und spannende Leinwandkost breite Resonanz. Selbst Albert Einstein, über dessen damals noch umstrittene Relativitätstheorie ein dreiteiliger Film hergestellt wurde, äußert sich anerkennend über Kulturfilme, die er für »eine wertvolle Bereicherung für den Menschen der Großstadt« hält, weil deren »Anschauungserlebnisse meist nur von großer Eintönigkeit sind«.[12]

Filme dieser Art haben dem deutschen Kulturfilm auch im Ausland Respekt verschafft, vor allem aber den darin enthaltenen wissenschaftlichen Erträgen. Kein geringerer als G. W. Pabst hat sich in den Dienst des wissenschaftlichen Films gestellt. In Zusammenarbeit mit zwei Schülern Sigmund Freuds hat er zu dessen psychoanalytischer Methode einen Film mit dem Titel *»Geheimnis einer Seele«* (1926) gedreht. Unter seiner Regie ist dem Kameramann Guido Seeber die faszinierende Visualisierung von Traumbildern gelungen. Eine neue filmästhetische Dimension ließ die menschliche Seele mittels expressionistischer Stilelemente anschaulich werden. Drei Jahre vorher hatte ein anderer mit außergewöhnlichen filmischen Mitteln einen Traum in Bilder übertragen: Für Fritz Langs zwei-

teiligen Film *»Die Nibelungen«* (1923) inszenierte Walter Ruttmann Kriemhilds *»Falkentraum«*, der Siegfrieds Tod ankündigt. (Im Dritten Reich wurde Teil I unter dem Titel *»Siegfrieds Tod«* 1933 vertont; Teil II, *»Kriemhilds Rache«*, verschwand im Archiv.)
1926 war in Deutschland auch ein Jahr des Umbruchs, insofern Walter Ruttmanns *»Berlin – Die Symphonie einer Großstadt«* (1926/27) die Grenzen des Kulturfilms sprengte und damit das Genre des Dokumentarfilms als Kategorie sui generis konstituierte. Es brachte zugleich den Stil der »Neuen Sachlichkeit« hervor. Die Begeisterung für die nackte Wirklichkeit nährte sich aus dem Wunsch, »die Dinge ganz objektiv und in ihrer materiellen Substanz zu sehen, ohne sie von vornherein mit Ideen zu belasten«.[13] Ruttmann und sein Mitautor und Kameramann Karl Freund haben mit ihrer Berlin-Symphonie den Prototyp eines Querschnittfilms geschaffen: Außer Berlins Silhouette zeigt er die innere Physiognomie hektischer Betriebsamkeit einer Metropole, ihre Sozialkonflikte und die davon betroffenen Menschen. Der Betrachter wird durch den sinfonisch strukturierten Montagerhythmus, der das pulsierende Leben in filmische Dynamik übersetzte, in den Bilder-Sog hineingerissen. Die Mobilität von Objekten und eine entfesselte Kamera, die selbst Räume versetzt, erzeugte eine Faszination der puren Bewegung.
Im selben Jahr begeisterten zwei andere Querschnittfilme mit analogen dynamischen Elementen die Cineastenwelt: Berthold Viertels *»Die Abenteuer eines Zehnmarkscheines«* (1926) und Alberto Calvalcantis Pariser Städteporträt *»Rien que les heures«* (1926). Viertel hat seinen Berlin-Film zusammen mit Béla Balász als Autor und wiederum mit Karl Freund als Kameramann gedreht. Ein Zehnmarkschein flattert als »roter Faden« von Szene zu Szene durch das »Geflecht des Lebens« (Balász), in dem Menschen einander nur zufällig begegnen. Im kaleidoskopartigen Wechsel nach der Stundenuhr ist Calvalcantis Film ein rhythmisch aufgeladener Gang durch das Pariser Asphaltlabyrinth.
Alle drei, Ruttmann, Balász und Cavalcanti, hatten die Montagetechniken an Eisensteins *»Panzerkreuzer Potemkin«* (1925) studiert. Gleichwohl verliert sich die Realität im Tempo der Bilder. »Leben in seiner vergänglichen Form, Straßenmengen, unbeabsichtigte Gebärden und andere flüchtige Eindrücke sind die Hauptnahrung des Kinos«, schreibt Siegfried Kracauer über diese Form des Querschnittfilms.[14] Den Begriff »Dokumentarfilm« hat als erster John Grierson (*»Drifters«*, 1929) verwendet, und zwar in seiner Filmkritik über Robert Flahertys *»Moana«* (1926).
Als mit dem Aufkommen der rechtsnationalen Parteien und patriotischen Verbände auch die Filme in nationalistisches Fahrwasser gerieten, gründeten linke und liberale Künstler und Schriftsteller 1928 den Volks-

verband für Filmkunst, dessen Präsidium Heinrich Mann, G. W. Pabst und Erwin Piscator bildeten; sie wollten die »Verlogenheit« der Kulturfilme und der Wochenschauen entlarven. Als ihr Elan sich wenig später im verbalen Aktionismus erschöpfte, gründeten Regisseure um Hans Richter die Deutsche Liga für den unabhängigen Film.[15]

> »Es liegt im Wesen seiner Technik, daß der Film die Distanz zwischen Zuschauer und einer in sich abgeschlossenen Welt der Kunst aufgehoben hat. Es liegt eine unabwendbare revolutionäre Tendenz in dieser Zerstörung der feierlichen Ferne jener kultischen Repräsentation, die das Theater umgeben hat. Der Blick des Films ist der nahe Blick des Beteiligten.«[16]
>
> *(Béla Balász)*

b. Nach der Erfindung des Tonfilms

So wie fast alle technischen Neuerungen zuerst im Kulturfilm ausprobiert wurden, bevor der Spielfilm sie dann perfektionierte, fand auch das erste Ufa-Tonfilmexperiment im Kulturfilm statt: *»Gläserne Wundertiere«* hatte am 2. August 1929 im Berliner Universum-Kino Premiere, nachdem Hollywood schon zwei Jahre zuvor den Kurzfilm *»What Price Glory«* und ein Jahr später *»Lights of New York«* (1928) als ersten Spielfilm mit durchgehenden Dialogen zur Inkunabel des Tonfilms erklärt hatte. Auch der erste deutsche Film in Farbe war ein Kulturfilm, dessen im Titel impliziertes Versprechen *»Bunte Tierwelt«* bei der Uraufführung im Dezember 1931 voll eingelöst wurde. (Bis Kriegsende wurden insgesamt aber nur 16 farbige Spielfilme gedreht.) Durch die neuen Synchronisationstechniken wurde der Film auch als verbaler Propagandaträger für die Parteien noch interessanter, als er es schon vorher nur mit bewegten Bildern als Agitationspotential ewesen war.
Bereits vor Beginn der Tonfilmzeit nutzten Sozialdemokraten, Kommunisten, Deutschnationale, Nationalsozialisten den Kurz- und Dokumentarfilm als Mittel der Selbstdarstellung, der Parteiwerbung, des Wahlkampfes oder der Propaganda. Die SPD beauftragte 1928 Ernö Metzner mit dem Semi-Dokumentarfilm *»Im Anfang war das Wort«* (1928) über die Folgen des Bismarckschen Sozialistengesetzes, und M. Harder mit der Sozialstudie *»Lohnbuchhalter Kremke«* (1930); die Dokumentarfilme *»Bau am Staat«* (1929) mit der Rede von Reichskanzler Hermann Müller (SPD) und *»Ins Dritte Reich«* (1931) waren mehr oder weniger blasse Kundgebungen mit Manifestcharakter; von gefälligerer Art waren da die sozialdemokratisch beflügelten kurzen Trickfilme, zum Beispiel *»Was wählst Du?«* (1927) oder *»Dem deutschen Volke«* (1930).

Die NSDAP hatte schon am 1. November 1930 eine parteieigene Reichsfilmstelle gegründet, denn »Das Bild bringt in viel kürzerer Zeit, fast auf einen Schlag dem Menschen eine Aufklärung, die er aus Geschriebenem erst durch langwieriges Lesen empfängt«, notiert Hitler schon 1925 in *Mein Kampf*[17]. Seine Partei warb offensichtlich erfolgreicher als die anderen, trotz typischer NS-Terminologie und harter Film-Bandagen etwa vom Schlage *»Zeitprobleme: Wie der Arbeiter wohnt«* (1930), *»Hitlers Kampf um Deutschland«* (1931) oder *»Hitler über Deutschland«* (1932) – statt analytisch geschärfte Kritik am Weimarer Staat blanke Polemik.
Das Hindenburg-Komitee eröffnete mit *»Unser Hindenburg«* (1927) eine immer wieder sich selbst kopierende, ausgeleierte Serie zu dessen höherem Ruhme, verkauft den Helden von Tannenberg als metallisch gehärtetes, überzeitliches Erscheinungsbild. Hier schreibt nicht Historie das Drehbuch, sondern historisierende Manipulation. Im filmischen Wettbewerb der Ideen und Programme versucht die Deutschnationale Volkspartei mit *»Wohin wir treiben«* (1931) mitzuhalten.
Zwischen Erfindung des Tonfilms und seiner Verwertung für Zwecke der Parteipropaganda und Hitlers Machtergreifung blieb nicht viel Zeit für audiovisuelle Produktionen gegen die braune Bewegung. Die KPD hatte Slatan Dudow gewonnen, um mit *»Kuhle Wampe oder: Wem gehört die Welt«* (1932) einen zugleich auch künstlerisch anspruchsvollen Spielfilm zu drehen, der allerdings weniger gegen die Nazis als vielmehr massiv gegen die Sozialdemokraten gerichtet war. *»Kuhle Wampe oder: Wem gehört die Welt«* wurde von der Zensur erst nach radikalen Schnitten freigegeben. Der mit Brechtschen Verfremdungseffekten und Hanns Eislers von Helene Weigel gesungenen Balladen geschickt Gefühle mobilisierende Propagandafilm ist zwar materialistischer Hedonismus, aber als einziger heute noch sehenswert. *»Weltwende«* (1928) und *»Was wollen die Kommunisten?«* (1928), beide von Carl Junghans, sind dagegen biedere, mit dissoziierten Kompilations-Elementen operierende Propaganda. Junghans widerspricht übrigens der ihm auch zugeschriebenen Verantwortung an dem DKP-Film *»Die rote Fahne«* (1928). Diese Filme beweisen nichts als die Austauschbarkeit in sich homogener Teile von Geschichte gewordener Aktualität.
Junghans war durch seine (mit Hilfe eines Kneipiers und ohne Gage spielender tschechischer Schauspieler ermöglichte) Verfilmung der sozialkritischen Geschichte einer Waschfrau bekanntgeworden, durch *»So ist das Leben«* (*Takový je život*, 1929/30). Dieser für die geschundene Arbeiterklasse unsentimental parteiergreifende, tragisch endende Stummfilm ist filmhistorisch der kurzen, aber eindringlichen Phase des Proletarischen Films zuzurechnen. Der Film verdankt seinen künstlerischen Erfolg auch der intelligenten Schnitt-Technik, die Junghans später, in dem Dokumentarfilm über die Olympischen Winterspiele *»Jugend der Welt«*

(1936), zur dynamischen Montage perfektionierte. Auch den genau kalkulierten Eingriff mit Zwischentiteln steigert er zur klassisch Brechtschen Verfremdungskunst. Junghans hat gewisse Konzessionen machen müssen, ohne sich dem reglementierten Nazifilm zu unterwerfen.
Der Stahlhelm gab mit Bildern und Texten wie aus dem Maschinengewehr Filme vom Kaliber *»Freiwillige vor«* (1932) oder *»Der Stahlhelm marschiert«* in Auftrag, das Hindenburg-Komitee *»Einer für alle«* (1932) – allesamt nichts als lautes Feldgeschrei der Unkultur.
Unter den unpolitischen »Großkulturfilmen« ragt Svend Noldans Schöpfungsgenese *»Was ist die Welt?«* (1934) als wichtige Stufe der Weiterentwicklung des Genres heraus, von dem immerhin Käthe Kollwitz eingestand, davon »gepackt« worden zu sein; »das Ungeheure der Schöpfung« sei ihr so überhaupt erst bewußt geworden, das Noldan »durch die Augen« führt und »vor die Sinne«. Bei Würdigung aller langjährigen Mühen, die noch drei Jahre vor die Nazizeit zurückreichen, und einer nahezu perfekten formalen Kunst der Veranschaulichung wissenschaftlicher Erkenntnisse bleibt deren schwülstige auditive Vermittlung aber ein Ärgernis. Gemeinsam mit Beethovens Chor »Die Himmel rühmen des Ewigen Ehre« reduziert hier ein auch pathetischer Kommentar Wissenschaft zur Schicksals- und Glaubensfrage.
Für die NS-Propaganda war der Kulturfilm ein wichtiges Instrument nur, insofern er »vom Beschauer aller Bildungsstufen und Berufe und mit Interesse aufgenommen werden« kann.[18] Die Geldsummen, die Goebbels in das Medium investierte, mindestens 30000 Reichsmark pro Film bei 10 bis 15 Minuten Dauer, sollte sich durch breite Resonanz amortisieren. Im Kulturfilm solle ein jeder »die wenigen Gesetze der Natur« studieren und sich »Kunde von dem verschaffen« können, »was sich um uns im unendlichen Naturbereich abspielt«. Denn, sinniert Fritz Hippler in seinen »Betrachtungen zum Filmschaffen« weiter:
»Überall wird in den verschiedensten Formen offenbar, was auch uns direkt angeht: die große Polarität des Lebens, das Gesetz der Beharrung, der Schwerkraft und des Mittelpunktstrebens, des Kämpfens und der Begattung, des Wachsens und des Alterns, des Gebärens und Sterbens, des Tötens und Fressens. Überall und in allem das große Gesetz, die unabweisliche Notwendigkeit, die keinen Zerfall kennt: die unendliche, in ihrer Unbarmherzigkeit doch so schöne Welt.«[19] Hippler sieht im nationalsozialistischen Kulturfilm eine Art Heilquelle, aus der »über Anschauung und Erkenntnis hinaus auch Kraft und Glauben für die Aufgaben des Alltäglichen und die großen Ziele des Kampfes« geschöpft werden könnten.
Der Kampf in und mit der Natur ist im NS-Kulturfilm ein unerschöpfliches ewiges Thema, »staatspolitisch bedeutend und volksbildnerisch wertvoll«: Womit ließe sich sonst die sozialdarwinistische Ideologie des Fressens und Gefressenwerdens, der rassistische Vernichtungsfeldzug gegen alles »Un-

deutsche« und »Entartete« leichter begründen und verbreiten als mit der scheinbar so bruchlosen Analogie zur Natur. Daß freilich absichtliches Morden, gar die planmäßige Ausrottung rassischer, religiöser oder sozialer Minderheiten bei Tieren nicht zu beobachten ist, verschwieg man. Andere Kulturfilmstrategen nahmen es in ihrer Faszination der Macht entweder selbst nicht wahr oder sie versuchten, es in ihrer als romantisch mißverstandenen Gefühlsduselei zu ertränken.
In den Kulturfilmen der Ufa erhält das Lebendige der Natur »zum ersten Male eine künstlerische Form: das Rauschen des Wassers, der Wind in den Bäumen, die Stille des Sonnenuntergangs und das Toben des Gewitters werden hier als Naturvorgänge zur Kunst (nicht, wie in der Malerei, durch ihre aus anderen Welten geholten, malerischen Werte). Der Mensch hat seine Seele verloren, er gewinnt aber dafür seinen Körper; seine Größe und Poesie liegt hier in der Art, mit der seine Kraft oder seine Geschicklichkeit physische Hindernisse überwältigt, und die Komik besteht in seinem Erliegen ihnen gegenüber« (Georg Lukács).[20]

> »Vor uns liegt noch ein steiler Aufstieg. Aber wir glauben, daß er eher von einem Volke bezwungen werden kann, das durch jahrelange harte Übung in den Strapazen des Bergsteigens geschult ist, als durch ein Volk, das das Bergsteigen nur in der Ebene gelernt hat... Wir sind uns über unsere Aufgabe, aber auch über unsere Chancen vollauf im klaren. Wir wissen, was wir wollen. Aber was noch wichtiger ist: Wir wollen auch, was wir wissen.«
>
> *(Joseph Goebbels)*[21]

c. *Der Bergfilm hoch im Kurs*

Alpenlyrik hatte schon vor Ausbruch des Dritten Reichs Hochkonjunktur. Nicht nur Arnold Fanck, dem die Welt den Initiationsritus des deutschen Bergfilms verdankt, hat die natürlichen Gipfelpunkte zugleich zu solchen der Weltanschauung erklärt und den Typ des kombinierten Spiel- und Dokumentarfilms kreiert; im Panoramahöhenblick läßt sich auch der Sinnhorizont noch trefflich ausweiten. Mit Filmen wie *»Wunder des Schneeschuhs«* (1920), *»Der Berg des Schicksals«* (1924), *»Der heilige Berg«* (1926) oder *»S. O. S. Eisberg«* (1933) hat er (wie Luis Trenker) jener verquasten Naturphilosophie der Nazis Vorschub geleistet. Auch den bodenständigen Luis Trenker trieb es mit Filmen wie *»Der Kampf ums Matterhorn«* (1928), *»Der Sohn der weißen Berge«* (1930), *»Berge in Flammen«* (1931) oder *»Der Rebell«* (1932) stets hoch hinauf ins Gletscherparadies. Die beiden Berggiganten haben konkurrierend Leni Riefenstahl aus dem Tief ihrer tänzerischen Laufbahn zum Gipfelsturm einer kontinuierlichen Karriere verholfen: Sie hat nicht nur die Hauptrollen in

Fancks *»Heiligem Berg«* und Trenkers *»Eisberg«* und *»Die weiße Hölle von Piz Palü«* (1929) gespielt; über den Wolken hat sie in den Dolomiten mit *»Das blaue Licht«* (1932) ihr eigenes Regie-Talent einem kühlen Seelenkult und kristallinen Schönheitswahn geweiht. Im schattenlosen Licht »auf der Himmelsspitze« (L. R.) war kein Platz für die dunklen Seiten dieser Welt. Die Riefenstahl mußte »um jeden Preis ›oben‹ sein«; die Stiftersche Idylle der Berge war für sie ein Sinnbild des Schönen. Eine Metapher »des Heldenhaften, des ewigen Glanz ausstrahlenden männlichen Prinzips«, nennt es Margarete Mitscherlich.[22] Die Berge waren für Leni Riefenstahl Metaphysik. Die Schwärmerei für das Mystisch-Ewige der Bergwelt teilt sie zur damaligen Zeit mit sehr vielen: Wenn Thomas Mann die wolkenumhüllten Alpenmassive beschreibt als »das Erlebnis der Ewigkeit, des Nichts und des Todes, ein metaphysischer Traum... elementar im Sinne letzter und wüster, außermenschlicher Großartigkeit«[23], dann präsentiert er damit ein weites Spektrum von Erlebnismöglichkeiten, aus dem die lebensphilosophisch geprägte Mystifikation von Fanck, Trenker und Riefenstahl nur eine einzige, keine Distanz mehr ermöglichende Facette herausgreift.
Nach viel Ärger mit den banausischen Funktionären der Partei und des Films wäre sie »am liebsten« wieder einmal »in die Berge geflüchtet. Aber ich mußte leider noch den Parteitagsfilm fertigstellen«.[24] Damit sollte sie allerdings schon bald ihre kulturelle Höhe erklimmen. »Was dem hochstehenden Einzelnen, der höheren Kultur zur seligmachenden Totalität, zu seiner körperlichen Ganzheit fehlt, ist ein ›Unten‹, das er unterdrükken kann« (Klaus Theweleit).[25] Leni Riefenstahl hat das »Unten«, das unterdrückt werden muß, in ihren Filmen formuliert wie keiner überzeugender vor ihr. In Klaus Theweleits Faschismus-Psychoanalyse bedeutet das »Unten« die ungeordnete, chaotische Welt sexueller männlicher Triebe. Die kommt in Leni Riefenstahls Filmen nicht vor. Sie – immerhin eine Frau! – hat wohl am konsequentesten ihre Kunstwelten leergefegt von jeglichem Schmutz des »Unten«. Ihre Geschichten spielen auf den weißesten Gipfeln, ihre Figurenbilder recken sich nach oben ins Licht, ihr Blick ist der des Führers der Massen, die er nur in geordneten Formationen, linearen Strömen, machtvollen Aufmärschen wahrnimmt. Die Masse (das »Unten«) ist bei Leni Riefenstahl so unterdrückt, daß sie scheinbar gar nicht mehr vorkommt, nur in höchst kultivierter Form, eben als unliterarische Formation, als Stoßtrupp. Das massenhafte »Unten« ist so sauber, so »clean«, daß es für den »höheren Kulturmenschen« keine Gefahr darstellt, im Gegenteil: Ihn »schaudern« macht. Was ihre Filme heute noch tun, freilich aus anderen Gründen. Auf seinem Berchtesgadener Berghof rühmt Hitler den kitschig-verlogenen Film *»Der heilige Berg«* mit der Riefenstahl in der Hauptrolle als »das Schönste, was ich jemals im Film gesehen habe«.

Vor allem aber war es der Kulturfilm, der immer wieder die lichten Höhen erklomm, der trotz angestrengter Naturlyrik aber meistens keine künstlerischen Höhepunkte schuf, wo immer seine Schöpfer nach dem Urmuster der Ufa-»Alpen« (1918) von F. Lampe eine hehre Eigenwelt konstituierten: *»Majestät der Berge«*, *»Bergbauern«*, *»Heuzug im Allgäu«*, oder die Hitlerjugend-Filme *»Hitlerjugend in den Bergen«* (1932), *»Bergsommer«* (1936), *»Aus der Geschichte des Florian Geyer«* (1940), *»Hochland HJ«* (1941), oder die Manöver- und Kriegsplotten *»Alpenkorps im Angriff«* (1939), *»Die Funker mit dem Edelweiß«* (1939) oder *»In Fels und Firn«* (1943), um nur einige auch vom Titel her typische Beispiele zu nennen, bei denen sich die Demarkationslinien zwischen Kulturfilm und Dokumentarfilm zugunsten des letzteren verschoben haben. Für die Zeit *vor* dem NS-Film verweigern sich »Kulturfilm« genannte Filme einer strengeren Kategorisierung.
Erst ab 1933 ist der Dokumentarfilm eindeutig zu definieren als einseitiges Funktionsmittel für die Propaganda. Auch wo sich Sub-Kategorien des Dokumentarfilms wie Kulturfilm, Kunstfilm, Lehrfilm, Reisefilm usw. anbieten, ist deren Tendenz dem höheren ideologischen Zweck verpflichtet, selbst da, wo die Ideologie nicht expressis verbis als solche zum Vorschein kommt. Sie ist implizit aber in jedem Meter Film vorhanden. Dementsprechend lautet das deutsche Lichtspielgesetz vom 16. Februar 1934 (RGBl. Nr. 1834, I, S. 95) in § 2,5: »Der Reichsfilmdramaturg hat folgende Aufgaben: ... rechtzeitig zu verhindern, daß Stoffe behandelt werden, die dem Geist der Zeit zuwiderlaufen.«[26]
Die deutsche Nanga-Parbat-Expedition wird von Frank Leberecht im *»Kampf um den Himalaja«* (1937) in ihrem Mut gefeiert, das Unbezwingbare zu zwingen. Denn »Ist das Ziel auch noch so hoch – Jugend zwingt es doch«, heißt es im Vorwärts-Lied. Für alle diese alpinen Seilschaften deutscher Regisseure gilt die keineswegs ironisch gemeinte Einschätzung des Korrespondenten von »Der deutsche Film«, demzufolge es weniger um die bloße Dokumentation gefährlicher Kletterpartien ging, als vielmehr »um die Gesinnung«, die aufflammt, wenn um die Berge gekämpft wurde, »um die Idee, der sie sich verschworen haben«. So sei *»Der Kampf um den Himalaja«* (1937) »ein allgemeines deutsches Symbol geworden für den Willen, alle Schwierigkeiten des Lebens zu überwinden, um zum Licht zu kommen«.[27] Dementsprechend lautende Filmtitel wie *»Der Aufstieg aus der Tiefe empor«* (1912) oder *»Uns zieht es zu höherem hinauf«* (1916) sind sinnbildliche Transfigurationen einer niederen Ideologie in höhere Glaubenssphären. Auch diese Beispiele zeigen, wie der Kulturfilm auf seiner Gratwanderung zum Dokumentarfilm ein nationalsozialistisches Organ geworden ist: ein Parteiorgan.

»Soweit hat im Kientopp der Zuschauer nicht nur Anteil für das, was an Stofflichem vorgeführt wird, – sondern für technische Mittel, *durch* die man Dinge vorführen kann. Dieser Anteil ist berechtigt!«

(Alfred Kerr)[28]

d. Technische Perfektion zur Steigerung der Sichtbarmachung

Phantasie war im Dritten Reich als gefährliche kritische Masse wie auch alle abstrakte und expressionistische Kunst verboten, weil mit der Auflösung der Form und der »natürlichen« Gestalt die Übersicht über die Inhalte und Maßstäbe für das Schöne verloren zu gehen drohte. Max Weber hatte schon 1918 den Expressionismus als »geistiges Narkotikum« denunziert.
Um wieviel mehr haben die Kunstrichter des NS diese Sünde wider den herrschenden Geist gleichgesetzt mit der Zerstörung der Ordnung, dem schlimmsten Sakrileg in jeder Diktatur. Folglich dürfe man »der Phantasie nicht wild die Zügel schießen lassen! Die Phantasie muß gebunden sein an die ewigen Naturgesetze, und die Utopie in solchen Filmen muß sich selbst richtigstellen. Sinnlose Phantasien würden zu jener Art von Filmen führen, die wir früher so oft gesehen haben und in denen sich eine hemmungslose Unkultur austobte.«[29]
Der Kulturfilm habe dem Leben gegenüber die Goethesche Einstellung zu vertreten: »Wo ihr's packt, da ist es interessant.« Sein dynamisches Streben nach Universalität stelle den Kulturfilm schließlich »täglich vor neue Aufgaben, um filmisch verständlich zu erfassen, was den Augen der Millionen seiner Freunde sonst nicht zugänglich wäre. Seine Telekamera machte uns zu Gefährten der scheuesten Geschöpfe der Erde; sein Zeitraffer ließ uns das Wunder des Pflanzendaseins vom sprießenden Keim bis zur Blüte erleben, seine Zeitlupe den fliegenden Vogel in der Luft ergreifen; mit Röntgenaufnahmen schaute er in die Geheimnisse des Lebens, und im wissenschaftlichen Versuchslaboratorium wurden wir Zeugen der Überlistung der Natur und ihrer Gesetze.«
In dem hier beschriebenen Sinne wäre ein anderes Goethe-Wort sicher nicht minder geeignet, den Auftrag des deutschen Kulturfilms zu beglaubigen, ein Wort, das eine »Trennung von Kunst und Wissenschaft« verwirft. Es heißt weiter: »Der Kulturfilm hat unsere Heimat entdeckt, und unter den Zaubergriffen seiner Kamera wurden selbst marmorne Kunstwerke lebendig. Er ist ein viel bedeutenderer Faktor unseres Zeiterlebnisses, als wir ahnen. Er hat, als Erzieher von Millionen Menschen die Vorstellungen von den Geheimnissen des Lebens tiefgehend verändert und vielen abergläubischen Vorurteilen den Todesstoß versetzt.«[30]
Die in dem Zitat erwähnten optischen und feinmechanischen Systeme zur

Steigerung der Sichtbarmachung (Telekamera, Zeitraffer, Zeitlupe, Mikrofotografie usw.) erhielten mit der weiteren Entwicklung des Zeitdehners eine wichtige Variante, der sich ab 1937 weitere Forschungsfelder für den wissenschaftlich-technischen Kulturfilm eröffneten. Beim Zeitdehner, der die extreme Zeitlupe ermöglichen wird, werden zur Optimierung der Aufnahmefrequenz auf die eingebaute Optik der Kamera Vorsatz-Prismen gesetzt, die eine Aufteilung des einfallenden Lichtkegels erlauben, mit dem Ergebnis, daß das jeweilige Objekt der Betrachtung vielfach nebeneinander abgebildet wird. Die hintereinander gestaffelten Einzelbilder werden zeitlich nacheinander belichtet. Auf diese Weise kann bei 300 Bildern pro Sekunde ein fallender Regentropfen beobachtet werden; bei 30000 Bildern je Sekunde läßt sich die Spannung in einem Kristall im Moment seines Zerreißstadiums studieren; eine fliegende Gewehrkugel können wir bei 80000 Bildern in einer Sekunde verfolgen. Dies ist auch der Titel des AEG-Films, der diese Wirkungsweisen gut veranschaulicht: *»80000 Bilder in einer Sekunde«* (1938).
Der exakte Daten und wissenschaftliche Urkunden versinnlichende Lehrfilm kam dem Bildungsverlangen besonders in einer Zeit entgegen, die nach kompensatorischen Gegenbildern zu den uniformierten, ideologisch chloroformierenden Bildern lechzte. Zwischen jener idealistischen Definition des Kulturfilms »als Erzieher von Millionen Menschen« und der sozialen Funktionsbestimmung des Dokumentarfilms, wie sie etwa Hans Richter für die Entwicklung eines »gesellschaftlich verantwortlichen Films« erkennt, klaffen Welten. Weil mit zunehmender Informationsbreite das Interesse der Menschen an der Erkenntnis der Wirklichkeit ständig wächst, hat der Dokumentarfilm die Chance, dieses latente Erkenntnisinteresse entsprechend mit Nachrichten zu versorgen, die wahr sind. Auch wenn Susan Sontag meint, es sei »nicht der Zweck der Kunst, uns beim Finden der Wahrheit zu helfen, sei es nun einer besonderen und historischen oder der ewigen Wahrheit«[31], so darf aber alle Kunstambition nicht Gehalt und Inhalt dessen verklären, was an immanenter Wahrheit in den Bildern und in dem, was sie zeigen, steckt und was objektiv zu vermitteln ist. Die ästhetische Komponente wird sich vielmehr auf jene Funktion besinnen müssen, die unter dem Stichwort der Vermittlung zum übergeordneten Faktor wird. Der Widerspruch von Kunst und Leben, die Konfusion von Schein und Realität, wie sie uns im NS-Film häufig begegnen, ist in Dokumentarfilmen der frühen Protagonisten wie Wertow, Flaherty oder Ivens in soziale Dokumente aufgelöst und bietet sich als Maßstab an. Der Dokumentarfilm hat ganz im Sinne von Hans Richter »das konkrete Leben in den Kreis der Kunst« einzubeziehen, um so »die Erkenntnis lebendiger Zusammenhänge« zu befördern.[32]
Was Richter unter Einbeziehung »konkreten Lebens in die Kunst« verstand, wollten die Nationalsozialisten nicht verwechselt wissen mit Versu-

Abb. oben: Der Führer weiht mit der Blutfahne die neuen Standarten und Fahnen der SA und der SS (aus dem Film »Triumph des Willens« von 1934; Regie Leni Riefenstahl).

Abb. auf folgender Doppelseite: Der Führer während des Standarteneinmarsches im Luitpoldhain in Nürnberg (aus dem Film »Triumph des Willens«).

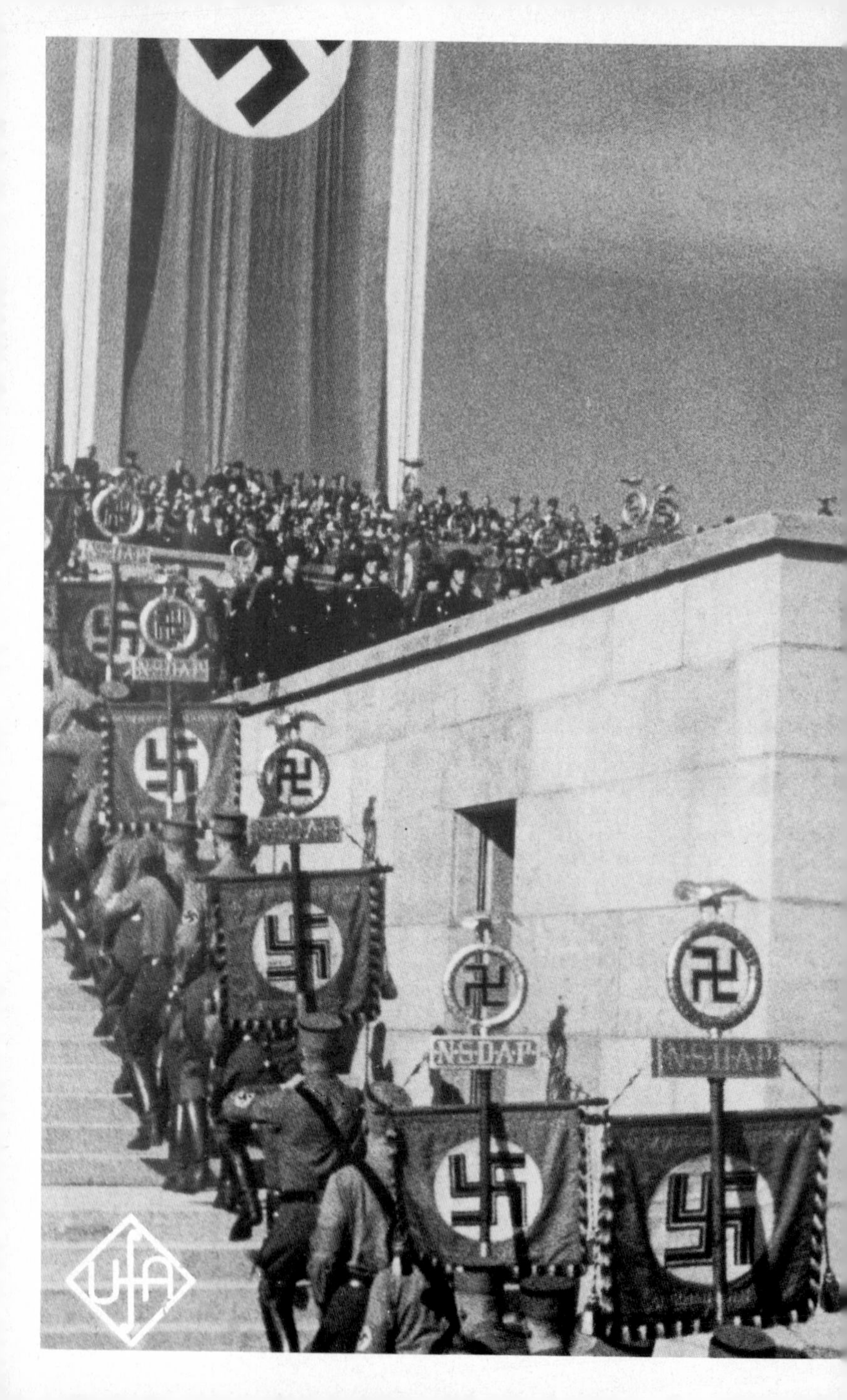
N·S·D·A·P·
N·S·D·A·P·
ufa

Abb. oben: In allen Straßen Nürnbergs wehten die Fahnen des Dritten Reiches (aus dem Film »Triumph des Willens«).

Abb. auf rechter Seite: Aus dem Film »Napoleon« (1927; Regie Abel Gance).

TOBIS
Der große König
TOBIS

Abb. oben: Szene aus dem Film »Hans Westmar« (1933; Regie Franz Wenzler).

Abb. linke Seite oben: Szene aus dem Film »Der große König« (1942; Regie Veit Harlan).

Abb. linke Seite unten: Szene aus dem Film »Krieg und Frieden« (1955; Regie King Vidor).

Abb. auf folgender Doppelseite: Szenerie aus dem Film »Kopf hoch, Johannes« (1941; Regie Viktor de Kowa).

24/546
Majestic
FILM
Kopf hoc

ohannes !

ufa

Abb. oben: Großdeutsches Kriegsschiff mit der Reichskriegsflagge.

Abb. auf vorangegangener Seite: Aufmarsch mit fahnentragenden Hitler-Jungen aus dem Film »Jungens« (1941; Regie Robert A. Stemmle).

chen der Individualisierung durch ästhetische Mittel. Für sie war das »konkrete Leben« nur in der anonymen Volksgemeinschaft zugleich auch ein nützliches Leben. Der Film sollte zu jener schließlich auch virulent gewordenen Überzeugung beitragen, daß der aus seiner privaten Existenz in den Schoß der Bewegung desertierende einzelne nur hier sich selbst verwirklichen möchte – als Teil des Ganzen. Zu dieser Selbsteinschätzung aus eigener Einsicht sollte insbesondere der Dokumentarfilm seinen persuasiven Beitrag leisten. Grundnenner: Du bist nichts, dein Volk ist alles! »In sinnvoller Verkürzung läßt sich die Selbsteinschätzung des Menschen sowie die Auffassung der naturhaften, kulturellen und zivilisatorischen Umwelt vor allem auf dem Gebiet des künstlerischen Ausdrucks auf einen *Grundnenner* zurückführen. Dies ist das jeweils in dem betreffenden Kunstwerk vorherrschende *Menschenbild*, das zugleich auch das Zielbild einer Rasse, eines Volkes, einer ideologischen Bewegung oder einer sozialen Schicht darstellt.« Dies empfiehlt Peter von Werder 1943 als »geheimes Leitmotiv der Filme«. In sibyllinischer Diktion hält er eine solche Vereinfachung immer dann für nötig, »wenn eine Vielfalt von Einzelzügen zur Erkenntnis von Grundlinien und Erörterung von Stilfragen überblickt werden soll«.[33]
Um mit dem reinrassigen deutschen Kulturfilm als Stimmungskanone einer für Kriegszeiten vorausgesagten defätistischen Mentalität gegenzusteuern und ihn als Prophylaxe zu verwenden, aber auch als Mittel der Ablenkungsstrategie, wurden in allen größeren Städten Kulturfilmwochen organisiert. Mit großem publizistischem Aufwand im September 1941 in München gestartet, ernteten hier die ersten beiden im Agfa-Color-Verfahren produzierten Farbfilme *»Bunte Kriechtierwelt«* (1940) und *»Thüringen«* (1940) allgemeine Bewunderung. Nachdem auf die zweite »Reichswoche für den deutschen Kulturfilm« im November 1942 vornehmlich mit Propagandafilmen wie dem penetranten Fallschirmjäger-Epos *»Sprung in den Feind«* (1941) von Wilhelm Stöppler hauptsächlich allergisch reagiert worden war, erhielt der dritte Anlauf 1943 mit über 100 Wettbewerbsfilmen als eine Art Kurzfilmfestival im Künstlerhaus am Lenbachplatz größere Resonanz mit typischen Kulturfilmsujets des Déja-vu. Von Goebbels prämiiert wurden denn auch belanglose Filme vom Schlage *»Welt im Kleinsten«, »Netz aus Seide«, »Dämmerung über dem Teufelsmoor«, »Kopernikus«, »Künstler bei der Arbeit«* sowie die Farbtrickfilme *»Verwitterte Melodie«* und *»Armer Hansi«*. In allen Filmen glänzte die Hakenkreuzfahne durch Abwesenheit. Nicht ausgezeichnet wurden diesmal linientreue Filme wie *»Das deutsche Wort«*. Erst recht die allerletzten noch im Dritten Reich hergestellten Kulturfilme flüchten ins Reich der Idylle: *»Im Reich der Wichtelmänner«, »Kraniche ziehen gen Süden«, »Hochzeit im Korallenmeer«, »Der letzte Einbaum«, »Romantisches Burgenland«* oder *»Im Tal der hundert Mühlen«*.

Die Ablösung des Reichsfilmintendanten Fritz Hippler durch den SS-Gruppenführer Hans Hinkel im Frühjahr 1944 hat sich sichtlich nicht ausgewirkt. Wie wäre auch ein Zyniker vom Kaliber Hipplers *(»Der ewige Jude«)* noch zu übertreffen gewesen?

»Die Lage wird dadurch so kompliziert, daß weniger denn je eine einfache ›Wiedergabe der Realität‹ etwas über die Realität aussagt. Eine Fotografie der Kruppwerke oder der A. E. G. ergibt beinahe nichts über diese Institute. Die eigentliche Realität ist in die Funktionale gerutscht. Die Verdinglichung der menschlichen Beziehungen, also etwa die Fabrik, gibt die letzteren nicht mehr heraus. Es ist also tatsächlich ›etwas aufzubauen‹, etwas ›Künstliches‹, ›Gestelltes‹.«

(Bertolt Brecht)[34]

2. Dokumentarfilm

a. Die Vorläufer

Den ersten deutschen »Dokumentarfilm« von zwanzig Metern Länge hatte der deutsche Filmpionier Oskar Meßter bereits im vorigen Jahrhundert gedreht, nachdem er an einem sonnigen Novembertag des Jahres 1897 sein Stativ vor das Brandenburger Tor postiert hatte. Meßter hatte ein Jahr zuvor das Malteserkreuz in Deutschland eingeführt und damit eine flimmerfreie Projektion ermöglicht. In seinem 115seitigen Filmkatalog, in dem er 84 eigene Filme ankündigt, beschreibt er den Inhalt seines Films Nr. 1: »Am Brandenburger Tor zu Berlin. Belebtes Straßenbild zur Mittagszeit von Unter den Linden zu Berlin. Im Hintergrund sind die Säulen des Brandenburger Tors sichtbar.«[35]
Früher als seine ausländischen Kollegen hatte Meßter den Wert des Films auch als biographisches Dokument erkannt; lebendige Geschichte zu »schreiben« wurde erst mit der Erfindung des Dokumentarfilms möglich. Welche visuelle Vorstellung besäßen wir heute sonst von den großen Staatsmännern und Erfindern, Dichtern und Künstlern unseres Jahrhunderts? Als »lebende Photographie« porträtierte er schon 1897 Wilhelm II. und später auch den abgedankten Fürsten Bismarck. Meßter hat als erster Großaufnahme und Zeitraffer dramaturgisch konsequent genutzt. Schon 1902 wurden die deutschen Majestäten »auf Allerhöchsten Befehl mutoskopisch aufgenommen«. Die schlichte Reportage über den imperialen Glanz bei der Ankunft auf der wiederhergestellten Marienburg am 5. Juli 1902 »unter Vortritt des Durchlauchtigsten Herrenmeisters Sr. Königl. Hoheit des Prinzen Albrecht von Preußen« enthüllt nichts außer Posen. Zehn Jahre später oszilliert dann der Kaiser ausführlich anläßlich seines

25. Regierungsjubiläums in der Aura oberhalb des Volkes: An *»Der Deutsche Kaiser im Film«* (1912) waren acht verschiedene Produktionsfirmen beteiligt, darunter Ambrosia-Film von Max Reinhardt.[36] Die schon fast gesetzmäßig durch die Aktualitäten stolzierenden Mitglieder des Herrscherhauses wirken wie exotische Lückenbüßer für wirkliche Novitäten, deren die Nachrichtenfilme offenbar nicht habhaft werden konnten.
Hans Cürlis überliefert uns aus der frühen Stummfilmzeit Unikate der porträtmalenden Liebermann, Slevogt, Corinth, Zille, die er erst viel später zum Kunstfilm *»Schaffende Hände«* (1957) summiert. Das wahrscheinlich älteste Künstlerporträt, eine Trouvaille, stammt von Sascha Guitry, der 1919, kurz vor dem Tod Auguste Renoirs, wenige Augenblicke des fast gelähmten Impressionisten dokumentiert – erste als gelungen überlieferte Tastversuche der Kamera am authentischen Subjekt.
Noch vor dem Ersten Weltkrieg warf die Deutsche Express-Filmgesellschaft unter dem Titel *»Der Tag im Film – Erste deutsche tägliche kinematographische Berichterstattung«* kriegerische Aktualitäten auf den Markt. 1913 kurbelte ihr Wochenschaureporter an der vordersten Front im Balkankrieg, wo er »im Kugelregen einen ganzen Feldzug mit dem Gipfelpunkt einer wirklichen Schlacht« aufnehmen konnte. In *»Der Weg des Films«* weiß Friedrich von Zglinicki zu berichten, daß »Originalbilder von Bajonettangriffen der Infanterie, Kavalleriepatrouillen, feuernde Artillerie und die Tätigkeit des Roten Kreuzes« privat dem deutschen Kaiser vorgeführt wurden.[38]
Auch die Eiko-Woche hatte 1913 noch vor dem Start der Meßter-Woche mit ihrer Nr. 1 demonstriert, welche publikumswirksame Mischung ein Wochenschaufilm auf einer Länge von 160 Metern haben sollte, um »verkauft« zu werden: »Ballonzielfahrt; Unfall durch Sturm; Waldlauf im Grunewald; Das Braunschweiger Schloß; Die Kaiserin fährt nach Berlin; Huldigungsvisite eines Luftgeschwaders; Das rumänische Thronfolgerpaar in Berlin; Moderne Rotationstechnik bei Scherl; Besuch des württembergischen Königspaares; Der deutsche Kronprinz mit Prinz Carol von Rumänien.« Die Hälfte der Themen war Königshäusern gewidmet.
Ehe Meßter seine Kameramänner wieder für den Dokumentarfilm und 1914 für die Kriegsberichterstattung einsetzte, hatte er sein Interesse eine Weile lang ganz auf Spielfilme verlagert und dabei viele, später berühmt gewordene »Stars« entdeckt wie Henny Porten (*»Das Liebesglück einer Blinden«*, 1910) Lil Dagover, Adele Sandrock, Emil Jannings (*»Vendetta«*, 1916). Der Ausflug in den Spielfilm hatte auch ganz pragmatische Gründe, wie Meßter in *Mein Weg mit dem Film*[38] ausführt; die finanziell aufwendigen Wochenschauen mußten durch Gewinne aus kunstgewerblichen Spielfilmen finanziert werden, mit fiktiven Welten, deren Abenteuer dem Zeitgeschmack entsprachen. Der Kulturkritiker Egon Friedell charakterisierte 1912 das Kino als ästhetisches Pendant zum Zeitgefühl:

»Zunächst: es ist kurz, rapid, gleichsam chiffriert, und es hält sich bei nichts auf. Es hat etwas Knappes, Präzises, Militärisches. Das paßt sehr gut zu unserem Zeitalter, das ein Zeitalter der Extracte ist.«[39]
Gleich 1914 waren mit Spielfilmen einschlägiger heroischer Thematik vaterländische Stimulantia entstanden vom Kaliber *»Auf dem Felde der Ehre«* (1914) oder *»Wie Max das Eiserne Kreuz erwarb«* (1914) – mit dokumentarischen Einsprengseln. Dem daheimgebliebenen Volk sollte in den einzigen Stätten der Zerstreuung (1914: 2446 Kinos) mit solchen patriotischen Filmen vor Augen geführt werden, was es seinen Soldaten schuldig war. »Was das deutsche Volk dem Heere verdankt, läßt sich kurz zusammenfassen in ein einziges Wort, nämlich: Alles!« (Adolf Hitler)[40]
In *»Auf dem Felde der Ehre«* verstößt ein Vater den Sohn, nur weil er aus ehrenrührigen Gründen als Offizier seinen Abschied nehmen mußte; erst nachdem er als Kriegsfreiwilliger eine feindliche Fahne erobert hat, rehabilitiert ihn der ehrpusselige Vater, Typ Herrenreiter mit hackenschlagender Subordinationsmentalität. »Ein Herrenvolk aus Untertanen«, nannte Heinrich Mann diese Spezies zu Beginn des Ersten Weltkriegs.
Meßters schärfste Konkurrenz, die Eiko-Wochenschau, inseriert für den 24. Juli 1914 unter der verfemenden Schlagzeile »Sensations-Programm« Bilder vom Mord von Sarajewo: »Erzherzog Franz Ferdinands letzter Empfang in Sarajewo sowie die Leichenfeierlichkeiten von Sarajewo bis zur Familiengruft«: Vorboten des Ersten Weltkriegs, Mord als Werbe-Vehikel. Sprache sackt auf das Niveau von Propaganda. Brecht erinnert in den Flüchtlingsgesprächen daran, daß die deutsche Sprache Kriege »ausbrechen« läßt wie die Seuchen, »es liegt daran, daß die keiner gemacht hat und nur keiner hat verhindern können«.
Mit den *»Dokumenten zum Krieg«* entstanden 1914 die Nachrichtenfilme der »Meßter-Woche«, die ab 1. Oktober während des ganzen Weltkriegs »Extracte« des Heroischen aus allen Frontabschnitten auf die Kinoleinwände des Vaterlandes warfen. Spätestens jetzt beginnen sich die Grenzen zwischen Dokumentarfilm und Wochenschau zu verwischen.
Welch propagandistische Valenz bereits die allererste Meßter-Woche besaß, überliefert die Zensurkarte Nr. 36732 vom 3. Oktober 1914, deren kraftmeierischer Wortlaut hier wiedergegeben wird, um den Geist des heroischen deutschen Chauvinismus bereits damals zu dokumentieren – lange vor Hitler.

Untertitel:

1. Stadt Domnau (Ostpreußen), ein Dokument russischer Zerstörungswut.
2. Der Marktplatz in Domnau: Bürgermeister May, welcher der rus-

sischen Gefangenschaft wieder entkommen ist, leitet den Durchzug der zurückkehrenden Flüchtlinge.
3. Das Grab des Gefreiten Abelt in Domnau. Abelt verteidigte als letzter heldenmütig die Stadt und fiel für die Ehre des Vaterlandes.
4. Die von den Russen zerstörte Kirche in Allenburg (Ostprß.).
5. Die von den Russen verwüstete Stadt Darkehmen (Ostprß.).
6. Verwundeten-Fürsorge unter dem Protektorat der Prinzessin August Wilhelm. Die Prinzessin besucht eine Kinovorstellung für die Verwundeten im Palast-Theater am Zoo.
7. Der Berliner Sängerbund veranstaltet ein patriotisches Konzert am Königsplatz in Berlin.
8. »Es braust ein Ruf wie Donnerhall«.
9. Die tapfere Besatzung des deutschen Unterseebootes »U 9«, welche am Morgen des 22. Sept. 1914 drei englische Panzerkreuzer zum Sinken gebracht hat, wurde mit dem Eisernen Kreuz ausgezeichnet.
10. Der Kommandant des Unterseebootes, Kapitänleutnant Otto Weddingen.
11. »Lieb Vaterland magst ruhig sein«.
Länge 169 m.

Die Nachrichtenfilme des Militaristen Meßter waren nichts als am preußischen Denkstil orientierte Propaganda. Aufgrund seiner persönlichen Beziehungen zum kaiserlichen Hof erhielt Oskar Meßter vom Deutschen Heeresoberkommando schließlich den Auftrag, alle Frontaufnahmen zu zensieren: außer der eigenen Produktion vor allem die Filme von jenen vier Firmen und ihren acht Kameramännern, denen es gestattet war, an der Front zu drehen, darunter war auch der später berühmte Carl Froelich.[41] Meßters Kameramänner wurden sogar schon damals für den Generalstab zur Luftaufklärung eingesetzt, um Zielbilder zu schießen. Zielbilder im Schützengraben gelangen sehr viel seltener, weil entweder die Apparatur viel zu schwerfällig war oder weil im Stellungskrieg Soldaten wie Kameramänner sich vor Feindeinsicht schützen mußten. Der Kameramann Martin Kopp beklagt sich im Berliner »Kinematograph« vom 12. Mai 1915, wie schwierig es war, »Szenen aus dem Schützengraben auf den Film zu bringen, denn die Bauart der Gräben gibt dem Kino keinen guten Blick. Direkte Kampfszenen aufzunehmen, ist noch schwieriger, denn der Kinematograph erfährt selbstverständlich nichts vom geplanten Angriff.«
Trotz oft fehlender Dramatik überliefert der Dokumentarfilm in seiner Summe den Ersten Weltkrieg als Grauen, nicht jedoch als Katastrophe, die er war, was die verklärenden Bücher von Werner Beumelburg (»*Ypern*«) oder Paul Ettighoffer (»*Verdun*«) noch weniger zu fassen vermochten oder wollten; im Gegenteil: Sie verherrlichen den Krieg als rei-

nigendes Stahlgewitter. »Die Phantasien des nüchternsten, beschränktesten Zuschauers sind immer noch hundertmal packender und geheimnisvoller als sämtliche gedruckten Bücher der Welt.«[42]
In seiner Denkschrift über den Film als politisches Werbemittel macht Oskar Meßter noch vor Beginn des Krieges auf die ausländische Konkurrenz aufmerksam, um die kaiserlichen Behörden zum Gegenschlag anzustacheln: Das in deutschen Kinos regelmäßig vorgeführte Programm der französischen Firmen »Pathé-Journal«, »Gaumont actualité« und »Eclair révue« enthielte zwar: »viel Schönes und Großartiges. Aber dies alles hat sich nur in Frankreich und England, beileibe nicht in Deutschland abgespielt. Es werden Ausstellungen, Paraden, Sportkämpfe, Schiffstaufen, Manöver, Modebilder usw. gezeigt, daneben schöne Landschaften, die aber alle jenseits des Rheins liegen. Und wenn in diesen guten Filmen etwas von Deutschland kam, so war es sicher etwas Herabwürdigendes. In dieser ganzen Aufmachung lag ein System. Und diese französischen Wochen werden durch die fremden Regierungen unterstützt.«
Die »Meßter-Woche« hat noch nach dem Ersten Weltkrieg und auch nach der Übernahme der Meßter-Produktionsgesellschaft durch die Ufa bis 1922 unter ihrem alten Namen weiterbestanden; erst dann wurde sie in »Deulig-Woche« umbenannt. Die erste *tönende* Wochenschau brachte die Ufa am 10. September 1930 mit ihrer *»Ufa-Tonwoche Nr. 1«* heraus; kein geringerer als Emil Jannings versah die Inkunabel mit würzigen Worten. Die erste amerikanische Tonwochenschau *»Movietone News«* war schon am 25. April 1928 herausgekommen.
Mit welcher Wirkung der Dokumentarfilm fotografisch getreue Abbilder der Realität unmerklich manipulieren kann, beweist der intensive Gebrauch dieser Methode durch die NS-Propaganda. An keinem anderen Beispiel läßt sich anschaulicher nachweisen, wie allein in der dialektischen Handhabung des authentischen Materials am Schneidetisch einzelne Wirklichkeitselemente um ihre »Wahrheit« gebracht, also unter ihrem ideologischen Überbau in ihr Gegenteil verkehrt werden können.
Wie wir seit Pudowkins und Kuleschows Montage-Experimenten der frühen 20er Jahre wissen, läßt sich die Authentizität einzelner Realitätselemente mit Hilfe der Montagetechnik aufheben, also durch einen einfachen Schnitt der Schere. Das Grundmuster der Manipulationstechniken wird von den Nazis perfektioniert:

Durch spekulative Kontextverschiebungen Tatsachen verfälschen;
durch eine veränderte Chronologie Kausalbeziehungen verdrehen;
durch verbale Korrekturen die visuelle Wahrheit beugen;
durch (heroisierende) Musik hinzufügen, »was an der Kraft der Bilder fehlte« (Goebbels).

An objektiven Argumenten war die NS-Propaganda oft gar nicht interessiert. Der Reichsminister für Volksaufklärung und Propaganda, Joseph

Goebbels, wollte vielmehr nur solche filmischen Dokumente hergestellt wissen, die ausschließlich *die* Seiten der Realität ablichteten, die im Einklang mit den Idealen und Zielen der NSDAP standen. Denn nur »was dem Nationalsozialismus dient, ist gut und muß gefördert werden«, postuliert Goebbels 1933 vor der Reichskulturkammer. Propaganda ist nach Goebbels' Worten die »ehrlichste Verkündung bester Wahrheit«.[43]

Eine solche Auffassung von Wahrheit ist die konsequent zu Ende gedachte Grundannahme Darwins: Daß die Entwicklung des Lebens zielgerichtet vom Schlechten zum Besseren verläuft. Da diese Entwicklung auf der von Darwin so genannten »Natürlichen Zuchtwahl« – und das ist nichts anderes als Konkurrenz der tierischen Rassen untereinander – beruht, ist das »Bessere« gleichbedeutend mit dem »Stärkeren«, das was sich in der Konkurrenz durchgesetzt hat. Tatsächlich hat Darwin folgende Zukunftsvisionen entworfen: »In irgendeiner zukünftigen Zeit... werden die civilisierten Rassen der Menschheit beinahe mit Bestimmtheit auf der ganzen Erde die wilden Rassen ausgerottet und ersetzt haben.«[44]

Daß der sich »civilisiert« dünkende Teil der Menschheit den von ihm als »wild« betrachteten Teil bald ausgerottet haben wird, ist nicht anzunehmen, von einer Zerstörung der Kulturen in der sogenannten Dritten Welt sind wir jedoch nicht mehr weit entfernt. Dennoch ist diese Entwicklung keine Bestätigung für Darwin, vielmehr läßt sie seine Gleichsetzung von Güte und Macht als pervers offensichtlich werden.

> »Aber alle Genialität der Aufmachung der Propaganda wird zu keinem Erfolge führen, wenn nicht ein fundamentaler Grundsatz immer gleich scharf berücksichtigt wird. Sie hat sich auf wenig zu beschränken und dieses ewig zu wiederholen. Die Beharrlichkeit ist hier wie bei so vielem auf der Welt die erste und wichtigste Voraussetzung zum Erfolg.«
>
> *(Adolf Hitler)*[45]

b. Der Einfluß manifester Propaganda

Was das Interesse des deutschen Volkes zu sein hatte, das bestimmte die NSDAP. Als ihre schlagkräftige politische Waffe hatten Dokumentarfilm und Wochenschau das Gedankengut der NS-Weltanschauung auf möglichst anschauliche, das heißt auch für den Begriffsstutzigsten unter den Volksgenossen verständliche Weise aufzubereiten. Es ging Hitler nicht darum, die – zu vernachlässigende – Minderheit der Intelligenz zu überzeugen; ihm ging es primär um die breite Masse, um die Eroberung der Volksseele. Deshalb hat »jede Propaganda... volkstümlich zu sein und ihr geistiges Niveau einzustellen nach der Aufnahmefähigkeit des Beschränktesten unter denen, an die sie sich zu richten gedenkt... Je mehr

sie ausschließlich auf das Fühlen der Masse Rücksicht nimmt, um so durchschlagender der Erfolg... Gerade darin liegt die Kunst der Propaganda, daß sie, die gefühlsmäßige Vorstellungswelt der großen Masse begreifend, in psychologisch richtiger Form den Weg zur Aufmerksamkeit und weiter zum Herzen der breiten Massen findet.« Im Dokumentarfilm gibt der Epoche nicht mehr der Künstler seine Signatur, sondern die Politik und im Kriege das Militär.
Daraus folgert Hitler, daß »jede wirkungsvolle Propaganda (sich) auf nur sehr wenige Punkte zu beschränken und diese schlagwortartig so lange zu verwerten (hat), bis auch bestimmt der Letzte unter einem solchen Worte das Gewollte sich vorzustellen vermag.«[45]
Was waren nun diese »sehr wenigen Punkte« der NS-Ideologie, der sich alle anderen Programmpunkte als sekundäre unterzuordnen hatten? Als Kernstück der nationalsozialistischen Ideologie bezeichnet Andreas Hillgruber das Streben nach Weltherrschaft und die Rassendoktrin.[46] Alle übrigen Elemente des Nationalsozialismus haben lediglich funktionales Gewicht und dienen vor allem dazu, diese beiden Hauptziele durchzusetzen. Als drittes Kernstück gilt das die beiden ersten übergreifende Führerprinzip: Es umschließt das funktionale Verständnis des Staates und aller seiner Gliederungen, Institutionen und Gesetze.
Ähnlich bewertet auch Eberhard Jäckel die spezifischen Elemente der nationalsozialistischen Ideologie: »Hitler hatte nur zwei wirkliche Ziele, ein außenpolitisches und ein rassenpolitisches. Deutschland mußte unter seiner Führung neuen Lebensraum im Osten erobern, und es mußte die Juden entfernen. Der Staat und seine Verfassung, die Innen-, Wirtschafts- und Sozialpolitik, die Partei, ihr Programm und ihre Ideologie – alles war nur Mittel zu diesem doppelten Zweck.«[47]
Die durch Indoktrination hergestellten Glaubensvorstellungen des deutschen Volkes waren die psychische Basis, der Hitler dringend bedurfte, um seine beiden Hauptziele zu erreichen: Erstens, seine Eroberungszüge ohne Lähmungen durch den von ihm gefürchteten Defätismus über eine lange Zeit der Entbehrungen hinweg durchführen zu können. Zweitens war die Judenfrage durch die sogenannte »Endlösung« zu erledigen. Nicht den »Leitartikel« – eine Serie in der Wochenzeitung »Das Reich« –, sondern vielmehr die audiovisuellen Medien schätzte Hitler als stärkeres Mittel der Indoktrination, um für seine Ziele die Zustimmung des deutschen Volkes zu gewinnen. Darum verwandte er den ganzen Einfluß des Propagandaministeriums vor allem auf die Wochenschau und den Dokumentarfilm, denen Goebbels persönlich die ideologischen Dimensionen vorschrieb. Zu einer Zeit, als die Bevölkerung, um sich zu zerstreuen, noch regelmäßig das Kino aufsuchte, waren die in jedem Kinoprogramm vorrangig plazierte Wochenschau und der kurze Dokumentarfilm die wichtigsten Massenkommunikationsmittel der Partei und ihre zuverläs-

sigsten und pünktlichsten Sprachrohre. In den Dokumentarfilmen und Wochenschauen des Dritten Reiches wurden zwei Bereiche prinzipiell ausgespart: zum einen der private Lebensbereich der Menschen im Hitler-Deutschland. Familienidylle wird ebenso wenig beschworen wie Familienelend aufgedeckt. Statt Menschen in ihrer Alltagssituation oder beim Feierabend zeigt die Propaganda Menschen privat nur, sofern sie jubeln.

Aber auch die andere Seite der Medaille kommt nicht ins Bild: Die Kinoleinwand zeigt weder Pogrome, Bücherverbrennungen, Deportationen, Zwangsarbeit, Konzentrationslager, noch sind Sterilisation und Euthanasie Themen der Filme. Die Schandtaten und tödlichen Fakten werden schlicht übergangen.

Anders als in den frühen Dokumentarfilmen der sowjetischen Propaganda, die den Helden der Arbeit in seiner individuellen Existenz zeigen und ihn das glücksverheißende System repräsentieren lassen, wird im Nazifilm der einzelne zum rein numerischen Element einer großen Volksgemeinschaft degradiert.

Folgerichtig verkörpert jeder Uniformierte im Dokumentar- und Wochenschaufilm den Nationalsozialismus. Es gehört zur psychologisch geschickt aufbereiteten Dramaturgie der Nazi-Propaganda, daß selbst Hitler in seiner scheinbaren Omnipräsenz nicht als Einzelperson mit eigener Entwicklung vorgestellt wird, sondern, wie Kracauer meint, nur »als Verkörperung ungeheurer unpersönlicher Mächte – oder besser, als ihr Treffpunkt. Trotz vieler ehrfurchtsvoller Großaufnahmen (von Hitler) können diese Filme, die ihn vergöttern sollen, seine Gesichtszüge nicht an das menschliche Dasein anpassen.«[48]

Anders als der Spielfilm mit seiner von Schauspielern beschworenen fiktiven Welt erfaßt die Wochenschau-Kamera reale Menschen in ihrer realen Lebenswelt und bildet sie als realistische Erscheinung ab. Nach allgemeiner Erfahrung wird die so abgelichtete Welt daher als authentisches Dokument rezipiert. Diesen weitverbreiteten Irrglauben an die Faktizität der als dokumentarisch ausgewiesenen Bilder wußte die Nazi-Propaganda für ihre Zwecke zu nutzen. Der naiv bildergläubige Zeit- und Volksgenosse nimmt auch alles das als bare Münze, was nur als Ausschnitt der Wirklichkeit vorgeführt wird. Auf dieser Gewißheit beruht die Lügendramaturgie der Wochenschau. Siegfried Kracauer führt die Effizienz nationalsozialistischer Propaganda auf die Einbildung des Zuschauers zurück, das vorgeführte Beweismaterial sei echt:

»Jedermann ist geneigt zu glauben, daß an Ort und Stelle aufgenommene Bilder nicht lügen können. Natürlich können sie lügen. Angenommen, ein als unparteiisch ausgegebener Dokumentarfilm enthält keine zweckvoll gestellten Szenen, sondern beschränkt sich darauf, wie er es sollte, schlicht die Realität zu reproduzieren... so kann er dennoch gewisse

Aspekte einer gegebenen Situation auf Kosten anderer herausstreichen und dadurch unsere Einstellung zu ihr beeinflussen. Die gezeigten Aufnahmen müssen eine Auswahl möglicher Aufnahmen sein.«[49]
Da der Kinogänger die unredigierte Wahrheit gar nicht zu sehen bekommt und sie deshalb auch nicht vermißt, kann er die in einen falschen Kontext oder in manipuliertes Material gestellten Bilder als solche durchaus als wahr, die Wirklichkeitsmanipulation als dokumentarisch beglaubigte wahrnehmen. Allein die tendenziöse Kommentierung dokumentarischer Bilder kann ihren Wahrheitsgehalt einfärben, wenn die ganze Wahrheit entweder der Partei schaden oder das Hitler-Bild trüben könnte.
Hauptziel der Nazi-Propaganda aber war es, alles Negative zu unterdrükken und die Masse mit als »echt« ausgegebenen optimistischen Bildern zu indoktrinieren, die anders kaum so eindrucksvoll zu vermittelnde Nazi-Ideologie dem Volk einzuprägen, bis auch der Letzte überzeugt war, daß er stolzer Zeuge eines weltgeschichtlichen Augenblicks war; das war der Auftrag von Dokumentarfilm und Wochenschau. Ihr Angebot an Informationen orientierte sich ausschließlich an ihrem propagandistischen Wert. Der Glaube an den Führer und das Vertrauen in seine Ideen und Ideale sollte so lange als Appell vorgesetzt werden, bis die Propaganda völlig verinnerlicht wäre. Denn, so Hitler: »Das deutsche Volk muß erzogen werden zu dem absoluten, sturen, selbstverständlichen, zuversichtlichen Glauben: Am Ende werden wir alle das erreichen, was notwendig ist. Das kann nur gelingen durch einen fortgesetzten Appell an die Kraft der Nation, durch das Hervorheben der positiven Werte eines Volkes und durch das mögliche Außerachtlassen der sogenannten negativen Seiten.« Dazu aber sei es notwendig, daß gerade die veröffentlichte Meinung sich »ganz blind zu dem Grundsatz bekennt: die Führung handelt richtig«.[50]
Gleich 1933 hatte der Exeget nationalsozialistischer Propagandafilme, Hans Traub, unter »aktiver Propaganda die bewußte Anwendung tendenziöser Mittel zu einem politischen Zweck« verstanden, zur »Zielwerdung einer Gesinnung«. Als Haupteigenschaften einer »vorbildlichen Propaganda« führt er vor: »1. Der mögliche subjektive Appell an die ›Welt der Gefühle‹, 2. die Beschränkung im Inhalt, 3. die Kampfansage von Beginn an, 4. die Wiederholung in ›dauernder und gleichmäßiger Einheitlichkeit‹« (Adolf Hitler). Als Gebiet, auf dem der *Lehrfilm* »aufklärend und propagandistisch« wirken könne, empfiehlt Traub: »Das Leben in den Arbeitsdienstlagern, Einblick in das Manöver und die Übungen der Reichswehr, Bilder vom Alltag und Sonntag der Marine, das Schaffen in den einzelnen Berufen, ein Tag des Reichskanzlers... Wir brauchen den Lehrfilm über die Schlachten des Weltkrieges...«[51]
Um das Führerprinzip als naturgegebene Einrichtung zu popularisieren,

war es notwendig, daß der einzelne – zunächst vorbildhaft im nationalsozialistischen Film – im Volkskörper aufgeht. Wenn dann genügend viele Menschen explizite Propagandafilme gesehen und verinnerlicht haben, soll der Volksgenosse auch in der Realität Teil des großen Volksganzen werden, ein (anonymes) Rädchen in Hitlers Bewegung. Die Vulgarität des Volkskörpers wird in Filmen nicht nur der Leni Riefenstahl am liebsten als quantitatives Ornament in marschierenden Kolonnen oder in Menschenquadern dargestellt, die der Parteirhetorik hinlauschen. Wenn der einzelne als solcher ausnahmsweise in Erscheinung tritt, dann als »Arbeiter verwachsen mit der Maschine, als Soldat verschwistert mit der Waffe« (Ulrich Kurowski). »In dem Momente, da sie zu einer Masse gehören, sind Ungebildete und der Gelehrte zur Beobachtung gleichermaßen unfähig«, postuliert Gustav Le Bon: Zwischen einem Mitglied der Akademie und einem Wasserträger sollen keine Unterschiede gelten.
Eisenstein auf die selbstgestellte Frage, welche Gattung der Kunst denn dieser Epoche gewachsen sei: »Einzig und allein das Medium der Kinematographie! Einzig und allein eine intellektuelle Kinematographie. Eine Synthese von emotionalem, dokumentarischem und absolutem Film. Nur das intellektuelle Kino wird fähig sein, der Entzweiung der ›Sprache der Bilder‹ ein Ende zu setzen – und zwar auf der Grundlage der Sprache der Dialektik des Films. Nur ein intellektuelles Kino von noch nie dagewesener Form und offener sozialer Funktion; ein Kino von höchster Intellektualität und äußerster Sinnlichkeit, das sich des ganzen Arsenals von optischen, akustischen und biomotorischen Reizen zur Beeinflussung bemächtigt hat.« (Sergej Eisenstein)[52]

> »Die Montage ist ein ebenso notwendiger Bestandteil wie alle anderen Elemente der filmischen Einwirkung. Nach dem Feldzug für die Montage und dem Sturm gegen die Montage ist es an der Zeit, ganz von neuem und unvoreingenommen an die Probleme der Montage heranzugehen.«
> *(S. M. Eisenstein, 1938)*

c. *Die russische Montage als technisches Muster*

Goebbels hielt Sergej Eisensteins *»Panzerkreuzer Potemkin«* (1925) für den Prototyp eines wirkungsmächtigen Propagandafilms, dessen politische Schlagkraft er sich mit braunen Vorzeichen auch für seine Zwecke wünschte: »Ich bin davon überzeugt, wenn in irgendeinem Kinopalast hier in Berlin ein Film gegeben würde, der nun wirklich diese Zeit packte und wirklich ein nationalsozialistischer ›Panzerkreuzer‹ wäre, daß das Kino lange Zeit ausverkauft wäre.«[53] Eisenstein hat unter der Anrede »Herr Doktor« Goebbels am 22. März 1934 in *Literaturnaja gazeta* geant-

wortet, daß Wahrheit und Nationalsozialismus unvereinbar seien. »Wer für die Wahrheit eintritt, dessen Wege trennen sich vor denen des Nationalsozialismus. Wer für die Wahrheit ist, der ist gegen Sie!«[54] Unter der Überschrift: »Keinen Gedanken verschwendet an das Unabänderbare« dichtet Bertolt Brecht über »Panzerkreuzer Potemkin«:
»Ich habe erlebt, wie neben mir selbst die Ausbeuter ergriffen wurden von jener Bewegung der Zustimmung angesichts der Tat der revolutionären Matrosen: Auf solche Weise beteiligte sich sogar der Abschaum an der unwiderstehlichen Verführung des Möglichen und den strengen Freuden der Logik.«[55]
Goebbels saugte aber auch aus den Montagetheorien der Russen Honig und wußte aus ihren Erkenntnissen in Sachen Film seine umgekehrten Schlüsse zu ziehen. Nach Lenin ist unter allen Künsten die Filmkunst die wichtigste,[56] nach Stalin soll sie daher in der Kulturrevolution »als ein Mittel umfassender Bildungsarbeit und kommunistischer Propaganda« eine große Rolle spielen, auch »als ein Mittel künstlerischer Erziehung der Massen, ihrer zweckdienlichen Erholung und Zerstreuung«.[57]
»Das Kino dient der Verbreitung von Ideen«, lautet 1922 die bündige Funktionsbestimmung für den sowjetischen Film bei Majakowski. Dies war auch die ab 1933 in die Tat umgesetzte Maxime von Goebbels, der allerdings statt eines mittlerweile langweiligen »Sozialistischen Realismus« seine nationalsozialistischen Ideen in ihrer sinnlichen Veranschaulichung durch Riefenstahlsche Ästhetik unter die Leute zu bringen hoffte. In beiden Systemen geht die Kamera auf Patrouille, um die herrschende Ordnung zu vermessen. Zwar hatte Maxim Gorki den Begriff »sozialistischer Realismus« bereits 1921 formuliert und ihm die Aufgabe zugewiesen, »das durch die Oktoberrevolution Erreichte in der Gegenwart zu festigen und die Ziele der sozialistischen Zukunft entsprechend zu beleuchten«. Unter gleichzeitiger Verdammung formalistischer Ästhetik wurde aber erst 1934 der Begriff vom sowjetischen Kulturideologen Andrej Schdanow auf dem Moskauer Schriftstellerkongreß als verbindliche Doktrin eingeführt. Formalismus ist nach Wsewolod Pudowkin »ein umfassender Begriff, der alles in sich einschließt, was den Künstler vom realen Volksleben und seinen Bedürfnissen ablenkt«.[58]
Der ukrainische Filmpatriot Alexander Dowschenko (*»Erde«*, 1930) hatte seine Filme rechtzeitig auf Parteilichkeit eingeschworen, ohne dem sozialistischen Realismus die lyrische Grundstruktur und seine kraftvolle Sinnlichkeit zu opfern. Sein Film *»Aerograd«* (1935), so schwärmt er, werde von dem Gedanken getragen, »daß das Leben schön ist, daß dieser Teil unseres Landes schön ist und daß hier niemals fremde Banner wehen werden«.[58a]
Aber jene Dokumentarfilme und Wochenschauen, die Goebbels so beeindruckt hatten, waren wie Wertows *»Das Kino-Auge«* oder *»Der Mann*

mit der Kamera« (1929) Produkte zwischen 1926 und 1929, die *vor* der Phase des festgeschriebenen sozialistischen Realismus entstanden waren. Wertow hatte sie auf seiner Europa-Tournee 1931 weiten Kreisen publik gemacht. Wertow formuliert seine Erkenntnisse über die Konstruiertheit des Films wie ein Demiurg: »Ich schaffe Tausende von Menschen nach verschiedenen Schemata und Plänen. Ich bin das Kino-Auge. Von einem nehme ich die Hände, die stärksten und beweglichsten. Von einem anderen nehme ich die Beine, die schönsten und proportioniertesten. Von einem dritten den Kopf, den schönsten und eindrucksvollsten.« Die *contradictio* zu dieser Montage des Übermenschen liefert Wertow im selben Manifest als Quintessenz gleich mit: »Das Kino-Auge ist die Kino-Wahrheit«, was nichts anderes als eine grundlegende Erkenntnis über das Wesen des Films ist; denn das Kino-Auge, das ist die Kamera, und im Film kann nichts gezeigt werden als das, was die Kamera »sieht«. Daß der Zuschauer im Kino mehr als bei anderen Medien das Gezeigte für die Realität hält, hängt damit zusammen, daß er gezwungen ist, den Blick der Kamera als den einzig möglichen auf die dargestellte Welt zu übernehmen. Damit ist noch nichts gesagt über den Einsatz der dem Film eigenen formalen Mittel und Möglichkeiten. Wertow behauptet ja nicht, daß das »Kino-Auge« *die* Wahrheit sei, sondern die *Kino*-Wahrheit. Die Kino-Wahrheit allerdings ist im Gegensatz zur »echten« Wahrheit absolut: Während man Dinge und Ereignisse in der Realität von verschiedenen Seiten betrachten kann, besteht der Film nur aus der Menge seiner Bilder. Und die sind vom »Kino-Auge«, der Kamera, aufgenommen und können aus keiner anderen Perspektive wahrgenommen werden.

Trotz der oft extremen formalen Mittel und das heißt auch experimenteller Visualisierung war Wertows Ziel, politische Ideen von ihrer Substanz her transparent zu machen. Das schließt für Wertow ein, daß der Zuschauer die Bedingungen, unter denen er politische Ereignisse wahrnimmt, mitreflektieren muß – in Wertows Arbeiten eben die Wahrnehmungsbedingungen des Films. Diese Versuche nennt Eisenstein »formale Mätzchen« und »sinnloses Vagabundieren mit der Kamera«. Auch da, wo Wertow ein illiterates Publikum, den Landarbeiter in Aserbeidschan oder den Hirtenbuben in der Steppe, für sozialistische Reformen aufschließen will, wird ihm von Kritikern wie Viktor Schklowskij vorgeworfen, die Faktizität der einzelnen Einstellung sei geschwunden, weil Einstellungen dominierten, die erfunden oder inszeniert seien. So bleibt selbst jene schlüssige Metapher umstritten, die in *»Kino-Glas«* Bewunderung der Wertowschen Montage-Bravour hervorgerufen hatte: Die in einem Dorflager ihre rote Fahne hissenden Jungpioniere repräsentierten nicht, was Wertow »unversehens« gefilmtes Leben nennt, sie erschöpften sich vielmehr als auf den visuellen Effekt hin genau kalkulierte pure ästhetische Komposition; dadurch aber wurde die erstrebte Authentizität des Augenblicks um ihre Wirkung gebracht. Objektiv ist die Szene aber dennoch politisch wahr, weil sie sicherlich ganz ähnlich stattgefunden hat. Auch Joris Ivens ist dafür bekannt, daß er für seine Dokumentarfilme Szenen arrangiert, sooft er dies als dem Dokument dienlich hielt. Wertow wurde in der Stalinära schließlich wegen des Vorwurfs des Formalismus kaum mehr beschäftigt, während seine Ideen in Westeuropa virulent geblieben sind.

Unter den Deutschen war es vor allem Walter Ruttmann, der sich von Wertows Syntax inspirieren ließ, wonach der Filmemacher statt in literarischen oder verbalen Kategorien in visuellen denken sollte. Bei Ruttmann dienten die Montagemittel eher formalen Progressionen als inhaltlichen. Er ließ seinen Formenreichtum in einem brisanten Feuerwerk kulminieren, dessen in der Montage erzeugte Dynamik die diversen Einzelteile und Kadenzen zur Kettenreaktion trieb, dem der Film *»Berlin – Die Symphonie einer Großstadt«* (1927) seinen damals sensationellen Kunstcharakter verdankt. Auch ein späteres Parallel-Stück *»Apropos de Nice«* (1930), das Jean Vigo gemeinsam mit Wertows Bruder Boris (Kaufmann) montierte, ignoriert mit seiner virtuos montierten Motorik jegliche Realistik. Gleichwohl sind beide Filme nicht lediglich brisantes L'art pour l'art, weil es ihnen gelungen ist, im Zusammenschnitt der konkreten Bilder das Phänomen der Stadt als Ballungsraum menschlicher Existenzen und ihrer Gefährdungen zu abstrahieren und so transparent zu machen. In diese Reihe der poetisch-reflexiven Städteporträts, die ausdrücklich keiner Werbefunktion dienen, gehört auch Alberto Cavalcantis einen Tagesablauf in Paris kaleidoskopierender *»Rien que les heures«* (1926). René Clair nannte »visuelle Exerzitien«, was ihm da als Künsteleien erschien.

Ruttmann, dessen Zusammenarbeit mit Leni Riefenstahl bei *»Triumph des Willens«* (1934) vorzeitig beendet wurde, hat dem Dritten Reich wohl seine Mitarbeit, nicht jedoch sein Talent zur Verfügung gestellt. Seine Propagandafilme *»Metall des Himmels«* (1934), *»Altgermanische Bauernkultur«* (1939) oder *»Deutsche Panzer«* (1941) sind braver, technisch perfekt gemachter Abglanz, eine Flucht in die Form, ohne den Versuch der Sublimation ins Kritische. Auch in seinem allerletzten Rüstungsfilm kann er den »gordischen Knoten« nicht kappen, den Ernst Jünger in *Feuer und Blut* (1925) geschnürt hat: »...wir müssen das, was in uns steckt, auf die Maschine übertragen, dazu gehört Abstand und das eiskalte Hirn, das die zuckenden Blitzschläge des Blutes in eine bewußte und folgerichtige Leistung transformiert...« Ruttmann ist übrigens nicht, wie es in allen Lexika zur Legende gemacht wird, an der Ostfront bei Aufnahmen für *»Sieg im Osten«* (1941) gefallen; er ist 1942 in einem Berliner Krankenhaus gestorben.

»Ästhetizismus, der sich politisiert, wird immer radikalistisch sein, und zwar aus bellezza. Es ist sehr hübsch, Radikalismus mit Tiefe zu verwechseln. Nichts ist falscher. Radikalismus ist schöne Oberflächlichkeit, – ein generöser Gebärdenkult, der geradezu ins Choreographische führt...«
(Thomas Mann)[59]

d. Leni Riefenstahl tritt auf den Plan

Leni Riefenstahl ist von anderem Kaliber. Unter konsequenter Ausschaltung rationaler Elemente gelingt ihr in den Filmen für das Dritte Reich die Balance zwischen Propaganda und ihrer ästhetischen Überhöhung auf perfekteste Weise zur Symbiose. Ja, Leni Riefenstahl hat ohne Hilfe eines theoretischen Programms ganz intuitiv schon mit ihrem ersten Parteitagsfilm *»Sieg des Glaubens«* (1933) die faschistische Filmästhetik begründet, die sie mit *»Triumph des Willens«* (1934) so perfektionierte, daß damit bis zum Ende des Tausendjährigen Reiches die verbindlichen Maßstäbe gesetzt wurden, die von niemandem übertroffen wurden.
Schon Paul Rotha hatte für den Dokumentarfilm allgemein konstatiert, was später für den nationalsozialistischen Film als Prinzip übertrieben wurde, daß einer der gravierenden Mängel des Dokumentarfilms immer darin bestanden habe, daß er das Individuum ausspare.[60] Auch Eisenstein wußte aus Erfahrung, daß »die Masse sich mechanisch gibt, sie bildet eine nur numerische Größe«. Die Glaubensgemeinschaft, die Masse, wird nun zum puren Bewegungskader degradiert, und wird in den Bewegungsabläufen entsprechend ihren Gestaltungskriterien von Leni Riefenstahl gelenkt und künstlerisch dirigiert. Mit Hilfe der zu festen Menschenblöcken und Fahnenkolonnen gebändigten tableaux vivants, die sie als geometrische Muster ästhetisch vereinnahmt, werden emotionale Räume geschaffen, die auch den Betrachter im Kino mit einschließen. Die zu Bewegungseinheiten formalisierten Massen sollen für eine rhythmusbesessene Regie den physiologischen Gleichschritt in dessen ästhetischer Überhöhung zum ideologischen Gleichklang von Führer und Volk versinnbildlichen. Riefenstahls forcierter dynamischer Rhythmus, der die Bilder vorantreibt, erlaubt dem Betrachter keine Zäsuren zum Erfassen neuer Vorgänge und Situationen, keine Zeit zum Nachdenken, keinen Raum zum Atemholen, also keine »Halbsekunden« im Sinne der Wahrnehmungspsychologie. Der Kinogänger soll durch das Atemberaubende des nationalsozialistischen Geschehens überrumpelt, durch sein Tempo vereinnahmt werden.
So paradox es klingt, die Riefenstahl feiert im Rausch der Geometrie den Gegensatz zur Form der abstrakten Kunst. So zelebriert die Ästhetisierung der Politik ihren Triumph in *»Sieg des Glaubens«* (1933) und *»Triumph des Willens«* (1934), wie Walter Benjamin es vorausgesehen

hatte: Ästhetik als Anleitung zum Untergang, als immanente Entfachung des Weltbrandes. Die Riefenstahl hat sich immer gegen den Vorwurf verwahrt, sie hätte sich als Magd der Ideologie mißbrauchen lassen. Recht hat sie. Sie war schließlich die Bannerträgerin des Führers im faschistischen Film, der nach Susan Sontag die Unterwerfung glorifiziert, den blinden Gehorsam feiert und den Tod verherrlicht.[61]
Hitler hatte in der Riefenstahl eine kongeniale Choreographin für seine »Bewegung« gefunden. So wie sie, war er selbst »Regisseur, der die Massen ästhetisch bewegte wie einen Chor«. Die Volksgenossen »waren Darsteller und Statisten in diesem Gesamtkunstwerk, dieser größten Wagneroper aller Zeiten«.[62]
In ihrer unverwechselbaren ästhetischen Struktur wollen die Riefenstahl-Filme aber nicht sich selber feiern; sie sind nicht L'art pour l'art, sondern implizit und explizit Funktionsträger für Propaganda; sie wollen emotionale Einflußnahme und sind für die eine große Sache mit visuellen und verbalen Botschaften Partei. Insofern irrt Siegfried Kracauer, der insistiert, daß »solche Muster nichts genaues sind« und den »Eindruck des Vakuums« verstärken. Wenn es stimmt, daß die Bilder den Betrachter verwirren sollen, »um ihn auf diese Weise leichter bestimmten Suggestionen zu unterwerfen«, so bleibt aber Kracauers Schlußfolgerung zu widersprechen, daß »viele bildliche Darstellungen in Wirklichkeit nichts als eine leere Pause zwischen zwei propagandistischen Einflüsterungen« sind.[63] Kracauers absolutistischer Realitätsbegriff würdigt das Medium Film ausschließlich unter diesem einseitigen Aspekt, der die ästhetische Vielfalt gerade des Films bestreitet und nur gelten läßt, was jenen »Eindruck von Wirklichkeit hervorruft, der den Zuschauer glauben läßt, Vorgänge zu erblicken, die sich im realen Leben zugetragen haben und an Ort und Stelle fotografiert sein könnten«.[64]
Martin Loiperdinger hat analysiert, was er Kracauers »emphatischen Realitätsbegriff« nennt und nachgewiesen, daß er diesen »nur für demokratische Realitäten gelten läßt«.[65] Loiperdinger vermutet zu Recht, daß Kracauers Theoreme, angefangen von dem einer faschistischen Propaganda unterstellten »fehlenden ›informativen Charakter‹ bis hin zur ›Metamorphose der Realität‹ Ausdruck für sein Bestreben sind, dem deutschen Faschismus die politische Legitimität dadurch abzusprechen, daß er als ›Pseudo-Realität‹ per se für obsolet erklärt wird«.[66]
Hitlers Parteitage waren aber keine Pseudo-Realität, sondern Erfahrungen einer bitteren Realität und eben nicht ihre »Travestie«. Die von Kracauer verbreitete Legende, der Nürnberger Parteitag von 1934 sei von der Riefenstahl organisiert worden, bloß um ihr »als Ausstattung für einen Film zu dienen, der dann den Charakter eines authentischen Dokumentarfilms annehmen sollte«,[67] ist ein von vielen Filmhistorikern fortgeschriebener horrender Unsinn. Die Kunst der Riefenstahl besteht ja ge-

rade darin, mit ästhetischen Mitteln die außerästhetische Wirklichkeit auf jenen Begriff zu bringen, in dem sich die in dieser Realität lebenden Menschen wiedererkennen – als in die Masse eingehender Teil. Die Realität wurde also nicht ästhetisch eingespannt, um sich selbst vorzutäuschen. Die Riefenstahl war an diese real existierende nationalsozialistische Wirklichkeit schließlich gläubig fixiert.

> »Im eigentlichen Akte des Betrugs, unter all den Vorbereitungen, dem Schauerlichen in Stimme, Ausdruck, Gebärden, inmitten der wirkungsvollen Szenerie überkommt sie der *Glaube an sich selbst*: dieser ist es, der dann so wundergleich und bezwingend zu den Umgebenden spricht.«
>
> *(Friedrich Nietzsche)* [68]

e. Exkurs: Reichsparteitage und ihre filmische Überhöhung

Warum waren die Reichsparteitagsfilme Hitler so wichtig? Was bedeuteten die Parteitage für die Bewegung? Die Reichsparteitage der NSDAP dienten einem doppelten Zweck: der innerparteilichen Disziplinierung und der Selbstdarstellung nach außen. Die auf den Parteitagen akklamierten Beschlüsse der Führung sollten durch die Abertausende von Teilnehmern bis in die kleinsten Zellen der Partei weitervermittelt werden. Das ideologische Potential sollte die kämpferischen Energien zur moralischen Schubkraft aufladen – bis zum jeweils nächsten Mammuttreffen.
Pierre Bourdieu hat uns angedeutet, wo auch in der Körpersprache und im Ornament der Masse beim Nationalsozialismus solche Kräfte wirksam wurden, die nicht nur ihm dienten: »In allen Gesellschaftsordnungen wird systematisch ausgenutzt, daß Leib und Sprache wie Speicher für bereitgehaltene Gedanken fungieren können.«[69] Das läßt sich funktionalisieren: »Daher die Sorgfalt, die bei der Inszenierung großer Massenfeierlichkeiten nicht nur auf das (z. B. bei der Ausgestaltung der großen Barockfeste offensichtliche) Bemühen um feierliche Darstellung der Gruppe zurückgeht, sondern auch, wie zahlreiche Einsatzformen von Tanz und Gesang beweisen, auf die sicher unbestimmte Absicht, Gedanken zu ordnen und durch strikte Regelung der Praktiken, durch regelhafte Aufstellung der Leiber und besonders durch leibliche Ausdrucksformen der Gemütsbewegung wie Lachen oder Weinen Gefühle zu suggerieren. Symbolische Wirkung dürfte auf der Macht über andere und insbesondere über deren Leib und Glauben fußen, verliehen von der kollektiv anerkannten Fähigkeit, durch verschiedenste Mittel auf die zutiefst verborgenen verbal-motorischen Zentren einzuwirken, um sie zu neutralisieren oder um sie zu reaktivieren, indem man sie mimetisch fungieren läßt. Man könnte in Abwandlung eines Worts von Proust sagen, Arme und Beine seien voller

verborgener Imperative.«[70] Als eines dieser Mittel, auf »Leib und Glauben« einzuwirken, hat schon früh Pudowkin den Film definiert, den er als den besten Lehrer bezeichnet, »denn seine Lehren wenden sich nicht nur ans Gehirn, sondern an den ganzen Körper« – genauer: Der Propagandafilm ist in diesem Sinne der beste Lehrer.

Der erste Parteitag fand im Jahre 1920 statt, damals noch veranstaltet von der Vorläuferorganisation der SA, dem Nationalsozialistischen Deutschen Arbeiterverein. Die folgenden Parteitage der »Kampfzeit« fanden 1923 in München, 1926 in Weimar und 1927 und 1929 in Nürnberg statt. 1926 durfte Hitler sowohl seinen Generalappell als auch die Standartenweihe an jenem symbolträchtigen Ort abhalten, an dem 1919 die Deutsche Nationalversammlung getagt hatte, im Weimarer Nationaltheater. »Das Theater stand ganz im Zeichen der Parteifahne« (A. Tyrell); mit 300 Parteifahnen im Rücken auf der Bühne definierte Hitler deren Symbolik zum wiederholten Male, aber hier mit feinen Nuancen: »Rot – Symbol der sozialen Gesinnung; weiß – unser Nationalismus der Tat, nicht der Phrase; schwarz – der Geist der Arbeit, der immer judengegnerisch, rasseschützend sein wird.« Der Parteitag 1930 fiel aus; alle Reichsparteitage nach der Machtübernahme fanden in Nürnberg statt, der letzte 1938.

Die parteihistoriografische Zeitrechnung der Parteitage beginnt wohl auch deshalb mit der »großen Kundgebung unendlicher Kraft und Zuversicht« (Hitler) in München 1923, weil hier das Grundmuster etabliert worden war. So wurde schon 1923 das später dann modifizierte Ritual der Standartenweihe konstituiert, das über die Mobilisierung von Emotionen für die entsprechenden Inhalte motivieren sollte. Für die Hakenkreuzfahne, und wofür sie schnell Symbol geworden war, sollte jeder Parteigenosse mit Leib und Leben eintreten: »Ich schwöre dir, unserem Führer Adolf Hitler, bis zu letzten Tropfen Blut bei meiner Fahne auszuharren.«

Die Parteitage waren keine Beschlußgremien für Programmatisches; deren »Parlamentarisierung« hatte Hitler von vornherein zu verhindern gewußt, denn seine Reden und seine Programme sollten nicht durch noch so formalistische Abstimmungen in Zweifel gezogen werden. Den Mythos Hitler galt es tief in den Herzen der Gläubigen zu verankern; das Flair der Feierlichkeiten, ja, des Sakralen zu organisieren, war wichtiger als Diskussion. Die Magie der Fahne und der Feuerzauber als in den Parteitag eingesprengte Rituale erfüllten als magischer Selbstzweck zugleich Ablenkungsfunktionen. Auf Hitlers Parteitagen fließen »zwei Linien aus dem Fundus nationaler Feierlichkeiten des 19. Jahrhunderts und des ausgehenden wilhelminischen Reiches zusammen«.[71] Dazu gehören die volkstümlichen Traditionen öffentlicher Feiern, wie sie die bürgerlichen Vereine, Sängervereinigungen, Schützenverbände, Turnerbünde, Bündische Jugend und Arbeiterbewegung mit großer Resonanz organisierten.

Zum gemeinsamen Stil der Feste und zum Ritual der Feiern gehörten ehedem unverzichtbar Fahnenweihe, Totenfeier, nächtlicher Umzug mit Fackellicht, militärische Repräsentanz, militante Formationen, Standartendefilee sowie Marschmusik und jugendbewegte Lieder. Viele dieser altmodischen Traditionen rettete die Partei für ihre vordergründigen Zwecke und aktualisierte sie zum ideologischen Verbrauch. Nicht nur das »Niederländische Dankgebet« wurde für die Emotionalisierung von Hitlers Parteitagen säkularisiert, sogar liturgische Bräuche des Christentums wurden zu nationalsozialistischen Symbolen umfunktioniert. Auch der verwelkte Charme der blauen Blume der Romantik wurde an Hitlers Lagerfeuern wieder aufgefrischt.

Die publizistische Wirkung von Hitlers kollektiven Monsterschauen war bis zur Machtübernahme relativ gering. Auch die Dokumentarfilme dazu hatten keine Resonanz: Erstens waren sie mangels finanzieller Möglichkeiten technisch nicht perfekt und ästhetisch unzulänglich, bis 1930 auch ohne hilfreichen Ton. Außerdem waren die Kinos nicht interessiert, weil auch das Publikum Parteifilme nicht gerade als Quelle ästhetischen Erlebens empfinden mochte. Es gab auch keine Filmregisseure von Rang, die dem Massenereignis eine spezifische ästhetische Note und dramaturgische Struktur zu geben bereit oder in der Lage gewesen wären. Im Sinne Benjamins lief die faschistische Propaganda weniger darauf hinaus, die Kunst zu politisieren, als die Politik zu ästhetisieren. So blieb es dem Genie der Leni Riefenstahl vorbehalten, das Unmögliche zu realisieren und die negative Ästhetik des Staates mittels einer positiven Ästhetik des Films populär zu machen. So hat sie durch ihre suggestive Ästhetisierung des Faschismus die »Vergewaltigung der Massen« unterstützt, die der Faschismus »im Kult eines Führers zu Boden zwingt«. Damit vergewaltigt Leni Riefenstahl ihre filmische »Apparatur« die sie so »der Herstellung von Kultwerten dienstbar macht«.[72] Es gelingt Leni Riefenstahl damit, die Ritualien eines Parteitagsverlaufs mit seinen langweiligen Reden und gleichförmigen Aufmärschen in eine hedonistische Feier zu verwandeln, in eine gut verkäufliche Kunstware. In der kinematografischen Artgenossin fand Hitler die genuine ästhetische Energie, die auf der Höhe seiner Ambitionen ihren eigenen Ehrgeiz in die Konstituierung einer faschistischen Ästhetik umzusetzen fest entschlossen war. Für gesellschaftliche Sublimationen und soziale Extempores war darin kein Raum.

In einem Gespräch mit Hitler über die von ihm gewünschte Produktion von *»Triumph des Willens«* (1934) redet sie ihn nach einem Hinweis in ihren »Memoiren« mit den ihre Identität bezeichnenden *»Mein«* an: »Mein Führer. Ich fürchte, ich kann diesen Film nicht machen... Die ganze Materie ist mir fremd, ich kann nicht einmal die SA von der SS unterscheiden.«[73] Wie hätte »die Materie« ihr denn noch fremd sein kön-

nen, nachdem sie bereits ein Jahr zuvor einen einstündigen Parteitagsfilm, *»Sieg des Glaubens«* (1933), gemacht hatte und sich in der »Materie« extrem gut ausgekannt haben muß, wie ihr in allen Zeitungskritiken lobend bescheinigt wurde. Sie wußte auch bereits in *»Sieg des Glaubens«* sehr genau die 9000 Fahnenträger der SA und SS zu sortieren: Sie hat Röhms SA und Himmlers SS durch je besondere Kapitel gewürdigt und der mit Stahlhelm im Paradeschritt auftrumpfenden schwarzen Leibstandarte Adolf Hitlers noch durch extravagante Schnitte zu einer auch filmischen Paraderolle verholfen. Gerade in den geometrischen Formen der Marschkolonnen und Fahnenquader wußte Leni Riefenstahl das in den Gleichschritt die Gehorsamsleistung einordnende Prinzip in mitreißenden dynamischen Bildern sinnfällig zu vermitteln. »Der Gleichschritt erwies sich als eines der wirksamsten Werkzeuge der Massensuggestion; er zwang Tausende zu den gleichen Bewegungen und Rhythmen.«[74] Mit ihren beiden Parteitagsfilmen hat Leni Riefenstahl den im Mittelalter (1647) ersonnenen Nürnberger Trichter neu erfunden, um noch dem Dümmsten Hitlers Ideen einzutrichtern. (Eine ausführliche Würdigung beider Riefenstahl-Filme findet der Leser in Band II der Reihe »Propaganda im NS-Film«.)
Der dritte große Riefenstahlfilm sollte zu Hitlers Ansehen in der Welt beitragen, wofür die Olympiade 1936 eine willkommene Gelegenheit bot – ein Jahr nach Hitlers Nürnberger Gesetzen galt es sein ramponiertes Image aufzubessern. Der erst zwei Jahre später fertiggestellte Film »Olympia« (1938) besteht aus zwei Teilen: »Fest der Völker« und »Fest der Schönheit«. Wie schon in den beiden Parteitagsfilmen, so wird auch in diesem 225minütigen Olympia-Opus der *theoretische* Schönheitsbegriff der Leni Riefenstahl nicht präsent.
Die im Dritten Reich entstandenen und jeweils als Vorprogramm zum Spielfilm zwangsverordneten Dokumentarfilme sind Legion. Sie lassen sich thematisch in ein grobes Schema fassen: Führermythos; Deutschtum; Brauchtum; Blut und Boden; Erntedank; Deutscher Wald; Volksgesundheit; Sport; Kunst, Kultur und »Kraft durch Freude«; Reichsparteitage; Erfolge der Partei; die verschiedenen NS-Organisationen; Hitlerjugend; Hitlers Mädel; vormilitärische Ausbildung; Rüstung; der deutsche Soldat in Frieden, Manöver, Krieg; Volk ohne Raum; Weltfeinde; Volksfeinde; Antisemitismus; Erbkrankheiten; Euthanasie; späte Siege über Versailles; Hitlers Feldzüge; NS-Totenkult.
(In den beiden Folgebänden zu diesem Buch werden über 150 Dokumentarfilme der Produktionszeit ab 1930 bis Mai 1945 analysiert, und zwar in einer Art und Weise, die es ermöglichen soll, zugleich die Entwicklung des Nationalsozialismus bis zu seinem Ende zu demonstrieren.)
Eifrige Handlanger des Nationalsozialismus, haben bekannte Regisseure dem Dokumentarfilm ihr korrumpierbares Talent geliehen – außer Leni

Riefenstahl: Hans Bertram (*Feuertaufe*, 1940), Eduard von Borsody (*Früh übt sich*, 1936), Hans Cürlis (*Arbeitsdienst*, 1933, *Arno Breker*, 1944), Arnold Fanck (*Josef Thorak*, 1943, *Atlantikwall*, 1944), Wolf Hart (*Rüstungsarbeiter*, 1943), Carl Junghans (*Jugend der Welt*, 1936, *Jahre der Entscheidung*, 1939), Svend Noldan (*Deutsche Arbeitsstätten*, 1940, *Sieg im Westen*, 1941), Curt Oertel (*Die steinernen Wunder von Naumburg*, 1933, *Grabmal des unbekannten Soldaten*, 1935), Hans Steinhoff (*Gestern und heute*, 1938), Karl Ritter (*Im Kampf gegen den Weltfeind*, 1939), Walter Ruttmann (*Altgermanische Bauernkultur*, 1939, *Deutsche Panzer*, 1941), Alfred Weidemann (*Soldaten von morgen*, 1941, *Hände hoch*, 1942), Eugen York (*Danzig*, 1939). Gustav Ucicky mußte für *»Wort und Tat«* (1938) seinen Namen hergeben, ohne daran mitgewirkt zu haben. Piel Jutzi, die humanistische Ästhetik des proletarischen Films opfernd, fotografiert Jürgen von Altens Militärklamotte *»Gewehr über«* (1939), und G. W. Pabst kehrt aus der amerikanischen Emigration zurück, um ohne Not tendenziöse NS-Stoffe à la *»Paracelsus«* (1943) usw. zu drehen. Karl Ritter, der schon 1933 den Steinhoff-Film *»Hitlerjunge Quex«* (1933) produziert hatte, galt als der konsequenteste unter den eilfertigen Protagonisten des Propagandafilms mit hohem Anspruch. Darunter waren so infame Hetzfilme wie *»Verräter«* (1936) oder *»GPU«* (1942), aber auch maßlos kriegsverherrlichende Heldenstücke wie *»Unternehmen Michael«* (1937), *»Stukas«* (1941) oder *»Besatzung Dora«* (1943). Hans Bertram knüpft in dem Spielfilm *»Kampfgeschwader Lützow«* (1941) an seinen Dokumentarfilm *»Feuertaufe«* (1940) und damit an die ätherischen Helden im Cockpit an, deren einer noch schnell den kostbaren Bomber heil auf der Piste abstellt, bevor er, die Stirn vom Tode umflort, seine unsterbliche Seele aushaucht, denn »noch der Sterbende beweist, welcher Geist in der Luftwaffe lebendig ist«. Im Kriege wird der Tod durch den faschistischen Film funktionalisiert. Im Produktionsjahr von Bertrams *»Kampfgeschwader Lützow«* kommentiert Reichsfilmintendant Fritz Hippler die Heldentode im deutschen Film als nachahmenswert mit Worten von Lessing, wonach der Tod den »Zustand der Ruhe und Unempfindlichkeit« ausdrücke, also ein nicht besonders besorgniserregender, eher tröstlicher Zustand. Mit seinen eigenen Worten definiert Hippler den Tod als schwerelosen Zustand, sofern er denn Sinn machte: »Dichtende und darstellende Kunst aber, die nicht den Zustand, sondern den Vorgang des Todes gestalten können, werden ihn in einen großen Sinnzusammenhang einbeziehen, der ihn aus der sinnlos-tristen Sphäre der Natur in die Welt der Werte und Ideale emporträgt, d. h. der Vorgang des Todes selbst wird hier unwesentlich (das ist nur Sache eines ärztlichen Protokolls), seine Einbettung in das ganze Geschehen, das ihm vorhergeht oder folgt, aus dem heraus es notwendig oder in bezug auf das es fruchtbar wird, das allein ist hier wesentlich.«[75]

Die permanente Präsenz des Todes zeigt sich in immerwiederkehrenden Einblendungen sakraler Momente wie Glocken, Kriegerdenkmäler, Märtyrerbilder und spezifische Nazi-Altäre wie dem Führerbild als allgegenwärtige Ikone oder Hakenkreuzfahnen als sichtbarer Weihrauch. Die sphärischen Klänge und pseudoreligiösen Choräle sorgen für musikalische Überhöhungen. Hölderlin im Kriegstornister, huldigt der Dichter dem todesmutigen Soldaten in unromantischer Zeit mit romantischen Versen.

Die reale Todesangst transzendiert der Poet ins Metaphysische. Was Hitler für seinen deutschen Freiheitskampf braucht, sind »Kriegserziehungsfilme«. Sie sollen den Krieg als ein Mittel erklären, die höchsten Mannestugenden zu entfalten, denn »der Krieg ist der Vater aller Dinge«, so überschrieb der Ufa-Kulturfilm-Experte Nicholas Kaufmann seinen Aufsatz über »Das Kulturfilmschaffen der Ufa«.[76] »Kriegserziehungsfilm und Kulturfilm stehen unter dem Totalitätsanspruch des deutschen Freiheitskampfes... die allgemeinverständliche Erklärung zahlreicher Maßnahmen zum Schutz unseres Volkslebens und vor allem der vorbildlichen und sorgsamen Betreuung unserer Wehrmacht stellen diesen Filmen eine große Fülle von Aufgaben. Gerade die staatspolitischen und parteipolitischen Themen haben während der letzten Jahre in wachsendem Ausmaß von dem Kulturfilm Besitz ergriffen.«[77] Typische Beispiele dieser Kategorie sind nicht nur Großfilme wie *»Feuertaufe«* (1940) oder *»Sieg im Westen«* (1941), sondern auch kurze Streifen wie *»Unter der Kriegsflagge«* (1934), *»Unsere Infanterie«* (1940), *»Balkanfeldzug«* (1941), *»Die Funker mit dem Edelweiß«* (1942), *»Junker der Waffen-SS«* (1943), *»Front am Himmel«* (1944), *»Endkampf um Berlin«* (1945).

Zur Bewertung des Regimes wären alle jene Filme nicht minder wichtig, die unter der Nazi-Diktatur *nicht* gedreht werden durften, obgleich die erwähnten Könner sie sicher meisterhaft realisiert hätten. Aber wie es keine Sezessionen von der NS-Kunst gegeben hat, konnten auch keine Filme gegen das Regime produziert werden. Denn »dazu gehört Mut und Tapferkeit«, schreibt Eisenstein 1934 an Goebbels; »Denn trotz aller honigsüßen Weisen Ihrer Reden halten Sie Ihre Kunst und Kultur in den gleichen eisernen Ketten wie die übrigen Tausende Eingekerkerter in Ihren Hunderten Konzentrationslagern.«[78]

»Ich wußte politisch nicht, was wichtig ist. Ich fragte nur danach, wo ist das beste Material, wo sind Steigerungen möglich. Ich habe mich darauf konzentriert, nur die Bilder und Bewegungen ineinanderzuschneiden.«

(Leni Riefenstahl)

f. Leni Riefenstahls »Olympia«-Film

Leni Riefenstahls theoretischer Schönheitsbegriff bleibt diffus, während ihr visualisiertes Ideal vom Schönen sich mühelos aus ihren bewegten Bildern deduzieren läßt. Dabei gilt es allerdings zu unterscheiden zwischen dem als Quersumme porträtierten Ideal des neuen Menschen und dem Menschen als Summe einer Idee, wie sie die Riefenstahl in Formationen und Kolonnen und deren am liebsten geometrischen Bewegungen in Szene setzt. Riefenstahls Maßstäbe für die Inszenierung des Schönen und Erhabenen suchen im Klassizismus ihre Urbilder, als noch Symmetrie, natürliche Proportionen und Harmonie den Kanon des Kunstschönen konstituierten; sie schmückt, was sie aus den Vorbildern gebrauchen wollte, mit Elementen der Kraft sowie mit dynamischen Fermenten zum schönen Schein. Sie hat die Schönheit der Massen zu ihrem Programm gemacht, nicht der statischen, sondern der ornamenthaft in Bewegung versetzten; sofern sie Braunhemden und Hakenkreuzfahnen tragen, nimmt sie ihnen das Odium des Bedrohlichen. Sie hat sogar die Geometrie der anonymen Marschkolonnen und Menschenquader sinnlich faßbar und für den Rezipienten als ästhetische Qualität erfahrbar gemacht.

Für das Naturschöne hingegen entlehnt die Riefenstahl ihre Vor-Urteile dem platonischen Schönheitsbegriff, wonach das Ideal-Schöne als Urbild alles irdisch Schönen zu begreifen war. Wenn Schönheit bei den Griechen als ein komplexes Sein gedacht wurde, als Verleiblichung des mythologisch Göttlichen, so präparierte sie mit Hilfe des Objektivs daraus ihre Auswahlkriterien für jene Art von Schönheit, die mit den geschönten Idealen der Bewegung in Einklang zu bringen war.

Das antike griechische Schönheitsideal vom Menschen (Venus von Milo, Diskuswerfer des Myron) war seit der Renaissance Grundlage jeder idealistischen Ästhetik. Für das deutsche Kulturbewußtsein war Kants Definition des Kunstschönen besonders folgenreich geworden: Das Schöne als die sinnliche Erscheinungsform der Idee.

Mit untrüglichem Instinkt für das Wirkungsvolle in der Kunst hat die Riefenstahl ihr eine gehörige Portion Naturgefühl beigemengt, um die Emotionalisierung im Betrachter zu gewährleisten. Er sollte sich so mit den Ideen leichter identifizieren können, wie sie die schönen, sprich: die reinrassigen Menschen dann auch von der Leinwand als exemplarisch ins Parkett transportiert haben.

In *»Olympia«* (1936/38) läßt die Riefenstahl ihre Kameraobjektive in Schönheit schwelgen: Die Linse klebt förmlich an der Schönheit athletischer Figuren und Glieder mit ihren Muskelreliefs. Sie bevorzugt Sequenzen der ästhetisch bildschönen Bewegung, ob im Sprung, beim Lauf, beim Diskuswurf; ja, noch im Sturz sollte der Körper schön sein. Zur natürlichen Eleganz des pfeilgeraden Kopfsprungs vom Zehnmeterturm fügte ihr Schönheitsfanatismus noch die kunstvolle fotografische Note hinzu. Aber auch in den scharf umrissenen Porträts der äußersten Konzentration beim Start, beim Schießen, beim Kugelstoßen unterschlägt die zur Glätte fotogenisierte angespannte Physis die tatsächliche psychische Anstrengung. Ja, manchen Champion auf dem Rasen oder auf der Aschenbahn degradieren die auf äußerste Schönheit erpichten Kameras zum Plagiat der Natur, zur blanken Kopie des Kreatürlichen. Ihre Verabsolutierung des Schönen führt zur Ästhetisierung von Vorgängen, die so ihrer Realität beraubt werden. Das Evangelium der Schönheit, das Leni Riefenstahl hier optisch herunterbetet, kann den formvollendeten jungen stählernen Körper auch deshalb mühelos zum Titelhelden küren, weil das weniger schöne Alte, Gebrechliche zum Wettbewerb sowohl auf der Aschenbahn als auch im Film gar nicht erst zugelassen wurde.
Indem Leni Riefenstahl alle aus ihrer subjektiven Optik als häßlich befundenen Erscheinungsformen des Lebens ausspart, indem sie also immerhin die große Mehrheit aller menschlichen Natur ausdrücklich verschweigt, betrügt sie damit um das Bild der Wirklichkeit. Die Lüge wird weginszeniert. Die unwillkommene Wirklichkeit bleibt extra muros, das grüne Oval des Stadions wurde für die Jugend reserviert; Schönheit exklusiv! Die Abermillionen Menschen, die dieses Huldigungsgemälde mit seiner Optimismus strotzenden Gefühlslage im Ausland sahen, bekamen ein idealisiertes, sympathisches, friedfertiges Deutschland mit einem entspannt lächelnden Führer vorgesetzt – ein wahres Meisterstück der Mimikry. Immerhin gab es zu dieser Zeit schon die Nürnberger Gesetze, die ersten Konzentrationslager in Dachau und Sachsenhausen quälten seit 1933 grausam die Gegner des Regimes; mit dem Einsatz der Legion Condor im Spanischen Bürgerkrieg durch einen Hitlererlaß einen Tag nach Eröffnung der Spiele wurde die Kriegsrüstung in Gang gesetzt. In einer während der Spiele verfaßten geheimen Denkschrift verordnete Hitler für die folgenden vier Jahre, daß sich die deutsche Industrie auf die Erprobung der Kriegswirtschaft umzustellen und die Reichswehr den Angriffskrieg im Osten vorzubereiten habe. Der Film inszeniert in dem edlen Wettstreit der Nationen ein grandioses Täuschungsmanöver – an den Kiosken war während der Spiele das Hetzblatt *Der Stürmer* ebenso aus dem Verkehr gezogen wie alle Schilder von der Art »Juden raus«.
Als Schwierigkeit, bei der L. R. ihren Widersacher Goebbels zu überlisten hatte, blieb die heikle Aufgabe, eine wenigstens ungefähre Entspre-

chung zwischen dem offiziellen Schönheitsideal der NS-Kunstpolitik und ihren optischen Erträgen herzustellen, die in der Zielgeraden oder auf den Siegerpodesten das proklamierte nordische Ideal oft genug konterkarierten: NS-Rassen-Verdikte waren angesichts von diesem *»Fest der Völker«*, so der Titel von Teil I des Olympia-Films, hier jedenfalls nicht durchzuhalten. Daß auch Neger, Asiaten und andere »nicht-arische« Völker im Sinne von klassischen Ebenmaßen exemplarisch *schöne* Menschen ins Rennen schickten, diese Binsenweisheit konnte und wollte L. R. wohl auch nicht unterschlagen. So hat sie, was für ihr Körperideal zu verwenden war, schlicht vereinnahmt. Im Klartext der Propaganda sollte der *»Olympia«*-Film eine »Hymne (sein) auf die Kraft und Schönheit des Menschen, eine Sichtbarmachung des gesunden Geistes im gesunden Körper an den *auserlesenen* (!) Erscheinungen der Jugend der Welt«.[79]

g. Meisterwerke von Außenseitern des NS-Films

Der Kameramann von Leni Riefenstahls Prolog zum *»Olympia«*-Film ist als Regisseur Außenseiter geblieben: Willy Zielke hat außer dem Kurzfilm *»Arbeitslos«* (1932) über das Schicksal von Erwerbslosen nur einen Film gemacht, für den er erst nach dem Kriege bekannt werden sollte. Vom Phänomen der Maschine fasziniert, verwandelt er sein Skript zu einem bestellten Reichsbahn-Jubelfilm in eine geglückte Synthese aus Dokumentar- und Spielfilm-Elementen, deren Nahtstellen er durch experimentelle Übergänge amalgamiert. Als roter Faden in seinem 45-Minuten-Film *»Das Stahltier«* (1935) fungiert ein idealistischer Ingenieur, der in den Frühstückspausen seinen Kollegen je nachdem amüsante oder dramatische Episoden aus der hundertjährigen Geschichte der Eisenbahn erzählt, die Zielke in formal brillante Bilder übersetzt und die teilweise an berühmte Forscher erinnern, wie James Watt, Francais Cugnot oder Stevenson. Der Film ist ein dynamisch geschnittener Hymnus auf die Maschine als Metapher des Fortschritts und eine Verherrlichung der Technik: Der Versuch, deren Nutzen für die Entwicklung der Menschheit sichtbar zu machen, bleibt aber trotz teilweise expressionistischen Sprühfeuers unterbelichtet. Die Dominanz des Formalen war wohl auch einer der Gründe für sein Aufführungsverbot im Dritten Reich.
Curt Oertel heißt der andere hochbegabte Außenseiter des Dokumentarfilms, der nicht bereit war, um den Preis des frühen Ruhms auf die Naziästhetik sich einschwören zu lassen. 1932 hatte seine Kamera dem Dokumentarfilm *»Die steinernen Wunder von Naumburg«* zum Erfolg verholfen, nachdem Oertel G. W. Pabst 1925 für *»Die freudlose Gasse«* und 1926 für *»Geheimnisse einer Seele«*, dem ersten deutschen psychoanalytischen Spielfilm, als ingeniöser Lichtregisseur sein visuelles Talent geliehen hatte und damit international bekannt wurde. In dem monumentalen

Werkporträt einer Koproduktion von Tobis und der schweizerischen Pandora unter dem Titel *»Michelangelo«* (1940) hat Curt Oertel Leben und Werk des »Titanen« (1475–1564) anhand von dessen Skulpturen (Grabmäler der Medici) und Bauten (Peterskirche), Malereien und Zeichnungen zu einem historischen Szenarium genial verknüpft. Durch eine Figuren, Objekte und Landschaft verlebendigende Dramaturgie von Licht und Schatten hat er ein Meisterwerk geschaffen, das wegen seiner eigenwilligen formalen Qualität im Dritten Reich auf offizielle Zurückhaltung stieß und das die Presse dementsprechend herunterzuspielen genötigt wurde.
Internationale Anerkennung wurde dem Film erst 1950 zuteil, als ihm unter dem englischen Verleihtitel *»The Titan: The Story of Michelangelo«* in Hollywood der Oscar verliehen wurde.
Zielkes und Oertels Arbeiten waren diametrale Gegenstücke zu den propagandatriefenden Dokumentarfilmen, die sich nicht nur mit Hitlers Hakenkreuzfahnen zur Nazikunst aufpäppelten, sondern die Fahne auch noch im Titel sich freudig tummeln ließen wie *»Unter der schwarzen Sturmfahne«* (1933), *»Unsere Fahne ist die Treue«* (1935), *»Unter der Fahne der Jugend«* (1935), *»Fäuste an dem Fahnenschaft«* (1935), *»Wir tragen die Fahne gen Süden«* (1939) usw.

> »Uns mußte sich der Mikrokosmos der Montage als das Bild einer Einheit darstellen, die sich unter dem inneren Druck der Widersprüche spaltet, um sich wieder zu einer neuen qualitativ höheren Einheit auf neuer Ebene zu verbinden«
>
> *(Sergej Eisenstein)*[80]

3. Kompilationsfilm

Der Kompilationsfilm setzt sich mit seiner artifiziellen Struktur und seinen ästhetischen Regelverstößen über die üblichen Gattungsschranken hinweg. Die Dramaturgie dieses parasitären Genres kombiniert Material, das bereits in anderen Filmen verwendet worden ist und das in einen anderen als den ursprünglichen thematischen und stilistischen Zusammenhang gestellt wird. Die zum Zweck einer bestimmten Didaktik in ein anderes Sinngeflecht eingebundenen disparaten Teile und heterogenen Zutaten werden ihrem ursprünglichen ästhetischen Kontext und Wirklichkeitsgehalt entfremdet oder sie erscheinen gar als diametral entgegengesetzt aufgrund einer tendenzverändernden Montage. Sie sind realistisch erscheinende Partikel in einer nachkonstruierten Film-Wirklichkeit und entfalten ihre Wirksamkeit erst in komplementärer Funktion oder in entsprechend ästhetischer Kombination.

Der Wirklichkeitsgehalt verändert sich bereits durch die Eliminierung des bisherigen Kontextes. Die alten »Wahrheiten« fallen durch das Sieb der neuen Ideologie. Das Gemisch aus vielen rudimentären Realitäten bringt eine neue, ganz andere filmische Wirklichkeit hervor, die bei den Nazis vor allem auf ideologische Wirksamkeit hin konstituiert wurde. Das eklektizistische Layout eines Kompilationsfilms strukturiert nicht nur nach thematischen Vorgaben, sondern vor allem nach den ausgewählten Gattungen, die wie im Falle von Svend Noldans *»Der Weltkrieg«* Teil I (1927) und Teil II (1928) oder von *»Deutschland – mein Deutschland«* (1932/33, anonym) Verklammerungen sein können aus stummen Spielfilmteilen, stummem Wochenschaumaterial (aus dem Reichskriegsarchiv, zum Teil auch von Hugo v. Kaweczynski), Trickteilen und speziell für den Kompilationsfilm hergestellten Sequenzen im angemessenen Zeitkolorit. Sie sind synoptische Reihungen, aber nur im technischen Sinne, selten als ästhetischer Anspruch oder als substantiell modifizierte Form. Noldan hat mit seiner Retrospektive auf den *»Weltkrieg«* die Inkunabel der tricktechnisch belebten Generalstabskarte und ihre dramaturgische Verwendung zur Veranschaulichung der Logistik geschaffen. Noldans neue Technik macht vier Jahre Weltkrieg überschaubar.
Ein Beispiel dafür, wie wenig die Autoren die Materialfülle (der meist unbekannten Kameramänner) zu bewältigen, geschweige denn zu gliedern wußten, sind so erzreaktionäre Kompilationsfilme wie *»Der eiserne Hindenburg in Krieg und Frieden«* (1929) oder *»Blutendes Deutschland«* (1933), beide von Johannes Häußler. Ohne kritischen historischen Blick wurde eine Kette visueller Begebenheiten zum rein materiellen Konglomerat; aus starrer rechtspatriotischer Sicht zollen sie ihren erinnerungsseligen Tribut an die Relikte der Vergangenheit, so daß überall gleichsam des Kaisers Bart zum Vorschein kommt. Das ikonografierte Vergangene bekommt hier eine beinahe liturgische Funktion.
»Blutendes Deutschland« (1933) war damals der meistgespielte Film seines Genres. Hier wird die historische Wahrheit eklatant umgefälscht, damit die Nationalsozialisten sich als die Alleinerben heroischer preußischer Tugenden begreifen können. Geschichte als semantischer Raum, die Nazis als flinke Semantiker, unter deren Händen am Schneidetisch Geschichte zu der hier vorgeführten Gestalt gefriert. Häußlers Elaborat beschwört in drei Blöcken, was er Deutschlands nationale Erhebung nennt:
I. »Aus großer Zeit« – Von der Geburtsstunde des Reiches (sie ist hier mit dem Jahr 1871 in Versailles datiert) bis zum »Stahlgewitter des Weltkrieges«.
II. »Der Verrat an Deutschland« – mit Novemberrevolution, Spartakuskämpfen, Versailler »Schmachfrieden« und, »in Originalaufnahmen«, die Erschießung Albert Leo Schlageters.

III. »Deutschland erwacht« – beginnend mit der »Schicksalswende« am 30. Januar 1933.
Die drei genannten Titel bilden das technische und tendenzielle Grundmuster des kompilierten Propagandafilmes der kommenden Nazijahre. Die gedankliche Montage und ihre technische Realisierung am Schneidetisch komprimieren diverse visuelle Versatzstücke, Fakten, Halbwahrheiten, Lügen, gewaltsam zugeschriebene Bedeutungen, falsche oder übersteigerte Akzente, also alles, was Eisenstein die »Montage der Attraktionen« im Idealfall nannte. Ein solch durchtriebener Kompilationsfilm, der als Propagandastreifen lediglich eine aktuell gewünschte Wirklichkeit konstruiert, verzichtet mit seinen aus dem originären Kontext gerissenen Bildern auf alles das, was nicht der einen Wahrheit nützt. Die vorgetäuschte Authentizität, kompiliert aus an sich authentischem Material (etwa aus den Wochenschauen des Kriegsgegners), beruht auf ideologischer Ursurpation, die sich um Wahrheit nicht schert. Auf einer ähnlich ambivalenten Methode basiert auch die veränderte Reihenfolge im filmischen Ablauf, ferner die Ausführlichkeit, mit der je nachdem berichtet oder verschwiegen wird und die so Gewicht oder Bedeutung erhöht oder verringert.
Diese streng ideologische Verwendung des vorgegebenen Materials, das für die faschistischen Kompilationsfilme kennzeichnend ist, kann natürlich nicht allgemein für das Genre behauptet werden. Dennoch ist auffällig, wie selten es gelungen ist, ästhetisch befriedigende Kompilationsfilme zusammenzustellen. Dies hat seinen Grund darin, wie Ulrich Kurowski schreibt, daß »Filmmaterial nicht völlig umfunktioniert werden kann«.[81] Etwa einen kritischen analytischen Film über den Nationalsozialismus vorwiegend aus faschistischem Filmmaterial mit der ihm eigenen Ästhetik zu kompilieren, dürfte nur in Ausnahmefällen (etwa Michail Romms *»Der gewöhnliche Faschismus«*, 1965) gelingen. Allein mit akustischem Kommentar die Kraft der Bilder konterkarieren zu wollen, ist kaum möglich. Die durch Bilddokumente scheinbar abgesicherte Historie ist übermächtig. In Nazi-Kompilationsfilmen überlagert das Wort in der Regel die Bilder und beherrscht die filmische Tendenz. Vage Textfelder kaschieren die hier ganz wörtlich gemeinten Geschichts-Klitterungen. Das aus heterogenen Erinnerungsbruchstücken, unvereinbarem Medienmaterial und anachronistischen Chronologien bestehende Konglomerat wird zusammengehalten durch eine verbindende Idee oder Ideologie, durch die verklammernde Dramaturgie und den eine Symbiose vorgaukelnden Text. Das Sammelsurium, das Vergangenheit zurückerobern will, kann bestehen aus: Stummfilm und Tonfilm, aus 35-mm, 16-mm- und Super-8-Film, aus 16 und 24 Bildern pro Sekunde, Fotos und Faksimiles, Zeitungsausschnitten und Plakaten, Schwarzweißfilm und Farbfilm, Trickfilm und bewegten Landkarten, aggregierten Daten, Interviews und neu-

gedrehten Sequenzen. Die Verkettung all dieser Partikel und »in sich geschlossener Kürzel« (Kluge), bestenfalls den unterschiedlichsten Stilen und Tendenzen entliehene Miniaturen, werden als beliebige Bildbeweise gehandhabt und nur in den seltensten Fällen zu einem auch filmästhetisch anspruchsvollen Mosaik mit synergetischer Wirkung zusammengesetzt. Wie wesentlich der Kontext ist, in den einzelne Einstellungen oder ganze Sequenzen gestellt werden, hat als einer der ersten Sergej Eisenstein während seiner Arbeit am *»Streik«* (1924) formuliert: »Das Wesen des Films darf nicht in den Einstellungen gesucht werden, sondern vielmehr in den Wechselbeziehungen der Einstellungen ... der Ausdruckseffekt des Films ist das Ergebnis von Zusammenstellungen.«[82]

> »Die Produktion geht unentwegt mit frischen Kräften vorwärts, in dem klaren und stolzen Bewußtsein, daß der bisherige Ufa-Standard gehalten werden muß und wird, und daß in selbstverständlicher Pflichterfüllung laufend die Kulturfilme in genügender Anzahl und in althergebrachter Güte Babelsberg verlassen: naturwissenschaftliche und technische, feuilletonistische und zeitgeschichtlich wichtige, politische und unpolitische, schwarz-weiße und farbige, alle dazu bestimmt, das Leben und seine vielfältigen Erscheinungen, die Natur und ihre den Menschen immer wieder zu neuer und weiterer Ergründung reizenden geheimnisvollen Gesetze aufzudecken, die Menschen zu erfreuen und zu erbauen und ihre Kenntnisse zu vermehren zu Nutz und Frommen des deutschen Volkes und der Welt«
>
> *(Nicholas Kaufmann)*[83]

a. Von Esther Schub bis Jean-Luc Godard

Die Inkunabel des ästhetisch strukturierten Kompilationsfilms, der damals noch Chronik-Film genannt wurde, schuf die Russin Esther (Iljinitschna) Schub mit der Trilogie *»Der Sturz der Dynastie Romanow«* (1925), *»Der große Weg«* (1927) und *»Das Rußland Nikolai II. und Leo Tolstoi«* (1928). Die Montage-Assistentin von Eisensteins Debütfilm *»Streik«* hat aus alten Wochenschauen (ab 1896) und der privaten Filmsammlung des Zarenhauses in dreijähriger Arbeit ein filmisches Triptychon zusammengesetzt. In verfließenden Zeiträumen und aus strikt parteiischem Blickwinkel wird der Weg Rußlands vom Zarentum bis zum 10. Jahrestag der Oktoberrevolution nachgezeichnet. Das prononciert selektive Verfahren verallgemeinert partielle Gesichtspunkte und punktuelle Informationen. Esther Schub kontrastierte zum Beispiel Sequenzen über verelendete Bauern mit solchen über reiche Leute, die sich über das Elend (scheinbar) amüsieren. Esther Schub empfiehlt sich hier nicht unbedingt als Verfechterin der Wahrheit; das verwendete Stilmittel ist der »Kuleschow-Effekt«.

Esther Schub sagt über ihre Arbeit an diesem Projekt: »Bei der Montage suchte ich es zu vermeiden, das Filmmaterial nach seinem inneren Wert zu sichten, sondern wertete es vielmehr auf seine dokumentarische Bedeutung hin aus. Jede Einzelheit mußte diesem Prinzip untergeordnet werden.«[84]
Lew Kuleschow, für den das Medium Film eine synästhetische Kunst war, hatte im Jahr 1923 die Manipulationskraft der Filmmontage an folgendem Experiment demonstriert: Das stoisch dreinschauende Gesicht des Schauspielers Iwan Mosschuchin konfrontiert er mit Hilfe des einfachen Schnitts abwechselnd mit dem Bild einer Suppenschüssel, einer Leiche, einer entblößten Schönen. Der Zuschauer meint im Gesicht von Mosschuchin nacheinander den Ausdruck von Hunger, Furcht, Begierde zu erkennen.[85]
Ähnlich wie Kuleschow hat auch Wsewolod (Illarionowitsch) Pudowkin Anfang der 20er Jahre eindrucksvoll belegt, wie leicht die Wirklichkeit einer Einstellung durch Zuordnung zu anderen Einstellungen verändert werden kann. Pudowkin wählte drei Einstellungen aus: Zwei Einstellungen zeigen dieselbe Frau, einmal lächelnd und einmal erschrocken, und eine dritte Einstellung zeigt in Großaufnahme einen Revolver im Anschlag. Indem Pudowkin die Reihenfolge wählte: erschrockene Frau – Revolver – lächelnde Frau, vermittelt er den Eindruck einer couragierten, der Situation gewachsenen Frau. In der umgekehrten Reihenfolge suggeriert die Sequenz Panik.[86]
So kinderleicht, wollte Pudowkin demonstrieren, läßt sich durch veränderte Reihenfolge von Inhalten die jeweilige Bedeutung ins Gegenteil verkehren. Beide Versuche zeigen exemplarisch, mit welch einfachen Mitteln das Publikum zu bluffen ist, wie mühelos Manipulatoren die Montage für demagogische Machenschaften instrumentalisieren können.
Bereits sechs Jahre vor Esther Schub hatte Dziga Wertow das dialektische Grundmuster eines Kompilationsfilms entworfen: Unter dem Titel *»Die Geschichte des Bürgerkrieges«* (1921/22) wollte er weniger eine objektivierte Faktenreihe präsentieren als mit diesen Fakten eine politische Agitation. Wertow hat wahrscheinlich unbewußt Nietzsches Diktum wörtlich genommen, wonach es keine Fakten gäbe, sondern nur ihre Interpretation, eine später von Grierson erweiterte berühmte Formel (»Schöpferische Interpretation der Fakten«). Wertow interpretierte hier die sowjetische Parteilinie anhand von ausgewählten und einseitig akzentuierten Ausschnitten, die über 13 Akte hin die offizielle Doktrin nostalgisch ausbreiten.
Mit diesem Film hat Wertow das spätere Programm der Kinoki eingelöst, die ihre Werke »aus Fakten zusammenschneiden« wollten. Mit den Zwischentiteln wurde darauf verzichtet, auch nur den Anschein zu erwecken,

als sollte mit ihnen *nicht* agitiert werden, und zwar selbstverständlich gegen die Konterrevolution. Als Beispiel für die Stoßrichtung genügt der einleitende Satz des »Kinoki«-Manifestes: »Die Arbeiter- und Bauernmacht mußte, nachdem sie das verblutende Volk den Klauen des imperialistischen Krieges entrissen hatte, einen lang andauernden Kampf mit ihren Klassengegnern innerhalb des Landes führen.«
Wertow hat hier konstruktiv die später im Sowjetfilm Methode gewordene Montage-Formel geprobt, wonach das Nebeneinanderfügen zweier Fakten im Gedächtnis und im Bewußtsein des Zuschauers einen Zusammenhang dieser Fakten suggeriert. In dem Augenblick, in dem sich der Zuschauer dieses Zusammenhangs bewußt wird, »hebt Konstruktion an, beginnen ihre Gesetze zu wirken« (Viktor Schklowskij).
Wie sehr gerade die kommunistischen Funktionäre frühzeitig erkannt hatten, daß sie mit historischem Material, das durch Reproduktion die Fakten belegt, für die sie deklariert werden, Propaganda machen konnten, bestätigt der Hinweis auf den Auftraggeber des ersten deutschen Kompilationsfilms, die KPD. Für sie kompilierte Carl Junghans unter dem Titel *»Weltwende«* (1918) einen einstündigen Film aus Wochenschaumaterial, der zwar die Tendenz des russischen Vorbilds übernahm, allerdings ohne Wertows Anweisung auch nur entfernt zu erfüllen, »daß die Kamera die Welt vielfältiger unter den verschiedensten Gesichtswinkeln und vollkommener als das menschliche Auge« registrieren müsse. Junghans verrätselt hier eher die marxistische Idee, als daß er darüber aufklärt.
Wir haben für den Kompilationsfilm bis heute keine allgemeingültigen syntaktischen Schemata. Authentizität erhält er weniger durch die gezeigten Personen oder historischen Ereignisse als vielmehr durch den Kontext, in den der Film die Substrate stellt und sie wahr lügt. Nicht nur die Nazis (aber vor allem sie), auch andere Länder haben den Kompilationsfilm in den Dienst politischer Agitation gestellt und den Schneidetisch so zum Laboratorium der (subjektiven) Geschichte umfunktioniert. Auch über den Ersten Weltkrieg, den Paul Virilio den »ersten mediatisierten Krieg« nennt, wurde nur selten ein getreues Bild der Wirklichkeit vermittelt, sondern meistens ein von der Propaganda als »wahr« hingestelltes Bild – Filme also, »die das letzte und das erste verwechseln« (Nietzsche). Bilder und Texte ergeben kein ästhetisches Parallelogramm, Form und Inhalt keine Symbiose.
Die Amerikaner haben gegen Ende des Ersten Weltkriegs mit Filmen wie *»America's Answer to the Hun«* (1917) von George Crul, die Entente-Mächte mit *»Under four Flags«* (1917) und die Briten mit *»The World's greatest Story«* (1919) ihre propagandistischen Versionen von Ursache und Wirkung weltweit verbreitet und das jeweilige »Erwartungssyndrom« befriedigt. Da die jeweilige Zuordnung der aus dem Ganzen selek-

tierten Teile in eine bloß chronologische oder formale Reihung ohne dialektische Spannung reines Flitterwerk ist, stellt sich die so erzeugte Einsilbigkeit als Schwester der Langeweile dar, die Reflexionen nicht gestattet.
Jay Leyda weiß über Joris Ivens zu berichten, daß er und seine Freunde übers Wochenende häufig Wochenschaukopien aus den Vorführräumen der Kinos entliehen hatten, die »sie während der Nacht zurechtschnitten, um ihren Klassencharakter zu verdeutlichen und sie sonntags einem Arbeiterpublikum vorzuführen«. Noch am gleichen Abend wurden die Kopien in ihren alten Zustand zurückmontiert, »um sie mit ein paar freundlichen Worten am Montag zurückzugeben«. Diesem unmittelbaren Einfluß verdankt Henri Storck die Idee zu seinem ersten kurzen Kompilationsfilm *»Histoire du Soldat Inconnu«* (1932; die Tonfassung stammt aus dem Jahre 1959).
Belgiens pazifistischer Dokumentarfilm-Pionier nimmt die sich 1932 mehrenden Signale für Kriegsvorbereitungen zum Anlaß, eine Satire zu schreiben auf den von mehr als 120 Nationen unterzeichneten Briand-Kellog-Pakt des Jahres 1928, der die Absicht enthält, keinen Krieg zu führen. Das Material für die satirische Konfrontation bezieht Storck aus den diesen Pakt bejubelnden Wochenschauen des Jahres 1928, weil sie ihm geeignet schienen, die in Europa grassierenden Aufrüstungstendenzen ebenso wie die unverbesserliche Militarismusmentalität zu bedienen.
Um eine makabre Pointe als Marginalie zu Storcks Film zu referieren: Der Exhumierung eines »Soldat inconnu« mit deutlicher Geschoßfraktur der Schädeldecke folgt in der Anschlußsequenz das pompöse Zeremoniell am Mahnmal des Unbekannten Soldaten als »Flamme der Erinnerung«, sekundiert von zwei angriffslustigen Löwen aus Stein. Die in diesem Kontext keineswegs deplazierte Präsentation des »Männeken Pis« gerät als Schlußeinstellung zur Metapher dafür, was den Regierungen ein Soldatenleben wirklich wert ist. Obwohl die Zusammenhänge, in die Storck hier Repräsentanten der Bourgeoisie, der Kirche, der Armee, des Kapitalismus sowie »die schweigende Mehrheit« stellte, seine latenten Sympathien für den Marxismus erkennen lassen, bezichtigt ihn die französische Kritik später einer eher anarchistischen und surrealistischen als marxistischen Tendenz.[87]
Die Manipulierbarkeit nimmt zu mit der Distanz zu den Ereignissen, von denen das Material berichtet, weil es sich der Kontrolle der genauen Erinnerung durch das Publikum entzieht. In der Sekunde der Projektion auf die Leinwand jedenfalls ist das offerierte Geschichtsbild auf seinen Wahrheitsgehalt nicht abzuschätzen.
Ein typisches Beispiel habe ich in der Brüsseler Cinemathéque gesehen: In dem amerikanischen Kompilationsfilm *»Why we fight«* (1943) von

Frank Capra wird in den ersten Zweidritteln ausschließlich die Zeit vor Ausbruch des Zweiten Weltkriegs abgehandelt, um die im Titel angekündigte Motivation zu begründen. Die Sequenz der auf dem Reichsparteitag 1937 paradierenden Infanterie stammt aber aus Archivmaterial, das mindestens zwei Jahre später aufgenommen sein muß, weil die Soldaten bereits Kriegsdekorationen wie das »Eiserne Kreuz zweiter Klasse« tragen. Dies betrügerische Detail, das im Grunde unwesentlich ist, muß nicht auf die Täuschungsstruktur des Ganzen schließen lassen, hinterläßt jedoch beim wissenden Zuschauer ernste Zweifel an der Glaubwürdigkeit des Ganzen.
In *»Madrid '36«* (1936) ist unter dominierender Mitarbeit von Luis Buñuel aus Wochenschaumaterial und Aufnahmen der Republikaner ein antifaschistischer Film kompiliert worden, der mit symphonischen Beethoven-Klängen auch emotionale Wirkungen zu erzielen wußte.
Als eines der folgenreichsten Exempel für die Entwicklung des Genres zur analytischen Kompilationsstruktur hat Nicole Védrès' *»Paris 1900«* (1947/48) zu gelten, bei dem Alain Resnais als Assistent mitwirkte. Sie häuft nicht einfach die überlieferten Bilder auf, sondern die Autorin will nach den eigenen Worten »die äußere Hülle der gewählten Aufnahmen durchdringen und ohne besondere Betonung jenen besonderen Ausdruck bringen, der sich immer unter der Oberfläche der Abbildungen verbirgt. Dieser bärtige Herr, ein Politiker, schreitet zwar mit lächelnder und lebenssprühender Miene einher, aber man merkt dennoch seine verlogene Bösartigkeit. Nicht er zeigt sie, sondern sein Bild.«[88] Jedenfalls in jenem raffinierten Selbst-Offenbarungskontext, in den Nicole Védrès Zeitzeugen wie Monet, Renoir, Bernhardt, Carpentier und viele andere ganz ohne Kommentar präsentiert. Die pointierende Musik von Guy Bernhardt macht beides überflüssig.
Nicht nur in *»Paris 1900«* (1947/48), aber hier besonders prononciert, sondern auch in vielen anderen aus Wochenschauen zusammengeklaubten Filmen dienen die ausgestellten privilegierten Personen dazu, dem Zuschauer das bittere Gefühl zu geben, aus deren Welt ausgeschlossen zu sein. Diesen »Verlust« kompensiert der Film durch die Illusion, der Zuschauer sei als Zaungast wenigstens nachträglich Augenzeuge solch historischer Momente der Begegnung gewesen. Daß einer nur Zaungast sein dürfe, so folgert Hans Magnus Enzensberger aus ähnlichen Situationen, bestärke »den Zuschauer seinerseits in dem Glauben, hinter dem Zaun läge das Paradies. Daß die Gezeigten selbst Betrogene sind, der Prominente sein eigener Komparse, die Kaiserin ihr eigenes Mannequin – die makabre Ironie dieses parasitären Blitzlichtbetriebes durchschaut der Zuschauer nicht. Weit entfernt, an der kaiserlichen Würde zu zweifeln, die sich der Kamera preisgibt, bekleidet er mit ihr noch das Mannequin, das sie imitiert.«[89] In *»Paris 1900«* wirken die Menschen unterschiedlicher

Klassen wie divergierende Faktoren in einem gesellschaftlichen Kräfteparallelogramm.
Nicht für die Großen der Zeit, sondern für die von ihnen verursachten Folgen interessieren sich auch so bedeutende Regisseure der »Nouvelle Vague« wie Frédéric Rossif (*»Mourire à Madrid«*, 1962) und Jean-Luc Godard (*»Les Carabiniers«*, 1963). Beide haben sich im Genre des Montagefilms versucht, beide bemühen, was Habermas später einmal die »subversive Kraft der Reflexion« nennen wird. Beide verwenden übrigens dasselbe Ausgangsmaterial, mit dessen Hilfe sie die Perspektive der vom Bürgerkrieg Betroffenen zu gewinnen hofften. Mit solchen Filmen wird indirekt der Auffassung widersprochen, das Auge sei die letzte Instanz. Die letzte Instanz, das ist der Intellekt des Zuschauers. Godard meint, daß derselbe Wochenschau-Tote dem Zuschauer von *›Carabiniers‹* Unbehagen bereite, während er den Zuschauer von *›Mourir à Madrid‹* begeistere. Er bereite Unbehagen, »weil er bleibt, was er ist, unbedeutend, das heißt ohne Bedeutung, während ihm in *›Mourir à Madrid‹* eine Bedeutung beigegeben wird, die vielleicht seinem Leben entspricht...« Godard nennt das zu Recht Betrug, »auch wenn dieser mit reinen Händen begangen wird«,[90] und, möchte man hier hinzufügen, mit emotionaler Kraft und visueller Schönheit.

»...denn im Gegensatz zu früher haben wir Deutschen in diesem Krieg eine Tugend gelernt, die uns unüberwindlich macht: Das Vertrauen in die eigene Kraft.«
(Joseph Goebbels)[91]

b. Hetzfilme gegen die USA und die Sowjet-Union

Die Genese des Kompilationsfilms habe ich an einigen dafür typischen Beispielen aus der Filmgeschichte referiert, um damit zu zeigen, daß diese extrem ambivalente Gattung keine Erfindung aus Dr. Goebbels teuflischem Laboratorium ist, obwohl sie als von den Nazis erfunden erscheint. Es soll damit allerdings deutlich gemacht werden, daß die kinematografischen Geschichtsfälscher und Greuelpropagandisten des Hitlerregimes die einschlägigen Manipulationstechniken und Verführungsmechanismen im Detail studiert und alles für ihre negativen Zwecke Verwertbare sich angeeignet und psychologisch perfektioniert haben.
Musterbeispiele für demagogische Täuschung, wie sie das Propagandaministerium im hemmungslosen Gebrauch der »Kunst« der Montage betrieb, sind besonders jene Kompilationsfilme, die nach Kriegsbeginn gegen Hitlers »Weltfeinde« produziert wurden, um sie nicht nur im Reich, sondern auch in den besetzten Gebieten zu zeigen. Diese Filme sollten argumentativ rechtfertigen, warum Hitler sich gezwungen sah, gegen die

in den Filmen vorgeführten Bestien, Plutokraten, Juden usw. seinen heiligen Krieg zu führen.
Mit nicht bezeichneten Ausschnitten aus amerikanischen Spielfilmen von Ende der 30er und Anfang der 40er Jahre wird in *»Amerika sieht sich selbst«* (1942) ein tristes amerikanisches Milieu ausgebreitet. Darin wuchern Jugendkriminalität, quasi als Gegenstück zur visuell nachvollziehbaren nationalsozialistischen Weltanschauung, die dem Verbrechen bei deutschen Jugendlichen keine Chance gibt. Die Umfunktionierung von Zitaten der sozialen Physiognomie aus amerikanischen Kriminalfilmen zum szenischen Material für Goebbelssche Propagandazwecke und dessen originale deutsche Kommentierung sind dramaturgisch geschickt ineinander verschränkte Elemente. Es ist diese dialektische Textur, die den Film im Kriegsjahr 1942 so effizient machte. Aus dem ursprünglichen Kontext des Gangster-Films *»Dead End«* (»Sackgasse«, 1937) separierte Slum-Szenen offensichtlich aus East Side New York täuscht die Kompilation als authentische Dokumente amerikanischer Wirklichkeit vor. Weil William Wyler dies Milieu im Originalfilm in künstlerischer Überhöhung wirkungsästhetisch überzeugend auf der Leinwand ausbreitet, hatten diese und andere fiktionelle Trugbilder aus den USA einen höheren Realitätsgrad als das beste *deutsche* Propagandamaterial Wirklichkeit hätte nachahmen können. So geriet der Film bei aller geliehenen formalen Brillanz zum kasuistischen Exempel, zum propagandistischen Fälscherstück. Die zu einem Beziehungsgeflecht verknüpften Spielfilmszenen tendieren dazu, die Funktion der amerikanischen Selbstkritik ins Gegenteil dessen zu verkehren, wovon sie abgeleitet wurden.
1943, im Jahr des von Goebbels proklamierten »Totalen Krieges«, wird in der Karikatur, zu der verschiedene Auftritte Roosevelts für den Hetzfilm *»Herr Roosevelt plaudert«* (1943) aneinander geflickt wurden, zugleich der jüdische Weltfeind personifiziert, den es auszutilgen gilt, denn »Kriegshetzer Roosevelt hat Appetit auf die ganze Welt«. Auch hier wurde ohne Quellenangabe eine wirkungsvoll veristische Spielfilmszene eingeschnitten (aus John Fords *»The grapes of wrath«*, 1940), weil im gezinkten Kontext mit Wochenschauaufnahmen die drastisch ausgespielten kapitalistischen Methoden der Auspowerung der Landbevölkerung wie ein solider Tatsachenbericht erscheinen.
Für die Zeit des Burgfriedens mit dem bis dahin (neben den Juden) zum Weltfeind Nr. 1 erklärten Bolschewismus konnte nur Hitler selbst die Tauwetterperiode erklären, die vom Herbst 1939 bis zum Sommer 1941 dauern sollte. Die abermalige Wende kommentiert das »Schwarze Korps« seinen SS-Lesern so: »Nur ein Adolf Hitler konnte das deutsche Volk zu diesem Frontwechsel führen, und nur dem deutschen Volk konnte der Führer auch in diesem Augenblick bedingungslose Gefolgschaft zumuten. Wenn auch von einer weltanschaulichen Aussöhnung

oder gar Annäherung zwischen Nationalsozialismus und Bolschewismus nie die Rede sein konnte, so konnte dieser Eindruck bei oberflächlichen Betrachtern doch sehr leicht entstehen.«[92] Die antisowjetischen Propagandastücke lagen längst in Dr. Goebbels Schublade, um pünktlich zur Stunde von Hitlers Vertragsbruch hervorgeholt zu werden. So wird der Russe mit noch perfideren Filmen, als sie gegen die Plutokraten und gegen Wallstreet munitioniert wurden, als niedere Rasse verteufelt. Filme wie *»Das Sowjet-Paradies«* (1942) oder *»Im Wald von Katyn«* (1943) stellen nicht nur das kommunistische System an den Pranger, sondern das russische Volk insgesamt. In den Film *»Das Sowjet-Paradies«* stimmt ein aggressiver Kommentator mit dem richtungweisenden Satz ein:
»Wo früher blühende Dörfer standen, herrscht heute das graue Elend der Kolchose. Hier lebt der sowjetische Bauer als Arbeitssklave.« Und: »In 15 Zimmern müssen 80 Menschen hausen.« Den Cuttern hat es offensichtlich Spaß gemacht, aus den finstersten Beweisstücken ein Potpourri des Elends zu komponieren, um in so gewonnenen Horror-Bildern zu bezeugen, was der Kommentar verspricht: »... die verhängnisvollen Ergebnisse einer über zwanzigjährigen Bluthherrschaft einer jüdisch-bolschewistischen Terror-Clique.« Solches Elend wird codiert durch die Attribute »dreckstarrend«, »verwahrlost«, »versklavt«, »liquidiert« usw. Goebbels ließ parallel zum Film *»Das Sowjet-Paradies«* eine gleichlautende Ausstellung organisieren, in der ein aus Juden und Bolschewiken gezeugtes Monstrum zum Weltfeind Nr. 1 erklärt und durchs Reich auf Tournee geschickt wurde.
Welch verheerende Folgen die vom Propagandaministerium und von Rosenbergs Ostministerium in Schrifttum und Film verbreitete Gleichsetzung von Juden und Bolschewiken in aggressiven Wortverbindungen wie »jüdisch-bolschewistische Terror-Clique« usw. besonders für die russischen Juden zeitigte, dokumentiert Helmut Krausnick in seinem Buch über *Hitlers Einsatztruppen*.[93] Nach dem Überfall auf die Sowjet-Union setzten sofort Judenpogrome ein. In aller Öffentlichkeit, am hellichten Tage, wurden Juden zu Hunderten totgeschlagen. Darin wird die These widerlegt, als habe ausschließlich die gefürchtete »Gestapo auf Rädern« die Massenmorde an russischen Juden auf dem Gewissen. Vielmehr haben auch die Wehrmachtsgeneräle die tödlichen Übergriffe auf jüdische Zivilisten unter der Devise entweder gedeckt oder sogar befohlen, daß »ein Kreuzzug gegen den Bolschewismus geführt werden müsse und damit auch gegen die Juden, die man mit dem Bolschewismus mehr oder weniger gleichsetzte«.[94] In der Größenordnung eines Genocids hat der Reichskommissar für die Ukraine, Gauleiter Erich Koch, beim gnadenlosen Vollzug seiner Politik der »Eindeutschung« Hunderttausende Juden in Bialystok und in der Ukraine auf bestialische Weise liquidieren lassen. Nach Alexander und Margarete Mitscherlich hat der Besiegte in

den Augen des Siegers die Qualität als Mensch verloren, und nachdem alles Schlechte und Gefährliche auf ihn projeziert wurde, darf er ungehindert verfolgt werden: »Der Unterlegene wird zur Beute der ungehemmten Mordgier.«[95]

Der als »dokumentarischer Bildstreifen« untertitelte zweiteilige Film *»Im Wald von Katyn«* (1943) macht uns zu Zeugen verscharrter Geschichte, indem er im ganzen wörtlichen Sinn das Verbrechen von Katyn aufdeckt, als deutsche Landser im April 1943 Massengräber von 4143 polnischen Offizieren fanden, die im September 1939 beim Einmarsch der Roten Armee ermordet worden waren. Die litaneihaft wiederholten Bilder der Exhumierung (durch polnische Gefangene) werden von Interviews mit Polen begleitet, die »erschüttert vor dem Blute ehemaliger Kameraden stehen« usw.; durch diese Selbstaussagen soll wohl der haßerfüllte deutsche Kommentar »objektiviert« werden. Im zweiten Teil werden Massengräber von Ukrainern als »Zeugen der sowjetischen Blutgier« gezeigt. Ein griechisch-orthodoxer Bischof im festlichen Talar sprenkelt Weihwasser über das Totenmeer. Hier wird der Bolschewismus in der Ansicht des Kommentators als »eine Organisation der Juden zur Ausrottung der Intelligenz und der Kultur Europas und der Welt« gebrandmarkt. Die Russen werden in diesem Film nicht einfach als Feinde dargestellt, sondern als tierische Brut. Dieser Film mit seinen grauenvollen Dokumenten sollte für die Leichenberge in Hitlers Konzentrationslagern eine Entlastungsfunktion übernehmen. Heute hören wir in der Historikerdebatte ja ähnliche Töne, wenn mit der Quantifizierung von Hitlers Opfern und jenen von Stalin die Einmaligkeit des Holocaust bestritten wird, weil in ihren Dimensionen »objektiver Geschichtsforschung« statistisch gesehen 16 Millionen tote Ukrainer und Kulaken schwerer wiegen als sechs Millionen vergaste Juden.

> »Er ruft süßer den Tod
> der Tod ist ein Meister aus Deutschland
> Er ruft streicht dunkler die Geigen dann steigt ihr als Rauch in die Luft
> dann habt ihr ein Grab in den Wolken da liegt man nicht eng«
>
> *(Paul Celan)*[96]

c. *»Der ewige Jude«*

Der gelehrigste und skrupelloseste Adept unter Goebbels Filmexperten, der noch die disparatesten Filmschnipsel und antagonistischsten Thesen zum Triumph einer destruktiven Dialektik zu arrangieren wußte, der SS-Hauptsturmführer Dr. Fritz Hippler, hat den moralisch perfidesten, intellektuell hinterhältigsten und ideologisch perversesten Mischmasch zum

Film zusammengeklebt, der je produziert worden ist: *»Der ewige Jude«* (1940). Nur menschlicher Abschaum konnte ein solches Teufelswerk in die Welt setzen, das 1940 zusammen mit *»Jud Süß«* (1940) und *»Die Rothschilds«* (1940) sowie dem gleichzeitig erscheinenden Buch (*Der ewige Jude*) von Hans Dieboro die Pogromstimmung gegen die Juden denn auch bis zum Siedepunkt anheizen sollte. In diesen Filmen und weiteren Büchern[97] wurde der Massenmord sorgfältig im voraus gerechtfertigt. Die Deportationen in die Konzentrationslager im Osten folgten auf dem Fuße. So wurden nach der Premiere von *»Der ewige Jude«* (1940) im »Casino«-Lichtspielhaus zu Litzmannstadt (Lodz) Anfang Januar 1941 (die Berliner Premiere fand am 28. November 1940 statt) zweihunderttausend im dortigen Ghetto zusammengepferchte Juden liquidiert. Der Berliner *Film-Kurier* schreibt unter dem Eindruck dieser polnischen Premiere in Litzmannstadt, »an einer Stätte also, die für dieses Filmwerk gewissermaßen symbolhaft ist. Denn hier ... wurde ja ein großer Teil dieses Bildstreifens gedreht«, folgenden aggressiven Text:
Durch dies Getto »wanderte damals, noch ehe die ordnende Hand der deutschen Verwaltung eingriff und diesen Augiasstall ausmistete, die Filmkamera, um ein tatsächliches, ein unverfälschtes Bild jenes stinkenden Pfuhles zu erhalten, von dem aus das Weltjudentum seinen ständig fließenden Zustrom erhielt«. Hier habe die Kamera jene »Typen des Judentums« und jene »wüsten Gesichter« entdeckt, die das Filmwerk uns zeigt. Sie »zogen einst handelnd und schmarotzend durch die Straßen dieser Stadt;« und: »Der Film hinterließ einen sehr starken Eindruck.«[98]
Welch emotionale Ströme des Hasses der Film tatsächlich freisetzte, beschreibt die *Deutsche Allgemeine Zeitung* vom 29. November 1940 zustimmend lapidar: »Wenn der Film ausklingt... atmet der Betrachter auf. Aus tiefsten Niederungen kommt er wieder ans Licht.«[99]
Auch der gleichgeschaltete *Illustrierte Film-Kurier* stößt ins gleiche Propagandahorn: »In leuchtendem Gegensatz dazu (zu den »Ratten«) schließt der Film nach diesen furchtbaren Szenen mit Bildern deutscher Menschen und deutscher Ordnung, die den Besucher mit dem Gefühl tiefster Dankbarkeit erfüllen, diesem Volke angehören zu dürfen, dessen Führer das Judenproblem grundlegend löst.«[100] Im Januar 1942 folgt im Litzmannstädter Ufa-Theater »Casino« die Aufführung des haßerfüllten Machwerks *»Heimkehr«* (1941) von Gustav Ucicky, in dem die Rückkehr der Wolhynien-Deutschen einem Stukaangriff zu verdanken ist: »Vor dem Hintergrund der historischen Weltentscheidung führen die in diesem großen und ergreifenden Filmwerk gezeigten Schicksale volksdeutscher Männer und Frauen aus dem Spätsommer des Jahres 1939 zu dem Grund des uns aufgezwungenen Schicksalskampfes«, schreibt der »Völkische Beobachter« am 24. Oktober 1941. Die volksverhetzenden Texte in polnischer Sprache sollten die psychologische Wirkung der Demütigung haben.

Die ungeheure Schlagkraft beider Machwerke beruht auf mehreren scheinbar Authentizität vermittelnden Wirkungsfaktoren, die im Labor der Destruktion systematisch aufgebaut werden. In *»Der ewige Jude«* werden die einzelnen Argumentationsteile durch eine raffinierte, von synthetischen Kräften zusammengeschweißte Montage und einen demagogischen Kommentar so miteinander verflochten, daß sich die einzelnen Segmente in ihrer schonungslosen Tendenz gegenseitig potenzieren. Die für Hipplers Film im Ghetto, »an der Quelle allen Übels«, aufgenommenen Bilder zeigen ausschließlich solche Physiognomien, die das in Julius Streichers Hetzblatt »Der Stürmer« lancierte Vorurteil vom Untermenschen bestätigen sollen. Das heruntergekommene, schmutzstarrende Milieu, für das die Nazis die alleinige Verantwortung trugen (12 Personen mußten sich vier Wände teilen), wird als selbstverschuldeter und rassetypischer »Augiasstall« in »echten« Bildern vorgeführt. Zu diesen »Beweisstücken« zählten auch Ausschnitte aus Joseph Greens jiddischen Filmen *»Der Purimschpiler«* (Bazen, 1937) und *Yidl Mitn Fidl* (Judel Gra na skrzypcach, 1936). Die inszenierte Mimikry einer durch konturgenaue Überblendung vorgeführten »Verwandlung« mehrerer Juden, die zuerst in ihrem orthodoxen Habit und dann im Schnittanschluß in westeuropäischen Maßanzügen und nun auch ohne Bart und Peyes erscheinen, soll die jüdische Kunst der perfekten Täuschung demonstrieren. Um *den* Juden gleichwohl identifizieren zu können, mußte er als Kainszeichen einen gelben Davidstern tragen (in Polen seit dem 23. November 1939, im Reich seit dem 19. Sept. 1941).
Alle diese Szenen der Negation steigert der Film durch einen an Zynismus nicht zu übertreffenden Kommentar quasi zur Handlungsanleitung, die zahlreiche spontane Übergriffe zur Folge hatte, von den organisierten ganz zu schweigen. In diversen Zwischenschnitten werden die Teilwahrheiten nochmals geteilt, Lügen zu Wahrheiten ummontiert, also alles, »was nicht ist, wird jedoch dadurch, daß es erscheint, versprochen« (Adorno); die exterministische Tendenz wird durch »Argumente« untermauert, die in ihrer Primitivität gleichwohl überzeugend wirken, wenn zum Beispiel Juden durch die Analogie mit ekelhaften Rattenrudeln zur die zivilisierte Welt überschwemmenden Legion werden, welche die Gefahren von Pestilenz und Eiterherden heraufbeschwören. Wie zu den anderen kontrapunktischen Montagen war auch zu dieser der indoktrinierende Kommentar wichtig: »Wo Ratten auftauchen, verbreiten sie Krankheiten und tragen Vernichtung ins Land. Sie sind hinterlistig, feige und grausam und treten meist in großen Scharen auf – nicht anders als die Juden unter den Menschen.«
Den für christliche Gemüter auch unabhängig vom Kontext grausamen Szenen des Schächtens von Rindern und Schafen wird in *»Der ewige Jude«* noch dadurch ein polemischer antisemitischer Effekt beigemischt,

weil in Zwischenschnitten Gesichter jüdischer Schlachtergesellen eingeblendet werden, die ihre Profession mit offensichtlicher Wollust betreiben. Die spekulative Montagetechnik schreckt auch nicht vor der Diffamierung berühmter jüdischer Künstler zurück, die, wie Fritz Kortner oder Peter Lorre, in Filmausschnitten eingeblendet werden, in denen sie mit ihren psychopathischen Rollen als Verführer oder als Mörder persönlich identifiziert werden sollen (Fritz Langs »M« und Fedor Ozeps »Der Mörder Dimitri Karamasoff«, beide 1931). In diesem Haßgeflecht werden Emotionen auch durch einen irrational übersteigerten Nationalismus geschürt, um den Juden auch aus patriotischer Räson zum Prügelknaben zu machen; so soll gerechtfertigt werden, was Foucault als die »Brandmarkung der Opfer und die Kundgebung der strafenden Macht« beschreibt.[101]
Der nationalsozialistische Rassenwahn erreicht in *»Der ewige Jude«* seinen fürchterlichen Kulminationspunkt, dessen Datum nicht zufällig die Todesmaschine des Genocids mit dieser »dokumentarischen« Rechtfertigung in Gang setzt. Die Macht der Wörter und die Magie der Bilder munitionieren die antisemitische Waffe großen Kalibers. »Der Rassismus ist zweifellos eines der Rädchen dieser teuflischen Maschine«, sagt Albert Memmi. »Der Mensch ist das einzige Lebewesen, daß zum Zweck seiner Selbstrechtfertigung seine Artgenossen in ihrer physischen Existenz und ihrem Wesen systematisch verachtet, demütigt und vernichtet. Das geschieht zum großen Teil über die Sprache, und diese sprachliche Dimension des Rassismus ist sicherlich nicht nur abartig. Der Mensch ist ein Sprachwesen, d. h., daß er seine Erfahrungen in Bildern und Worten abbildet, mitteilt, betont und aufhebt.«[102]
Memmi sieht in der symbolischen Ebene des Rassismus ein fortwährendes Laboratorium, in dem die Vernichtung seines Opfers vorbereitet wird. Die symbolische Ebene der Legitimation des Hitlerschen Rassenfanatismus sollen Filme wie *»Der ewige Jude«* weltweit herstellen. So raffiniert arbeitende kinematografische Werkzeuge, die das Bewußtsein der Massen auf möglichst effektive Weise manipulieren, gewährleisten das massenhafte zustimmende Schweigen. Der rassistisch begründete Antisemitismus kann entstehen durch »die verallgemeinerte und verabsolutierte Wertung tatsächlicher oder fiktiver Unterschiede zum Nutzen des Anklägers und zum Schaden seines Opfers, mit der seine Privilegien oder Aggressionen gerechtfertigt werden sollen«.[103] Den Wirkstoff Antisemitismus wertet Hitler als »Zement« seiner Nationalsozialistischen Bewegung.
Die während des Krieges vom Oberkommando der Wehrmacht in Auftrag gegebenen Montagefilme *»Feldzug in Polen«* (1940) von Fritz Hippler, *»Feuertaufe«* (1940) von Hans Bertram oder *»Sieg im Westen«* (1941) von Svend Noldan und Fritz Brunel verfolgen identische Ziele. Sie unter-

scheiden sich von den meisten anderen hier als beispielhaft erwähnten Kompilationsfilmen dadurch, daß sich alles Geschehen auf dem »Felde der Ehre« abspielt; das heißt, ihr Material wurde fast ausschließlich aus deutschen Kriegswochenschauen abgeklammert, die ihrerseits aus lauter individuellen Beiträgen verschiedener Kameramänner zusammengesetzt wurden: Deren Denken und Fühlen war von nationalsozialistischem Geist durchtränkt wie ihre Filme. Die Authentizität wird noch dadurch untermauert, daß aus erbeuteten Wochenschauen eine Dialektik Freund/Feind hergestellt wird, so perfekt perfide wie in *»Sieg im Westen«*, indem deren ursprünglicher Kontext gelöscht wurde. Zum Zwecke der Beweisführung wurden feindliche »Fremdkörper« in den Szenenablauf inkorporiert.

> »Auf lange Sicht gesehen, ist die Kriegspropaganda die beste, die ausschließlich der Wahrheit dient.«
>
> *(Joseph Goebbels)*[104]

d. Deutsche Kriegsfilm-Kompilationen 1939–1945

Im strengen Sinne ist jede einzelne Wochenschau ein Kompilationsfilm. Die Bildmaterialien sind insofern aber homogener als in allen anderen Montage-Beispielen, als sie alle von dem gleichen heroischen Geist beseelt sind, eine Bombenstimmung die Filme durchpulst, aufgeheizt durch gesungene Marschlieder, und als sie ein und derselben Sache verpflichtet sind: für Hitler den Sieg zu erringen. Insofern sind alle Filme in ihrer Führervergötzung gleichermaßen entdifferenzierte Propagandaschinken. Was Paul Virilio [105] über *»Feuertaufe«* aus der Zeitschrift *Signal* zitiert, gilt praeter propter für die anderen Filme ebenso: »Bilder ohne unmittelbare dramatische Spannung, deren treffender Schnitt, der mehr oder weniger weit auseinanderliegenden Ereignisse verbindet, und deren Kommentierung den Zuschauer dem vibrierenden Rhythmus des großen historischen Ereignisses aussetzen soll.«

Der gleiche Zweck wie bei *»Feldzug in Polen«* (1940) heiligt die Mittel auch bei *»Feuertaufe«* (1940), Hans Bertrams »Film vom Einsatz der deutschen Luftwaffe in Polen« (so der Untertitel). Er bringt seinen Dokumentarbericht erst einige Monate später in die Kinos als Hippler. Der während der Aufnahmen schwer verwundete Bertram, der ein Auge verliert, ist wie die meisten freiwilligen Kameramänner im fliegenden Einsatz dem Rausch des Fliegens verfallen. Die Männer sind außer an der Kamera alle auch am Maschinengewehr ausgebildet worden und wissen je nach Situation das eine mit dem anderen zu vertauschen. Aufgrund ihrer Ausbildung als Bordschützen sind »unsere Kriegsberichter als vollgültige Soldaten« zu würdigen, referiert Major Carl Cranz, der Chef der ersten Luftwaffen-

Propaganda-Kompanie, die ihre einschlägigen Erfahrungen erst kurz zuvor bei Manövern in antizipierenden Topographien wie Westpreußen und Pommern sowie beim Einmarsch ins Sudetenland gesammelt hatte.[106] Ohne es vielleicht zu wissen, realisieren sie nach ihrer Feuertaufe über Weichsel und Warthe das Programm des »bewaffneten Kamera-Auges«, freilich in völlig anderem Sinne als Wertow seinen Begriff verstand.
Paul Virilio sieht den modernen Krieg des 20. Jahrhunderts nicht mehr primär als Krieg der Waffen, sondern als Wahrnehmungskrieg. Die Schlachten werden nur sekundär auf den Schlachtfeldern entschieden; die eigentliche Auseinandersetzung findet in den Kommandozentralen als Planspiel statt. Die Wirkhaftigkeit solcher Szenarien ist dabei abhängig von der millimetergenauen Erfassung der gegnerischen Stellungen – es ist die Wahrnehmung, die über Sieg und Niederlage, über Tod und Leben entscheidet.
Weit verbreitet waren im Zweiten Weltkrieg kombinierte Schuß- und Sehmaschinen, auf MGs montierte Kameras, die interferierend schossen. Wer seine Waffe betätigt, setzt automatisch die damit gekoppelte Kamera in Gang; ja, »für den Krieger geht die Funktion des Auges auf in der Funktion der Waffe« (Paul Virilio); der Krieg hat den Kamera-Artisten »die militärische Technologie in Aktion als höchstes Privileg der Kunst dargestellt«.[107] Für viele Flieger ist der Krieg von oben bald wie ihn der französische Dichter Antoine de Saint-Exupéry in seinem Roman *Flug nach Arras* beschreibt: »nur noch ein Experiment in einem Laboratorium«.[108] Der die Maschine zum Symbol des Geistes hatte hochstilisieren wollen, Saint-Exupéry, kehrt im Juli 1944 von einem »Feindflug« nicht zurück. So adelt ein dichtender Heros sein Werk mit dem Tod.
Bertram berichtet vorwiegend aus der Vogelperspektive und auch ideologisch abgehoben über den 18tägigen Blitzkrieg gegen eine weit unterlegene, völlig unvorbereitete polnische Armee. In einer kinematografisch illustrierten Präambel wird England als Hauptkriegstreiber ausgemacht, das Polen zu den Pogromen gegen Volksdeutsche angestiftet habe: »Die westeuropäische Plutokratie – Freimaurer und Juden – haben dem Nationalsozialismus Urfehde angesagt.« Und die Antwort des Film darauf »Wie ein Schwert am Himmel steht unsere Luftwaffe startklar.«[109]
Hitlers Antwort ist bekannt: »Von jetzt ab wird Bombe mit Bombe vergolten«, das Inferno war damit programmiert: Görings beide Luftflotten zerstören systematisch alle polnischen Flughäfen, Eisenbahnlinien, Verkehrswege, Häfen, Stützpunkte, Städte, um »Aufmarsch, Nachschub und Rückzug des Gegners zu vereiteln«. Mit der immer rasanteren Geschwindigkeit der Bomberpiloten verändert sich nicht nur die Himmelsperspektive ständig, sondern auch der Aufnahmewinkel. Dadurch wirken die Mauern der Ruinen gespenstisch wie isometrische Projektionen. Als der Film die erschütternden Luftaufnahmen von zerstörten polni-

schen Städten in genüßlichen Panoramafahrten vorführt, höhnt der Kommentar, daß, wer so die »Waffenwirkung aus der Luft in ihrem ganzen Ausmaß feststellt, die Größe der Schuld erkennt, die England auf sich lud«.[110]

> »Wir flogen zur Weichsel und Warthe,
> Wir flogen ins polnische Land!
> Wir trafen es schwer, das feindliche Heer,
> mit Blitzen und Bomben und Brand!«
> (Wilhelm Stoeppler, 1939)

Hermann Görings bramarbarsierende Rachegespinste sollen den Film verbal krönen: »Was die deutsche Luftwaffe in Polen versprochen hat, wird sie in England und Frankreich halten... Wir werden Herrn Chamberlain beweisen, daß es keine Inseln mehr gibt. Jedes Fliegerherz schlägt höher, wenn der Startbefehl ergeht: Wir fliegen gegen Engelland.« Konsequent optimistisch singen sich die Bombenflieger mit analoger Kriegslyrik in die Schlußapotheose:

> »Wir stellen den britischen Löwen
> Zum letzten entscheidenden Schlag!
> Wir halten Gericht. Ein Weltreich zerbricht.
> Das war unser stolzester Tag!
>
> Kamerad! Kamerad! Alle Mädels müssen warten.
> Kamerad! Kamerad! Der Befehl ist da, wir starten!
> Kamerad! Kamerad! Die Losung ist bekannt:
> Ran an den Feind! Ran an den Feind! Bomben auf Engelland!
> Hört ihr die Motoren singen: ran an den Feind!
> Hört ihr's in den Ohren klingen: ran an den Feind!
> Bomben! Bomben! Bomben auf Engelland!«
> (Worte: Wilhelm Stoeppler, Musik: Norbert Schultze)

Das Publikum vor der Leinwand wird durch den Sog der Kampfszenen und die dadurch vermittelte Gewißheit, daß alles Feindpotential vernichtet wird, als sympathisierende Masse einbezogen, die in ihren Söhnen, Brüdern, Vätern in Polen mitgesiegt hat. Auch die schmissige populäre Marschmusik, die viele wie das »Bomben auf Engelland«-Lied mitgesungen oder doch mitgesummt haben, hat die Menschen damals mitgerissen und emotional vereinnahmt. Es ist diese starke Emotionalisierung zum Siege hin und dieser Massenbezug im Volke, die für die nationalsozialistische Filmkunst entscheidende Faktoren der Propaganda waren.
Passagen mit aufheulenden Stukamotoren haben Jerzy Bossak und Waclaw Kažmierczák in ihrem Montagefilm *»September 1939«* (1961) eingebaut, dazu das vom Pilotenchor lustig geschmetterte... »Denn wir fliegen

gegen Polenland« (das am Ende des Films prognostisch in »gegen Engelland« umgemünzt wurde) ... mit Bomben und Blitzen und Brand«. Dann spulen sie jene schneidende Originalstimme des Sprechers ab, die Tod und Verderben über Polen herbeikommandiert. »Mit dieser Passage kann man sehr viel über den Geist des Faschismus sagen« (Bossak). Damals noch auf der Folie traumatischer Erinnerungen an den Nazi-Terror, haben Bossak und Každmierczák eine mehr leidenschaftlich historisierende als nüchtern argumentierende einstündige Retrospektive aus dem spärlichem Material kompiliert, das sie zur Verfügung hatten. Aus diesem Grund haben sie Vorkriegswochenschauen und Verherrlichungsfilme über Görings Luftwaffe unorganisch einmontiert, so daß eine mechanische Reihung ohne qualitativen Sprung entsteht und allein der Kommentar die Absicht ausdrückt; aber »der Schnitt macht es uns unmöglich, mit ihnen zu fühlen und zu denken. Wenn eine Szene ungewöhnlich lang hinausgezogen ist, dann nicht etwa, um Spannung oder Nachdenken zu erzeugen, sondern einzig und allein deshalb, weil die betreffende Montage eben gerade so lang war.«[111] Die dümpelnde Schnittfolge verursacht eine unorganische Struktur, die dem Zuschauer keinen Raum für Assoziationen offenhält.

Zum erstenmal im deutschen Spielfilm wurden in Eduard von Borsodys *»Wunschkonzert«* (1940) originale Dokumentaraufnahmen in die Handlung eingeblendet. Diese authentischen Stücke aus Riefenstahls Olympia-Film und aus Kriegswochenschauen sind dramaturgisch so perfekt in den Geschehensablauf verwoben, daß sie auch die Personen des Spiels glaubwürdig erscheinen lassen, so etwa im Berliner Olympiastadion, wo Inge (Ilse Werner) und der schneidige Fliegerleutnant Herbert Koch (Carl Raddatz) einander fürs Leben begegnen. »Da kommt Deutschland« begeistert sich Inge, als die weißgedreßte deutsche Olympiamannschaft in die Ziel-Gerade schwenkt. Der Führer, suggeriert der Schnitt, sieht die gleiche Szene wie die beiden. So wie der Film mit der Olympiaglocke aufblendet, leitet das olympische Feuer zum zweiten Teil des Films über, der im Kriege spielt, der wiederum mit einem weiteren symbolträchtigen Requisit abblendet, mit der siegverheißenden Hakenkreuzfahne *in cumolo*.

Im zweiten Teil wirkt auch der inzwischen mit dem Spanien-Kreuz dekorierte Fliegeroffizier vor dem Hintergrund originaler Kriegsbilder so, als sei er geradewegs aus dem heißumkämpften feindlichen Luftraum auf den heimatlichen Boden herabgeschwebt. Das Wunschkonzert des »Großdeutschen Rundfunks« selbst trägt mit den damaligen Lieblingen des Schaugewerbes zu dieser Illusion des Authentischen bei, indem es live über die Ätherwellen läuft, als ob der Film »zufälliger« Zeuge dieses nationalen Sonntagsnachmittags-Rituals sei, das mit obligaten Stimmungskanonen wie die Operettendiva Marika Röck oder dem Schmalzbariton

Wilhelm Strienz die Frontsoldaten ebenso wie die »Heimatfront« mit fröhlichem Liedgut bei Laune halten sollte.
»Wunschkonzert« ist ein Beispiel jedenfalls dafür, wie damals versucht wurde, mit dem Reizwechsel dokumentarischer Versatzsstücke die Gleichzeitigkeit des Ungleichzeitigen sowie Spiel und Realität, Front und Heimat zur optischen Einheit zu verbinden. Das totale Identischmachen des Nichtidentischen blieb mit Hilfe der verkleisternden Soße der Rührseligkeit allgemein unentdeckt. Realismus aus Realitätsverlust hat Adorno solchen Klebstoff genannt. Wie beliebt Filme dieser »volkstümlich« und »staatspolitisch« und »künstlerisch« »wertvollen« Kategorie damals waren, beweisen die Besucherzahlen für *»Wunschkonzert«* mit 26,5 Millionen bis Kriegsende.
Das stereotype Schluß-Zeremoniell eines jeden Wunschkonzertes bot mit dem Wiedererkennungseffekt die millionenfache Möglichkeit, sich gefühlsmäßig mit dem vom populären Conferencier Heinz Gödecke abgeschmeckten Sentiment zu identifizieren:

»Das Wehrmachts-Wunschkonzert geht jetzt zu Ende,
die Heimat reicht der Front nun ihre Hände,
die Front reicht ihrer Heimat nun die Hand.
Wir sagen: Gute Nacht, auf Wiederhören,
bis wir zum nächsten Male wiederkehren –
Auf Wiedersehen! sagt das Vaterland!«

»Wir leben in einer besessenen Welt... Es käme für niemanden unerwartet, wenn der Wahnsinn eines Tages plötzlich ausbräche in einer Raserei, aus der diese arme europäische Menschheit zurücksänke, stumpf und irr, indes die Motoren noch surren und die Fahnen noch flattern, der Geist aber ist entwichen.«

(J. Huizinga)[112]

e. *Alliierte Kriegsfilm-Kompilationen 1940–1945*

Michail Romms eindrucksvolle Symbiose aus ästhetischer Qualität und aufklärerischer Funktion in seinem 16 Kapitel langen Kompilationsfilm *»Der gewöhnliche Faschismus«* (Obyknovennyj fasizm, 1965) ist in seiner Wirkung bis heute unübertroffen; ja, er bezeichnet die Wende in der ausgewalzten Spur kompilierter Projektionen über den Faschismus. Romm selber ist davon überzeugt, daß seine Arbeit eine Kritik an den Filmen über den Faschismus ist, in denen die bittere Realität des Nationalsozialismus zur Kunstwirklichkeit geronnen sei, weil der kritische Ansatz in stereotype Bilder und starke Begriffe eingesperrt wurde. Gleichzeitig ist er »eine Kritik der Filme vieler anderer historischer Themen«.

»Wir haben Filme über den ›Großen Vaterländischen Krieg‹, über die Geschichte der Revolution, über verschiedene Länder... Sie sind alle gleich. Ihrem zugrunde liegenden Prinzip zufolge sind sie zutiefst unwahr, davon bin ich überzeugt. Und keiner von ihnen hat beim Zuschauer Erfolg, Erfolg haben sie nur beim Auftraggeber. Der Auftraggeber ist beispielsweise schon zufrieden, wenn alles aufgezählt und berichtet ist, während sich der Zuschauer schrecklich langweilt: ›Alles ist da und sonst nichts!‹ ... Wir schauten uns nacheinander Filme von Dokumentaristen an über den Faschismus, den Krieg und die Sowjetunion, schalteten den Ton ab und wurden auf die ungebildete, gleichförmige Bildsprache aufmerksam. Nicht die Unbildung in der Montage, dies war alles sehr sauber und gekonnt, sondern die ungebildete Sprache der Kunst. Es war nicht mehr als das, was man hierzulande ›Aufschnitt‹ nennt...«[113]

Romm zeigt nicht einfach Greuelbilder aus deutschen oder russischen Wochenschauen, um das Publikum durch Schockwirkung zu emotionalisieren. Das Ausgangsmaterial aus den Hitlerfilmen allein taugt ihm nicht für sein ehrgeiziges Verfahren, die Typologie der Schreckensherrschaft zu entwickeln; diese Filme sind nach Romms Meinung ohnehin »von unglaublicher Monotonie... In den zwei Millionen Filmmetern sahen wir kein einziges Bild vom Mann auf der Straße.«[114] Aber es ist dieser Mann auf der Straße, der Mitläufer, das manipulierte Individuum, denen sein Interesse gilt.

Warum hat er mitgemacht und weshalb bis zum bitteren Ende als gehorsames Glied in der Masse der Bewegung? Alles Material, das Romm zitiert, dient dem Zweck, die Methoden der Propaganda zu entlarven, auch die ästhetische Verwandlung ideologischer Inhalte in Motivation, deren sich die Nationalsozialisten versicherten, um das deutsche Volk für ihre finsteren Zwecke einzuspannen. Romm interessiert nicht das Tabellarische der Geschichtsschreibung. Er will hinter den Bildern das sozialtypische Moment, das Phänomen des Faschismus in seiner Totalität erfassen; er will die Motive für bedingungslose Gefolgschaft sichtbar machen. Darum entschleiert er die artifizielle Aura des Hasardeurs Hitler und enttarnt die Wirkungsmechanismen der NS-Ideologie durch Bild und Kommentar, in denen sich »die Sprache des zornigen Publizisten mit der Schärfe des Satirikers, dem Stilgefühl des Künstlers und der Weisheit des Humanisten« paart.[115]

Romm wählte seine zugleich intellektuelle und emotive Methode, um der Wahrheit der Hitlerzeit nachzuspüren und sie zu vermitteln: »Wenn wir alle zusammenarbeiten, die historischen Ereignisse nicht nur äußerlich und mit didaktischen Erklärungen darstellen, sondern versuchen, bei jeder einzelnen Erscheinung einzuhalten und nachzudenken, so werden wir früher oder später der Wahrheit nahekommen.«[116] Dieses Ziel ist aber nur zu erreichen, wenn die Grenzen des Genres über die Enge der Materialienfülle hinaus erweitert werden. Den sowjetischen Streifen *»Der Große Vaterländische Krieg«* – »Velikaja Otecesvennaja voina« – (1965) hat Roman Karmen zu einem derartigen Mammutunternehmen ausgewalzt, daß er als verantwortlicher Organisator der Kompilationsstruktur offensichtlich die Übersicht verlor. Dieser Film über die fürs Sowjet-Volk so tragischen Kriegsjahre verknüpft Episoden zu einem Konglomerat der Beliebigkeit sich ähnelnder Eindrücke. Dazu dienen Klammerteile sowohl aus Naziwochenschauen als auch aus Dokumentarfilmen, die Karmen selber als Kameramann (für Leonid Warlamows und Ilja Kopalins *»Sieg über die deutschen Armeen vor Moskau«*, 1942)* oder als Dokumentarfilmregisseur mitgestaltet hat (Leningrad im Kampf, 1942, zus. mit Jefin Utschitel). Auch bei einer Länge von 130 Minuten hätten sich gewaltsame Übergänge und Redundanzen in dieser Fülle vermeiden lassen, wenn eine professionelle Bildgrammatik Ratgeber gewesen wäre.

Karmen war immer in vorderster Front in Feindberührung. Mit den ersten Sowjet-Panzern ist er nach Berlin durchgebrochen. Aus den Dokumentarfilmen *»Leningrad im Kampf«* (1942), *»Stalingrad«* (1943) u. a. hat er außer für den *»Vaterländischen Krieg«* Szenen auch für *»Das Urteil der Völker«* – »Sud Naradov« – (1947) über den Nürnberger Kriegsverbrecher-Prozeß eingeschnitten: »Gemeinsam mit den Richtern und den Völkern fällten wir als Dokumentaristen das Urteil: Tod durch den Strang.«[116a] Karmen macht aber erst nach dem Sturz Stalins in seinen Filmen die Ansicht deutlich, daß nicht die Deutschen, sondern der »barbarische Faschismus« der Feind der Sowjets war. Im *»Vaterländischen Krieg«* war Stalin bereits entthront.

Unmittelbar nach dem Pearl Harbour-Schock (7. Dezember 1941) hat Präsident Roosevelt in einem *Presidential Letter* vom 18. XII. 1941 einen »Coordinator of Government Films« berufen, allerdings ohne Handlungsbefugnisse. So erklärt sich die Initiative des amerikanischen Kriegsministeriums, das den Colonel Frank Capra mit der Produktion einer propagandistischen Film-Offensive beauftragt, um auf die Propagandawaffen aus Dr. Goebbels kinematografischen Munitionsfabriken zu antworten. »Eine Filmserie schien am besten geeignet«, den Eintritt der USA in den Weltkrieg nicht nur zu rechtfertigen, »sondern auch als unausweichliche Reaktion auf schwere Verbrechen« darzustellen. Unter dem Titel *»Why we Fight«* sollte deshalb eine sechsteilige Serie auf »Beweise aus erster Hand, wirkliche Tatsachendarstellungen von Augenzeugen« zurückgreifen, weil vor allem sie Überzeugungskraft besäßen (Richard Griffith).[117] Das waren in erster Linie die Wochenschauen aus aller Welt.

* Dieser Film lief während des Krieges unter dem Titel *»Moscow Strikes Back«* in amerikanischen Kinos; er erhielt 1942 den Oscar für den besten Dokumentarfilm.

Die Filme wurden nicht nur den GIs gezeigt, bevor sie nach Europa eingeschifft wurden, sondern in den Lichtspielhäusern der Staaten und des Commonwealth. Für die Commonwealth-Fassung sprach Churchill selbst den Einleitungskommentar. Die Filme sollten die »Warum wir kämpfen«-Frage schlüssig beantworten, indem sie die »Freie Welt« mit der »Versklavten Welt« psychologisch versiert kontrastierten. Insgesamt sieben Folgen von durchschnittlich 60 Minuten Länge sollten der Serie nicht nur eine Chronologie und Systematik, sondern auch Dauer sichern.
Die Serie folgte mehr oder weniger Roosevelts schwammiger Proklamation aus seiner »State of the Union Speech« im Januar 1942: »Die Kernpunkte des Krieges: Wofür wir kämpfen, die Amerikanische Lebensweise; 2. Der Charakter des Feindes: seine Ideologie, seine Beweggründe, seine Methoden; 3. Die Vereinten Nationen: unsere alliierten Armeen; 4. Die Produktionsfront: Versorgung mit Nachschub für den Endsieg; 5. Die Heimatfront: die Verantwortlichkeit der Zivilen Dienste; 6. Die kämpfende Front: unsere Truppenverbände, unsere Verbündeten und Sympathisanten.«[118]
»Prelude to War« (1942), der erste Titel der *»Why we fight«*-Serie, behandelt die Jahre von Hitlers Aufstieg bis 1938; *»The Nazi Strike«* (1942) berichtet mit beißender Ironie über den Einmarsch der Wehrmacht in die Tschechoslowakei und Österreich sowie den Überfall auf Polen. *»Divide and Conquer«* (1943) dokumentiert Hitlers Krieg in Westeuropa; in *»The Battle of Britain«* (1943) stehen Dünkirchen und die Bombardierungen von London und Coventry im Mittelpunkt, und *»The Battle of Russia«* (1944) dokumentiert die Waffenbrüderschaft mit den Sowjets, für dessen Volk der Film Sympathien ausstreut: »Generäle mögen Schlachten gewinnen, aber die Menschen gewinnen Kriege.«[119] *»The Battle of China«* (1944) wurde wegen der unausgewogenen Relation zwischen »Rot«-China und Tschiang Kai-Shek für eine öffentliche Aufführung nicht freigegeben. Während der kommunistenfressenden McCarthy-Ära wurde auch *»The Battle of Russia«* aus dem Verkehr gezogen.
Als der eindringlichste unter den sieben »Whywefight«-Filmen wird in den USA *»War comes to America«* (1945) von Anatole Litvak qualifiziert. Auch wenn das Thema im Film durch demoskopische Umfragen bei »common people«, offizielle Verlautbarungen und historische Fakten in organischer Verknüpfung mit Wochenschaumaterialien und Dialogen sauber reflektiert wird, so sind die pausenlosen Einblendungen von Befragten und ihre statistische Auswertung durchs Gallup-Institut eher enervierend. Unter Einbeziehung von Wochenschaumaterial und Aufnahmen aus *»Triumph des Willens«* gelingt Litvak ein engagierter Querschnitt durch die amerikanische Geschichte der Gegenwart. Diese wird konfrontiert mit Hitlers Eroberungskriegen und Japans Luftangriffen auf Pearl Harbour, die zur Kriegserklärung führten. Der sentimentale Text

über amerikanische Landschaften und deren lyrische Verklärung im tiefen Frieden suchen das Vorbild im deutschen Kulturfilm, bevor die triviale Note durch martialische Texte abgelöst wird: »Wir werden bis zum letzten Mann kämpfen«. Der Film enthält interessante Sequenzen über faschistische Bewegungen außerhalb Hitlers Machtbereich, darunter Naziversammlungen und Wälder von Hakenkreuzfahnen in »Madison Square Garden« in New York City. Sicher wurden hier auf sorgfältige Weise die Antworten auf die übergeordnete Frage »Warum wir kämpfen« dokumentiert, indessen kam kein »dramatischer, erregender ... und äußerst überzeugender Film« dabei heraus, sondern bloß ein sehr patriotischer. »Victory of the democracies can only be complete with the *utter defeat* of the war machines of Germany and Japan«, beschließt Generalstabschef G. C. Marshall die Vorstellung. Der Film beginnt mit einer langen Fermate auf die Stars and Stripes, die über amerikanische Kinder geblendet wird, während sie mit der »Hand aufs Herz«-Geste die Nationalhymne singen.

Im ersten Teil der Serie, in *»Prelude to War«* (1943), werden mit umgekehrten Vorzeichen Kinder in Nazideutschland, Italien und Japan gezeigt, wie sie der Staat schon früh vereinnahmt: Auf einer deutschen Schultafel lesen wir in Sütterlinschrift: »Für Hitler leben wir und für ihn sterben gerne wir. Für den Führer bis zum Tod, denn er ist unser Gott«. Über japanischem Totenacker steht das Insert: »Für den Kaiser sterben heißt ewiges Leben«. Aber auch die Amerikaner stehen in ihrer Todesbereitschaft nicht abseits: »Give me Liberty or give me Death«. Frank Capra hat mit kurzen Schnitten einen dynamischen Propagandafilm montiert, für den er rücksichtslos Riefenstahlfilme, deutsche Wochenschauen und amerikanische Antinazifilme geplündert hat. Mit einem Kommentar von Walter Huston und der dramaturgisch geschickt genutzten Musik von Dimitri Tiomkin wirkt der Film wie aus einem Guß; er ist zweifellos einer der bestgemachten Propagandafilme des Zweiten Weltkriegs.

Dem gleichen Stab verdankt auch *»The Nazi Strike«* (1943) seinen Erfolg. Bismarck wird mit dem Satz »Wir werden die Welt beherrschen« als Hitlers Ahnherr eingeführt, und »Heute gehört uns Deutschland und morgen die ganze Welt« folgt als das gesungene Echo darauf. Parteitagsbilder sollen die Gefahr einer Diktatur der Geschlossenheit demonstrieren und die Psychologie von Hitlers Heerschauen entlarven, der damit »seine Feinde demoralisieren« wollte. Mit argumentativ verwendeten Ausschnitten aus Naziwochenschauen und Riefenstahl-Filmen werden alle wichtigen Ereignisse in Nazideutschland referiert, welche bis 1942 die Welt in Atem hielten. Den Verhandlungen zwischen Hitler, Daladier und Chamberlain wird ein kritischer Kommentar unterlegt, und dann sieht man die polnische Kavallerie gegen deutsche Panzer anreiten (wahrscheinlich polnische Manöverbilder). Den Nichtangriffspakt Hitler/Sta-

lin bezeichnet Capra als »den Kuß des Todes für die Polen«. Churchills staatsmännische Rede konfrontiert der Film mit Gesichtern verzweifelter Menschen neben ihren Toten. Zum Schluß das Victory-Zeichen.
»The Battle of San Pietro« erschüttert mit Bildern aus vorderster Front in den zerschossenen Bergen der italienischen Provinz Cagliari sehr viel tiefer, als Worte dies vermöchten. Hier greift nicht zu hoch, wer den Film ein *document humaine* nennt, das schon wegen seiner Aufrichtigkeit und grimmigen Authentizität alle heroisierende Nazipropaganda ad absurdum führt. John Huston schildert die Schrecken des Krieges aus der jähen Perspektive der Betroffenen; ihr grenzenloses Leid spiegeln die Gesichter unschuldiger Frauen und die angsterfüllten Kinderaugen, die in den Ruinen des heißumkämpften Ortes San Pietro den physiognomischen Kommentar liefern. Der Grad der Zerstörung und die Zahlen der Opfer stehen im krassesten Mißverhältnis zum strategischen Nutzen. Huston schreckt nicht davor zurück, den Betrachter in Blicknähe mit sterbenden Soldaten zu bringen, sie in den extremsten Momenten ihres Lebens, ihrem gewaltsamen Ende, zu zeigen. Huston bricht das große Tabu des Dokumentarfilms, Sterben zu dokumentieren. Die Kamera beurkundet den Totenschein. Weil dies in Bildern ohne eiferndes Pathos geschieht, bekommt die Szene eine humane Dimension. In der Kampfespause werden die Gefallenen in Rapssäcke gesteckt, bevor man sie fern der Heimat vergräbt. Mit der Tapferkeitsmedaille »Legion of Merit« hochdekoriert, nimmt Huston für sich in Anspruch, in einem US-Propagandafilm Zweifel am Sinn des Krieges anzumelden.
Die für die Öffentlichkeit freigegebene sträflich verstümmelte Fassung – »Hohe Offiziere im Pentagon schnitzelten am Filmmaterial herum« (Richard Griffith) – wird dröhnend als »The big picture« angekündigt, gewidmet »den amerikanischen Soldaten, die in St. Pietro kämpften und starben«. Von den Sterbenden und Toten des Originals kein einziges Bild mehr. Mit einem neuen Vorspann ausgestattet, kehrt der Film seine Hollywoodduftmarke ausdrücklich hervor: John Huston mit Cowboyhut läßt sich unter mexikanischer Sonne während einer Drehpause zu seinem Western *»The Unforgiven«* (1960) interviewen: Also mehr als 15 Jahre danach stimmt Huston in die Dokumente der Schlacht um St. Pietro ein. Er erinnert sich an eine Zeit »als das Leben dort fast aufgehört hatte zu existieren«. »Die meisten der Soldaten, die Sie auf der Leinwand sehen werden«, fährt Huston lakonisch fort, »sind tot, sind im Kampf gefallen. Alles Männer, die ihrer Fahne und der Humanität dienten. In meiner Erinnerung waren sie alle Helden. Sie schritten vorwärts, bis Tod und Wunden sie aufhielten.« Dann lüftet Huston seinen Cowboyhut und »The Battle« kann beginnen.
Bei dem stark beschnittenen Dokument handelt es sich gleichwohl um eine authentische Reportage des Kampfes im Herbst 1943 um die Orte

Lungo und St. Pietro. Beeindruckt von Hustons Statement, wird der Zuschauer die immer wieder in Großaufnahme gezeigten GI-Gesichter als vom Tode gezeichnet mit wacheren Augen betrachten als ohne dieses makabre Vorwissen. Daß die Kamera (u. a. von Jules Buck) immer mitten im Kampfgetümmel rotiert, bestätigen die oft verwackelten Bilder und diese wiederum den Kommentar: »die Erde hörte niemals auf zu zittern«. Der Film bleibt eine Weile jenem Todeskommando dicht auf den Fersen, dessen Schicksal Huston mit den nüchternen Worten kommentiert: »Not a single member... never came back alive«. In einer Feuerpause nageln Überlebende die Erkennungsmarken ihrer toten Kameraden auf Holzkreuze: »The lives lost were precious lives to their country, to their loved ones and to themselves«.
Der Vorspann zu Hustons zweitem Dokumentarfilm für das Pentagon, *»Let there be light«*, liest sich wie ein ärztliches Bulletin: »Nahezu 20 % aller Kriegsverletzungen in der amerikanischen Armee während Weltkrieg II waren neuropsychiatrischer Natur. Die besonderen Behandlungsmethoden, wie der Film sie zeigt, zum Beispiel Hypnose oder Narco-Synthese waren besonders bei akuten Fällen von Neurosen durch Kampfeinwirkungen erfolgreich. Ähnliche Erfolge sind bei solchen Neurosen, wie sie in Friedensjahren entstehen, *nicht* zu erwarten, weil diese von zumeist chronischer Natur sind. Keine der Szenen wurde gestellt. Die Kameras haben lediglich registriert, was sich in einem Armeehospital ereignete.«[120] Als unsichtbarer Zeuge der Interviews fördert das klinische Auge der Kamera exemplarisch erschütternde Dokumente von sechs außer sich geratenen Soldaten aus dem Dunkel ihres Selbst ans Licht: Sprachverlust, Erinnerungsschwund, partielle Paralysen, endlose Tränenflüsse heißen die Befunde. Hier als legitimes filmisches Enthüllungsmittel erzeugte die Indiskretion zutiefst ethische Ergebnisse. Wegen der schonungslosen psychiatrischen Befragung amerikanischer Kriegsinvaliden unterschiedlicher Intelligenz, die an den diversen Frontabschnitten im Granatenhagel einen massiven Schock erlitten, wurde der Film erst 1948 unter der Registriernummer PMF 5019 für Klinikkreise freigegeben.
Der Stabsleiter von Goebbels' Reichspropagandaleitung, Eugen Hadamovsky, der bereits 1933 als Sendeleiter des Deutschlandsenders »Sachlichkeit als eine Gefahr für schwache Charaktere« definiert hatte, beurteilt die Betreuung von Kriegsversehrten der Yankees aus der Greuel-Perspektive seines Amtes, wenn er den Feindmächten humanitäre Hilfeleistung abspricht: »Während die Kriegsversehrten in der Sowjet-Union einfach verkommen und in den westlichen Demokratien ein kümmerliches Betteldasein von den Mitleidsgroschen der Plutokraten führen müssen, hat sich das nationalsozialistische Deutschland unter Leitung hervorragender Ärzte und Psychologen darum bemüht, sogar nach allgemeinen Begriffen Schwerverletzten nicht zu einem sie selbst unbe-

friedigt lassenden Rentnerdasein zu verdammen, sondern ihnen die Möglichkeit neuer Einarbeitung in das Berufsleben... wiederzugeben.«[121]
Canadas *»World in Action«*-Serie, 1941 unter der Produktionsleitung des Briten John Grierson gestartet, ragt trotz ihrer erdrückenden Materialfülle als eine mit Ironie und Intelligenz kompilierte Darstellung des Zweiten Weltkrieges aus der Legion alliierter Propagandafilme heraus. Regisseur Stuart Legg hat allzu dick aufgetragene Meinungsmache vermieden und in kombinativen Assoziationen der Bruchstücke den Eindruck von Objektivität zu vermitteln gewußt, die den Propagandawert der Serie noch gesteigert hat. Gleichwohl handelt es sich auch bei dieser intelligent gemachten Folge primär um Erfüllungsmodelle.
Da Frankreich seit 1940 ein teilbesetztes Land war und die kinematografische Infrastruktur, wo die Deutschen sie nicht zerschlagen hatten, von ihren Statthaltern scharf kontrolliert wurde, sind während des Hitlerkrieges kaum wesentliche Filme etwa der Résistance gegen Vichy und die deutschen Okkupanten entstanden. General Charles de Gaulle hatte aus seinem Exil im Frühjahr 1942 das »Croix de Lorraine« offiziell als Fahne für die von ihm gegründete Organisation Freies Frankreich (La France Libre) erklärt. Da de Gaulle den Engländern aber als unbequemer Combattant galt und auch die Franzosen selbst, außer in den französischen Kolonien Zentralafrikas und im Pazifik, den selbsternannten Führer des »wahren Frankreich« nicht anerkannten, wurde de Gaulles »La France Libre« erst auf der Gipfelkonferenz von Casablanca mit Roosevelt, Churchill und de Gaulle im Januar 1943 sanktioniert, nachdem man sich auf die Forderung einer »bedingungslosen Kapitulation der Achsenmächte« geeinigt hatte. Von den vereinigten Gruppen des »Nationalen Widerstandsrates« ist de Gaulle aber erst im Mai 1943 zum Sprecher von »La France Libre« gewählt worden. Gleichwohl entsprach das Bild einer heroischen, gegen die Faschisten erfolgreichen Widerstandsarmee eher »den Wunschvorstellungen als der historischen Wirklichkeit«.[122]
Da de Gaulle für eine französische Gegenpropaganda mit Hilfe des Films keine den Kinematografien Roosevelts oder Churchills vergleichbaren Kapazitäten zur Verfügung standen, sind die beiden einzigen wichtigen Filme, die Frankreichs Widerstand thematisieren, von Hollywood produziert worden, genauer: unter der ästhetischen Signatur von Metro-Goldwyn-Meyer (MGM): *»Réunion in France«* (1942) und *»The Cross of Lorraine«* (1943). Nach einem Roman von Hans Habe (*A Thousand Shall Fall*, 1941) ist der Spielfilm *»The Cross of Lorraine«* von Tay Garnett teilweise in Frankreich verfilmt worden. Im Vorspann flattert die de Gaullesche Fahne »France Libre« mit dem Croix de Lorraine. Die narrative Form des Films folgt zwei Handlungssträngen, deren erste die unterschiedlichen moralischen Reaktionen und physischen Konditionen französischer Gefangener in deutschen Arbeitslagern reflektiert, der zweite

Teil beobachtet nach Frankreich geflüchtete Soldaten unter den Kämpfern der Résistance beim Dorf Cadignon, als sie sich der Armee des General Cartier anschließen.
Der Film *»Réunion in France«* von Jules Dassin geht auf zwiespältige Weise mit den Ursachen für Frankreichs schnelle Kapitulation ins Gericht und benennt die »moralischen Dilemmata« (Andrzej Szczypiorsky) der Grande Nation. Einmal bedient er sich der These, Generalität und Industrielle hätten Frankreich an die Nazis verraten, indem sie mit ihnen kollaborierten, zum anderen preist er den Aktivismus einer Résistance ausschließlich von rechts.
Der französische Dokumentarfilm *»Réseau X«* (1944) von Etienne Lallier zeigt die Organisation des »Service Secret« bei der Bergung abgeschossener alliierter Flieger, und der im Untergrund entstandene Kurzfilm *»Camera sous la Botte«* (1944) erzählt in zufälligen Bildern die Befreiung von Paris. Selbst wenn sich diese Filme auf eine andere technische und ästhetische Qualität hätten berufen können, so bestand gar keine Chance, sie einem größeren Publikum in Frankreich vorzuführen.
Es sind aber mindestens zwei Dokumentarfilme in dieser Zeit entstanden, die filmhistorischen Bestand beanspruchen: Der 1943 von Luis Daquin, Jean Grémillon, Jacques Becker, Pierre Renoir (einem Bruder von Jean) und anderen gegründeten Initiative des »Comittee de Libération du Cinema Française« gehörte auch eine Filmtechniker-Equipe an, die vom ersten Tage des Pariser Aufstands an, also ab dem 19. August 1944, unter ständiger Lebensgefahr die Befreiungsaktion begleitete. Unter dem Titel *»La Libération de Paris«* (1944) lief das Filmdokument unmittelbar nach dem Abzug der deutschen Wehrmacht aus ihren okkupierten Territorien.
Schon vor dem Krieg durch seine Arbeit mit den Brüdern Prévert und mit Jean Renoir bekannt geworden, war Jean-Paul Le Chanois einer der wenigen prominenten Regisseure Frankreichs, der sich aktiv an der Résistance beteiligt hat; mitten unter den Kämpfern in Vercors Massif der französischen Voralpen, zwischen 1942 und 1944 Zentrum des französischen Widerstands, filmte er den verdeckten und offensiven Guerillakampf der »Maquisarden« gegen die deutschen Besatzungstruppen. Dieses wichtige Dokument unter dem Titel *»Au Coeur de L'Orage«* (1945) konnte allerdings erst nach Kriegsende, 1946, gezeigt werden.

»Der Mensch, der aufgenommen wird, ist nicht mehr als Rohmaterial für die spätere, durch Montage geschaffene Komposition seiner Filmerscheinung. Die einzelne Einstellung ist nicht mehr als ein einzelnes Wort. Nur durch die bewußte künstlerische Gestaltung dieses Rohmaterials entstehen die ›Montage-Sätze‹, die einzelnen Szenen und Episoden und endlich, Schritt für Schritt, das vollendete Werk, der Film. Dieses ›Schritt für Schritt‹ darf allerdings nicht nur beschrieben, der Regisseur muß es als Instrument der Wirkung benutzen.«

(Wsewolod I. Pudowkin)[123]

f. Bekannte Namen werten das Genre auf

Unter den Autoren des Kompilationsfilms finden sich große Namen der Filmkunst und von Schriftstellern, die sich nicht als zu fein dünkten, mit Material aus fremden Filmbüchsen »essayistische« Filme zu machen, wie Hans Richter 1940 das Genre noch nannte, bevor der neue Begriff dafür geprägt wurde. Richter empfahl diese Filmform zur Veranschaulichung von »gedanklichen Vorstellungen«, um sichtbar zu machen, was »an sich nicht sichtbar ist«. Hier ließe sich, betont er, aus einem unvergleichlich größeren Reservoir von Ausdrucksmöglichkeiten schöpfen als dem reinen Dokumentarfilm verfügbar gewesen sei. Man sei an die Wiedergabe der äußeren Erscheinungen oder an eine chronologische Folge nicht gebunden, da sich ganz im Gegenteil das Anschauungsrepertoire von überall herbeiziehen lasse, um sich in Raum und Zeit frei zu bewegen.[124]

Als Beispiele für Spielfilmregisseure, die mit Kompilationsfilmen auf fremdes Terrain wechselten, mögen folgende Namen genügen: Edwin S. *Porter* (*The Life of an American Fireman*, 1910), Carl *Junghans* (*Weltwende,* 1928), Walter *Ruttmann* (*Die Melodie der Welt*, 1929), Luis *Buñuel* (*Madrid 1936*, 1937), Frank *Capra* und Anatole *Litvak* (*Why we fight*-Serie, 1943), John *Huston* (*The Battle of San Pietro*, 1944), Alexander *Dowshenko* (*Der Sieg am rechten Djnepr-Ufer*, 1945), Luchino *Visconti* (*Tage des Ruhms*, 1945), Carol *Reed* (*The true Glory*, 1945), Sergej *Jutkewitsch* (*Befreites Frankreich*, 1945), Joris *Ivens* (*Lied der Ströme*, 1954), Alain *Resnais* (*Nuit et brouillard*, 1955), Erwin *Leiser* (*Mein Kampf*, 1960), Chris *Marker* (*Description d'un combat*, 1960), Jacques *Prévert* (*Paris la belle*, 1960) Sayajit *Ray* (*Rabindranat Tagore*, 1961), Alexander *Kluge*/Peter *Schamoni* (*Brutalität in Stein*, 1961), Jerzy *Hofman* (*Vaterland oder Tod*, 1961), Frédéric *Rossif* (*Le Temps du Ghetto*, 1961), Paul *Rotha* (*Das Leben Adolf Hitlers*, 1961), Jean-Luc *Godard* (*Les Carabiniers*, 1963), Jerzy *Bossak* (*Requiem für 500000*, 1963), Jean *Aurel* (*La Bataille de France*, 1964), Lionel *Rogosin* (*Good Times, Wonderful Times*, 1965), Michail *Romm* (*Der gewöhnliche Faschismus*, 1965),

Marcel *Ophüls* (*The memory of justice*, 1975); auch bekannte Fotografen und Literaten wie Henri *Cartier-Bresson* (*Le Retour*, 1946) oder Joachim C. *Fest* (*Hitler – eine Karriere*, 1977) haben sich in diesem Film-Genre versucht.

»Die Wochenschau soll nicht mehr nur ein mehr oder minder interessantes und wahllos aneinandergereihtes Kunterbunt von Bildern aus aller Welt sein, sondern geformt werden zu einem in sich geschlossenen künstlerischen Filmganzen. Von der optischen Wirkung her soll, dem Betrachter unbewußt, kulturell und propagandistisch Erziehungs- und Aufbauarbeit geleistet werden... Wir wollen in einer künstlerisch geformten Wochenschau die Möglichkeit der staatspolitischen, weltanschaulichen und volkserzieherischen Propaganda nutzen.«

(Hans Weidemann, Vizepräsident der Reichsfilmkammer, im Juli 1935)

4. Wochenschau

a. Deutsche Wochenschauen vor dem Kriege

»Die Erregung des Rausches ist der Sinn der Propaganda!« Also sprach Adolf Hitler, zitiert von Hans Traub in seiner 1933 erschienenen Schrift »Der Film als politisches Machtmittel«! Und wie seine Vordenker Adolf Hitler und Joseph Goebbels warnt auch Traub vor der gefährlichen Vermischung von Propaganda, Unterhaltung und Kunst. Wieder führt er als Lehrmeister Hitler an: »Gewiß, ich will den Film auf der einen Seite voll und ganz als Propagandamittel ausnützen, aber so, daß jeder Besucher weiß, heute gehe ich in einen politischen Film. Genauso wie er im Sportpalast auch nicht Politik und Sport gemischt zu hören bekommt. Mir ist es zum Ekel, wenn unter dem Vorwand der Kunst Politik betrieben wird. Entweder Kunst oder Politik.« So äußerte sich der Führer in einem Gespräch mit der Schauspielerin Tony van Eyck in Berlin.
Der Sinn solcher Zurückhaltung wird klar ausgesprochen: »Man muß sich also darüber im klaren sein, daß durch den Einsatz des nicht getarnten, aktiven Propaganda-Spielfilms, der in geschlossenen und öffentlichen Sonderaufführungen zur vollen Wirkung gebracht werden kann, in den alltäglichen Filmspielplan eine grundlegende Funktion des Kinos ins Wanken gerät: die Unterhaltung. Es wird darauf ankommen, sein Augenmerk auf die Gesamtfilmproduktion und ihre Absatzfolge in den einzelnen Kinos zu richten, um im geschickten Wechsel von politischen und allgemeinen Unterhaltungsfilmen das Publikum kinofreudig und kinowillig zu erhalten.«

Die Herstellung »getarnter NS-Filme« dürfe als »ein sehr beachtenswerter Faktor in der Propaganda« nicht aus den Augen verloren werden, steht bereits in einer Denkschrift der NSDAP aus dem Jahre 1931, die von der Reichsfilmstelle herausgegeben wurde. Georg Stark hat im Mai 1931 Grundsätze für die NS-Filmpropaganda verfaßt, die im Kapitel B (Innere Propaganda) unter dem Rubrum »Getarnte Filme« (Seite 12) den hier zitierten Satz enthalten.[125]
»Kinofreudig« und »kinowillig« – das waren die Zauberworte. Denn es war Hitler, Goebbels und seinen Helfern durchaus ernst damit, soviel »unbelastete« Unterhaltung ins Kino zu bringen wie möglich. Der gezielt propagandistische Spielfilm sollte die Ausnahme bleiben; die Herstellung von guter Laune und ihre ständige Verbreitung war die stärkste Waffe.
Es versteht sich dabei von selbst, daß der kulturellen Freiheit Grenzen gesetzt waren. Eine Dissertation aus dem Jahr 1938 formuliert es mit frappierender Offenheit, und der Autor war sich des Zynismus gewiß nicht bewußt: »Eine Bevormundung des kulturellen und künstlerischen Schaffens liegt nicht im Sinne nationalsozialistischer Kulturpolitik. Der Staat verlangt nur(!) von jedem Kulturschaffenden, wie von jedem Deutschen, daß als Leitstern über all seiner Arbeit die nationalsozialistische Weltanschauung steht.«[126]
Kinofreudig und kinowillig sollte das deutsche Volk sein, denn nur dann kam es in den Genuß der vorbildlichen Propaganda. Denn, so Traub: »Das erste Gesetz aller Propaganda aber lautet, die Menschen aufnahme- und begeisterungsfähig zu erhalten.«
»Kinofreudigkeit« war also die Voraussetzung für ein Lieblingskind der Propaganda – die Wochenschau, und umgekehrt stärkte die Wochenschau das Interesse der Massen am Kino.
Zwar beteuerten die Machthaber des Dritten Reiches in der Öffentlichkeit immer wieder, daß die Wochenschau nicht als propagandistisches Mittel mißbraucht werden dürfte. Denn »man darf nicht immer trommeln ... dann gewöhnt das Publikum sich allmählich an den Trommelton und überhört ihn.«[127] Doch betrachtet man die Sorgfalt, die der Wochenschau in den folgenden Jahren gewidmet wird, so erkennt man, daß sie das wichtigste propagandistische Überzeugungsmittel der Nazis überhaupt war.
Der hier beschriebene Teilaspekt der NS-Wochenschau sollte an wenigen Beispielen exemplarisch zeigen, wie leicht mit Hilfe von an sich authentischen Filmsequenzen die Wirklichkeit verfälscht werden kann. Aber wie man inzwischen weiß, gilt diese Feststellung nicht nur für die Nazi-Wochenschau. Die im Auftrag der UNESCO durchgeführte Untersuchung über die Wochenschauen in aller Welt kommt zu dem Ergebnis, daß der Zuschauer »seine Aufmerksamkeit derart auf den raschen Bild-

ablauf konzentrieren (muß), daß jede Reaktion, die über das bloße Aufnehmen hinausgeht, ins Unbewußte abgedrängt wird. Selbst wenn der Zuschauer kritisch eingestellt ist, hat er keine Möglichkeit, die Informationen, die ihm angeboten werden, nachzuprüfen oder zu vergleichen.«
Genau das wußten auch Goebbels und seine Helfershelfer im Propagandaministerium, zum Beispiel Dr. Fritz Hippler: »Im Vergleich zu den anderen Künsten ist der Film durch seine Eigenschaft, primär auf das Optische und das Gefühlsmäßige, also Nichtintellektuelle einzuwirken, massenpsychologisch und propagandistisch von besonders eindringlicher und nachhaltiger Wirkung.«[128]
Ein kurzer Abriß soll zeigen, daß der Nationalsozialismus auch noch nach der Machtergreifung eine »Propagandabewegung« war. Als Goebbels am 13. März 1933 das neugegründete Ministerium für Volksaufklärung und Propaganda übernahm, fiel ihm damit nicht nur die Kompetenz für Presse, Rundfunk und Theater zu, sondern auch für den Film. Die Abteilung Film wies eine bemerkenswerte Kontinuität auf: Leiter der Abteilung wurde Dr. Seeger, der im Ersten Weltkrieg bis 1917 bereits als Jurist des Bild- und Filmamtes tätig gewesen war; später bewährte er sich als Leiter der Filmprüfstelle und nach dem Ersten Weltkrieg als Leiter der Film-Oberprüfstelle im Reichsministerium des Innern. Auch für das neugegründete Referat für »Filmtechnik und Filmberichterstattung« besann Goebbels sich auf bewährte Kräfte. Eberhard Fangauf, neuernannter Referent und Parteimitglied seit 1931, hatte im Ersten Weltkrieg bei der Kriegsberichterstattung und später bei der UFA an Dokumentarfilmen mitgearbeitet. Goebbels beschäftigte in seinem Ministerium 92 % altgediente Parteigenossen – »für mich gilt als Nationalsozialist immer nur der, der *vor* dem 30. Januar zu uns gekommen ist. In meinem Ministerium sitzen über 300 Parteimitglieder mit der Mitgliedsnummer unter 100000.«[129]
Fangauf hatte die Zeichen der Zeit verstanden: Unter seiner Leitung baute man schnell eine effektive aktuelle Berichterstattung auf, damit den pompösen Inszenierungen der neuen Herren auch im Bild genügend Tribut gezollt werden konnte. Die mit grüngestreiften Armbinden, mit Ausweisen und allerlei Sondervollmachten ausgestatteten »Filmberichterstatter« wurden von vielen Stellen bei der Arbeit unterstützt. So nahmen die Chefkameramänner der Wochenschauen an den Generalproben vor Mammut-Veranstaltungen teil. Ideale Arbeitsbedingungen wurden geschaffen, die Wünsche der Kameramänner weitestgehend berücksichtigt, damit das »Gedankengut« der nationalsozialistischen Reden und die werbewirksamen Aufmärsche in eindrucksvolle Bilder umgesetzt werden konnte.
Bereits am 10. 2. 1933 hatte Goebbels bei seiner Rundfunkberichterstattung über den ersten Auftritt Hitlers als Reichskanzler begeistert ausge-

rufen: »Unten vor dem Podium steht ein Heer von Fotografen, ein Heer von Filmoperateuren. Die ganze Rede des heutigen Abends soll tonfilmisch aufgenommen werden, um in den nächsten Wochen propagandistisch zur Verwendung zu kommen.«
Wie sich schon bald zeigte, wurde die »Gleichschaltung« des Films mit erschreckender Gründlichkeit und Geschwindigkeit vollzogen. So heißt es zur Wochenschauarbeit am 1. Mai 1933, dem neuen »Nationalen Feiertag der Arbeit«, in der »Licht-Bild-Bühne«... »Die Mitarbeiter der Tonfilm-Wochenschauen haben die großartige Aufgabe, die Feiern dieses Tages und den Film in Bild und Ton festzuhalten, sie für spätere Zeiten und kommende Generationen aufzubewahren, für alle diejenigen, die nicht daran teilhaben konnten, in den fünftausend Kinotheatern Deutschlands wieder sichtbar werden zu lassen...«
In diesen fünftausend Filmtheatern wurde Woche für Woche mit Wochenschauen Propaganda betrieben. Denn, wie Fritz Hippler, der spätere Leiter der Abteilung Film (seit 1939), nach dem Krieg einräumte, ging es hier »nicht um objektive Berichterstattung, um neutrale Ausgewogenheit, sondern... (um) optimistische, siegesbewußte Propaganda, dazu bestimmt, das seelische Kampfpotential des deutschen Volkes zu stärken. Dieser Linie mußten Sprecher und Sprache, mußten Texte und Begleitmusik entsprechen.«[130]
Vor 1945 tönten die NS-Propagandisten allerdings ganz anders: Mit seiner Behauptung, die reichsfeindlichen Entente-Mächte hätten ihre Wochenschauen »zu einem überaus wirksamen Instrument der geistigen Beeinflussung entwickelt«, demgegenüber »die deutschen Wochenschauen durch wahrheitsgetreue Bilder überzeugen sollten«, stellte NS-Filmpropagandist Hans-Joachim Giese den Sachverhalt auf den Kopf. Giese, Verfasser des 1940 erschienenen Buches *Die Film-Wochenschau im Dienste der Politik*, philosophiert weiter: »Auf dem weiten Weg, den das Filmband von dem Augenblick der Einstellung der Kamera bis zur Vorführung im Lichtspieltheater zurückzulegen hat, können sehr viele Ursachen zufällig eine tendenziöse Färbung der Bilder herbeiführen. Dadurch wird die Film-Wochenschau niemals ein bis ins letzte der Wirklichkeit entsprechendes Spiegelbild des Ereignisses sein.« Giese fügt ungewollt selbstbezichtigend hinzu: »Man kann sie daher auch nur bedingt als ›Dokument‹ ansprechen.«[131]
Daß bereits in den Anfängen des Nachrichtenfilms viele von der Kamera versäumte Gelegenheiten für die Kino-Wochenschauen nachgestellt worden sind, dafür liefert der geniale Georges Méliès 1902 ein Paradebeispiel, als er in seinem Filmstudio in Montreuil die Krönung von Edward VIII glaubwürdig nachinszenierte. Edward H. Amet rekonstruierte mit Minimodellen von Schiffstypen in seiner Badewanne die Vernichtung der spanischen Armada durch die Amerikaner im Seekrieg 1898.[132] Ähnlich

manipuliert Pathé wenige Jahre später eine nachgestellte Seeschlacht zum Dokument um, als er in einem kleinen Teich das Gefecht zwischen der russischen und japanischen Flotte vor Port Arthur am 10. August 1904 inszenierte.[133]

Der strammen Tendenz entspricht die enge thematische Gliederung der NS-Wochenschau. Greifen wir eine zeitlich überschaubare Produktionsphase heraus: Die Ufa-Wochenschau zeigte in der Zeit vom 1.6.1935 bis 31.5.1936 im Durchschnitt pro Ausgabe: 60 Meter Aufmärsche, 60 Meter Redner, 35 Meter Wehrmacht, 30 Meter Kämpfe in Abessinien, 30 Meter sonstiges politisches Leben. Kaum ein kostbarer Meter wird an unpolitische Themen verschwendet.[134]

Noch zwei Jahre vor Hitlers Machtergreifung beklagte Siegfried Kracauer die gegenteilige Tendenz der Wochenschau, die politische und soziale Implikate meide und statt dessen ihr Repertoire an Naturkatastrophen, Akrobatik, Kinderseligkeit und Zoogetier verschwende. »Durch die Bilder der aufgewühlten Natur, in die sie sich immer von neuem zurückziehen, wird zugleich im Zuschauer die Vorstellung erweckt, daß auch das gesellschaftliche Geschehen so unabwendbar wie irgendein Hochwasserunglück sei. Er, der fortwährend die Ausbrüche der Naturgewalten als Aktualitäten aufgetischt erhält, trägt unwillkürlich ihre Kausalgesetzlichkeit in die menschlichen Zustände hinein und verwechselt am Ende zwangsläufig die Krise des kapitalistischen Systems mit einer Erderschütterung.«[135] Die Ablenkung des Blicks von der Wirklichkeit gelingt in sogar erhöhtem Maße auch der Nazi-Wochenschau, indem sie die braune Volksgemeinschaft als das soziale Ideal mythologisiert und mit den reglementierten Massen samt ihren Fahnen Unschärfe statt Einblick in das Wesentliche produziert. Anstatt den Menschen in seiner individuellen Ausprägung, zeigt ihn uns die Goebbelssche Wochenschau als formelhaften Teil einer Gesamtkomposition. Sein Dasein ist bloß schemenhaftes Vorhandensein im Gemenge.

Zum Vergleich dürfte eine statistische Auswertung der Deulig-Ton-Woche interessieren, die den Zeitraum vom 30. Januar bis zum 11. März 1933 umfaßt, also bis ungefähr zu jenem Datum, als das Goebbelssche Propagandaministerium gegründet wurde: Wissenswertes aus aller Welt 41,8 Prozent, Sport 17,6 Prozent, Brauchtum und Mode 13,2 Prozent, militärischer Sektor 13,2 Prozent, wirtschaftliche Fragen 4,4 Prozent, Unterhaltung 2,2 Prozent und nur ganze 8,8 Prozent für die aktuelle politische Berichterstattung. In diesem Zusammenhang spannte Hugenberg seine Ton-Woche vor allem für Zwecke der »Nationalen Revolution des 30. Januar« ein, die er als Ergebnis vor allem deutschnationaler, vom Preußentum geprägter Politik ausgab, während er den Anteil der Nationalsozialisten daran herunterspielen ließ.[136]

Hitlers Entscheidung, Hugenberg Ende Juni 1933 den Stuhl vor die Kabi-

nettstür zu stellen, dürfte wohl auch dadurch noch beschleunigt worden sein, daß Hugenbergs *»Deulig-Ton-Woche« Nr. 76* am 14. Juni 1933 folgende Passagen aus einer Rede von Hitlers Vizekanzler und Rivalen Franz von Papen in Naumburg an der Saale anläßlich des Führertreffens des Stahlhelm-Studentenrings »Langemarck« hochspielte und damit den Zorn Hitlers und Goebbels' erregte: »Das Wort von dem Umbruch der Zeit unserer Tage ist auf aller Lippen. Ein Volk, das sich selbst neu erlebt, seiner Vergangenheit, seiner Werte, seiner Kraft und seiner Hoffnungen sich neu bewußt wird. Es hieße dem Erbe von Langemarck nicht gerecht zu werden, sollten wir nur die Tradition dieser Vaterlandsliebe pflegen. Gewiß ist uns das Objekt jener Liebe, dieses Deutschland, teuer und heilig. Genauso heilig sollte uns aber die sittliche Größe sein, die in der Opferstunde von Langemarck uns entgegentritt.« Mit solchen Worten versuchten die Deutschnationalen den irregeleiteten Idealismus der Langemarck-Jugend zu verklären.
Hugenbergs *»Deulig-Ton-Woche«* hatte von Mitte Mai bis Mitte Juli 1933, also bis zu dem Zeitpunkt, da die Reichsfilmkammer ihr die Eigenständigkeit nahm, strikt vermieden, Hitler auch nur ein einziges Mal abzulichten, geschweige denn, ihn zu Wort kommen zu lassen. Statt dessen erschienen Hindenburg, Hugenberg und Papen (der von Juni bis November 1932 Reichskanzler gewesen war) im Bild.[137]
1934 verfügte Goebbels über seine Reichsfilmkammer, alle im Reich tätigen Kameramänner hätten Mitglied dieser Institution zu sein, wenn sie eine Arbeitserlaubnis erhalten wollten. Damit schwor er die Kameraleute auf seinen Propagandakurs ein.
Um die Situation jener dem 30. Januar 1933 folgenden ersten Monate zu beleuchten, in der das deutsche Wahl-Volk zwischen zwei reaktionären Ideologien wählen konnte, wollen wir fünf »Deulig-Ton-Wochen« im Vergleich mit den späteren NS-Wochenschauen genauer untersuchen. Die »Deulig« war übrigens die erste Wochenschau in Deutschland, die ein Jahr vor der Machtergreifung, im Januar 1932, mit einem Klangsystem, das damals zum besten der Welt gehörte, von einer »stummen« zur »tönenden« Wochenschau geworden war.
»Deulig-Ton-Woche« Nr. 57 (Zensur: 1. Februar 1933):
Diese Wochenschau, die über den Zeitraum Ende Januar bis Anfang Februar 1933 berichtet, ist noch nicht von der NS-Propaganda beherrscht. Im Gegensatz zu den später gleichgeschalteten Wochenschauberichten überwiegt hier noch eine kosmopolitische Themenvielfalt von üblicherweise geringem Informationswert:
Ein Schiff im Dock wird demontiert – Nordsee-Inseln werden mit Hilfe der Ju-52 versorgt – Jubel-Japaner verabschieden ihre Soldaten an die Mandschurische Front – Pferderennen in Indiens zweitgrößter Stadt Kalkutta mit exklusivem Publikum – Ski-Salti-mortali in Garmisch – Interna-

tionales Reit- und Springturnier in Berlin in fridericianischen Monturen, Defilee zu Hohenfriedberger Marsch.
Erstaunlich beiläufig leitet ein Insert dann zu einem Datum über, das geschichtsträchtig werden sollte: »Der Reichspräsident ernennt das Kabinett der nationalen Sammlung«. Harmlos wie die Ankündigung wirkt auch ihr Erscheinungsbild: Zivil gekleidet, in lockerer Pose, arrangieren sich die Herren Hitler, Hugenberg, Göring, Frick, Papen, Krosigk usw. wie ein Vereinsvorstand, zum Gruppenfoto, das die eingeblendete Zeitungs-Headline als »Neues Kabinett Hitler-Papen-Hugenberg« vorstellt. Die Szene ließ den Kommentator offensichtlich verstummen. Auch Hitler selbst bekam keine Gelegenheit, das Wort zu ergreifen, wie weiland Papen sie erhielt bei dessen Ernennung zum Reichskanzler in der *»Deulig-Ton-Woche« Nr. 23* vom 9. Juni 1932. Daß neben Hitler vor allem Hugenberg und Papen Führungsrollen innehaben, läßt der Film als ausgemacht erscheinen, ebenso, daß nach Bekanntwerden von Hitlers Machtergreifung sich Tausende von SA- und SS-Männern zu einem endlosen Fackelzug durch Berlin formieren. Der auch in späteren Dokumentarfilmen eingeschnittene, historisch gewordene nächtliche Fackelzug vom 30. Januar 1933 wird mit einem »ausgewogenen« Kommentar bedacht, der kaum den Beifall von Goebbels gefunden haben dürfte: »Nach Bekanntwerden der Nachricht sammelten sich Stahlhelmer und Formationen der SA und der SS zu einem gewaltigen, Stunden währenden Fakkelzug.« Preußische Marschmusik und Deutschlandlied, aber kein Nazi-Liedgut, begleiten die Fackelträger durch Berlins Winternacht. Peter Bucher bemerkt, daß die Aufschrift »Der Stahlhelm« auf einer bei günstigem Tageslicht aufgenommenen Fahne nachträglich in die Szene der Wochenschau geklebt worden sein muß.[138] Die Frage, was Goebbels' Propagandisten aus diesem Ereignis gemacht hätten, beantwortet noch im selben Jahr Leni Riefenstahl mit ihrem exemplarischen Hitlerkultfilm *»Sieg des Glaubens«* (1933), der mit einer neuen ästhetisch kühnen Formensprache aufwartet.
»Deulig-Ton-Woche« Nr. 63 (Zensur: 15. März 1933):
Nach einer Reportage über Franklin D. Roosevelt und seine Übernahme des Präsidentenamtes der USA (am 4. März 1933) widmet sich die »Deulig-Ton-Woche«, die zu diesem Zeitpunkt noch fest in der Hand von Hugenberg war, den imposanten Aufmärschen deutschnationaler Verbände und nationalistischer Formationen in Berlin und in München, die sich beide in der kultischen Pflege der Vergangenheit trafen. Großen Raum bietet der Nachrichtenfilm noch sechs Wochen nach Hitlers Machtantritt heroischen Reminiszenzen an die rechtspopulistischen Feiern zum Volkstrauertag in Berlin und an die Heldengedenkfeier auf der Wartburg, auf der deutschnationale Prominenz eine Hymne auf die Fahne von sich gibt: »So steigt denn empor an dem Bergfried der deutschen Wartburg, Ihr

hehren Farben des Bismarck-Reiches, Du leuchtende Fahne Schwarz-weiß-rot, jedem deutschen Herzen geheiligt durch die in Deinem Dienst millionenfach gebrachten Heldenopfer! Steige auch Du empor, Du Banner, das eine machtvolle und kampfentschlossene nationale Bewegung sich zur Sturmfahne erkoren hat! Bezeuge es vor aller Welt, daß die deutsche Nation erwacht ist und daß sie, treu dem Rufe ihrer Toten, aufbricht zum Kampf um Leben, Freiheit und Ehre!«

Auch die voraufgegangene *»Deulig-Ton-Woche« Nr. 62* (Zensur: 8.3.1933) segelt im deutschnationalen Fahrwasser und huldigt den Massenauftritten des »Stahlhelm« mit mehr Sympathie als denen der Nazis... »An den Vortagen der (Reichstags-)Wahl veranstalteten SA- und SS-Formationen zahlreiche Propagandamärsche. Am Nachmittag des Wahlsonntags (5.3.1933) marschierten 26000 Stahlhelmer unter dem Jubel der Bevölkerung durch das Brandenburger Tor.« Heinrich Mann fordert angesichts solcher Formationen: »Es ist Zeit, daß hinter und neben aller Parade die wirklichen Menschen sichtbar werden. Unsere wirkliche Arbeit, wirkliche Not und die Art von Lebensgefühl sowohl die Richtung der Gemüter, die in Wahrheit vorherrscht: Alles wäre in Bildern auszudrücken. Danach schreit nicht nur die Wochenschau...«[139] Aber die Bilder dieser Wochenschauen scheren sich nicht um die Wahrheit.

Obwohl die *Emelka-Tonwoche Nr. 14* vom 1. April 1933 siebeneinhalb Minuten dem »Tag von Postsdam« dediziert, ist die Ausgabe insgesamt ein feuilletonistisches Produkt, zumal sich die Autoren nicht einmal den üblichen April-April-Nonsens (und den gleich zweimal in Episode 4 und 5) ersparen. Das Authentische wird hier nicht ganz beim Bild genommen. Die rührende Szene der im Nymphenburger Park im hohen Schnee gefütterten Rehe war durch eine vierwöchige Tauperiode längst ihrer behaupteten Aktualität beraubt.[140]

Der Potsdam-Beitrag verschweigt durch einseitige Auswahl der Bilder nicht nur den wichtigen »Rest«; auch verbal wird auf bemerkenswerte Tatsachen nicht hingewiesen, zum Beispiel, daß Hitler sich geweigert hatte, dem festlichen Gottesdienst beizuwohnen. Auch das Fernbleiben der sozialdemokratischen Reichstagsabgeordneten beim Staatsakt bleibt unerwähnt, die, nach Worten eines SPD-Abgeordneten, nicht Arzt sein wollten am Krankenbett des Kapitalismus. Wie wenig noch diese Wochenschau von Goebbels Propagandagift infiziert ist und statt dessen konservativen Geist verströmt, zeigt allein die Quantifizierung der Porträts von Hindenburg und Hitler mit 20 zu 10 Einstellungen zugunsten des Reichspräsidenten; Hitler wird in irgendwelchen randständigen Positionen abgelichtet. Auch fehlt die legendäre Momentaufnahme des symbolischen Handschlags zwischen Hindenburg und Hitler, den damals in Presse und Funk gefeierten Personifizierungen für das alte Preußentum und die junge neue Bewegung.

»Deulig-Ton-Woche« Nr. 66 (Zensur: 5.4.1933):
Zu diesem Zeitpunkt zwar noch in privater Hand, ergreift diese *»Deulig-Ton-Woche«* bereits eindeutig Partei, nachdem am 11. März 1933 das Reichsministerium für Volksaufklärung und Propaganda etabliert und folglich mit Repressalien zu rechnen war. Neben einem kurzen Blick auf Papst Pius XI., der das »Heilige Jahr« 1933 eröffnete, und neben Berichten über ein Erdbeben im fernen Japan, über die Ruder-Regatta Oxford-Cambridge und, eher beiläufig, über Berliner Ruderer, widmen sich die Reportagen vor allem den neuen Machthabern. »Töchter des Spreewaldes überbringen dem Führer ihre Ehrerbietung«, so tönt es aus dem Lautsprecher. Aus der Nazi-Perspektive wird der Boykott jüdischer Geschäfte ins rechte Bild gerückt; Plakate schreien: »Deutsche wehrt Euch! Kauft nicht bei Juden!« Kommentar: »Trotz Boykott Ruhe und Ordnung in Berlin«. Die Überblendung mit orthodox gekleideten Juden in den USA soll nationalsozialistischen Fortschritt in dieser Frage suggerieren.
In einer weiteren Sequenz wird der Deutsch-Nationalen-Volkspartei ein ausführlicher Beitrag gewidmet: Am Fuße der Bismarck-Warte in den Müggelbergen bei Berlin fordern die Deutschnationalen die anderen nationalen Verbände sowie Abordnungen der rechtslastigen Deutschen Studentenschaften ein »Zurück zu Bismarck«. In seiner Gedenkrede feiert Goebbels diese konzertierte vaterländische Aktion als »wunderbares Zeichen der nationalen Wiederbesinnung«.
Mit den grellen Tönen des Nazischlagers »Die Straße frei den braunen Bataillonen« erlaubte sich die Hugenbergsche »Ton-Woche« damals eine erste Irritation ihrer Sympathisanten. In den deutschen Wochenschauen ab Mitte der 30er Jahre machte sich vorübergehend der stilistische Einfluß des amerikanischen Nachrichten-Magazins »The March of Time« bemerkbar.
»Deulig-Ton-Woche« Nr. 279 (Zensur: 4.5.1937):
Die fünfzig »besten Jugendarbeiter Deutschlands« werden dem Führer vorgestellt. Zwischen dieser ersten Sequenz und weiteren Huldigungen an die neuen Machthaber wird Belangsloses geboten: Rassehundeschau in München, Stabhochsprung in Los Angeles (4,45 m Rekord), Hindernisreiten in Wimbledon.
»Bereits kurz nach der Machtergreifung«, verrät der Kommentator nicht ohne Stolz, wird ein Vierjahresplan präsentiert. Goebbels läßt seine Rede zum Thema mit Großfotos anreichern, eine Visualisierung dessen, was als »Leistungsschau deutscher Tüchtigkeit« annonciert wird. Der 1. Mai vermittelt Dr. Leys »Kraft durch Freude«; fröhliche Massenaufläufe im überfüllten Stadion; Reichsjugendführer Baldur von Schirach meldet seinem Führer »die größte Jugendkundgebung der Welt«. Emil Jannings erhält aus der Hand von Goebbels den Filmpreis für die Titelrolle in *»Der Herrscher«*; Friedrich Bethge erhält den Buchpreis.

Als Hitler, an die deutsche Jugend gewandt, »auf ihren Gesichtern Lebenslust« entdeckt, findet die Kamera optische Entsprechungen in den blauäugigen Gesichtern. Sein Charisma erntet optische Wirkung. Geschickt werden Zwischenschnitte von Hitler (groß) auf lachende Jugend (Halbtotale) eingeblendet. Hitlers 1.-Mai-Rede bietet außer nebulösem Irrationalismus (»Wiederauferstehen des deutschen Volkes«) nichts Besonderes. Gleichwohl werden seine Phrasen in Einklang mit den Massen gebracht, breite Zustimmung mehr aus großen Gefühlen als aus intellektueller Einsicht. Mit dem angeschnittenen Maibaum und der diagonal ins Bild genommenen Birke folgt die bedeutungsträchtige Schlußmetapher.
Die jetzt tonangebende Ufa-Wochenschau als Instrument der Partei und als Sprachrohr für Parteilichkeit zeigte Wirklichkeit nur in der Absicht, die Fakten zu interpretieren und Nazi-Ideologie zu verkünden. Objektive Bedeutung wurde in propagandistische Kommentierung verpackt. Der nationalsozialistische Publizist Hans Joachim *Giese* forderte die strikt parteiliche Funktion der Wochenschau als Ideenträger:
»Hatte sich die NSDAP während der Kampfzeit nur in geringem Umfang des Films bedienen können, so ging sie nach der Machtergreifung ganz bewußt dazu über, ihn in den Dienst einer einzigen großen Idee, der Idee des Volksstaates, zu stellen und ihm die Wesenszüge ihrer Weltanschauung aufzuprägen. Vor allem war es die Wochenschau, die vom nationalsozialistischen Staat, in klarer Erkenntnis ihrer hervorragenden Eignung als politisches Führungsmittel, zuerst ihrer eigentlichen publizistischen Aufgabe zugeführt wurde. Die unverbindliche Bildnachricht vergangener Jahre wurde durch eine in erster Linie von staatspolitischen, kulturpolitischen und volksbildenden Gesichtspunkten geleiteten Filmberichterstattung abgelöst, die, ohne daß es dem einzelnen Betrachter zum Bewußtsein kommt, wertvolle Erziehungs- und Aufbauarbeit leistet.
Die deutsche Wochenschau hat es nach der geistigen Erneuerung des Films z. T. schon in vorbildlicher Weise erreicht, in allen Schichten und Kreisen der Bevölkerung innerhalb und außerhalb der Reichsgrenzen die Erkenntnis zu vermitteln und zu vertiefen, wie lebensnotwendig und staatserhaltend die Maßnahmen der Führung sind, und welche Früchte sie in der Gegenwart und für die Zukunft tragen können.«[141]
Um allem Geschehen optimale Authentizität zu geben, beschränkte sich die Wochenschau auf konsequent realistische Ablichtung. So unglaublich es klingt, für die Nazi-Wochenschau als dem vorrangigen publizistischen Instrument wurde kaum je eine Situation arrangiert; vielmehr wurden nahezu alle Bilder der Wirklichkeit entnommen.
Manipulation der Wirklichkeit fand erst in der zweiten Phase der Gestaltung statt: Alle dem Gebot der Stunde abträglichen Teile der Wirklichkeit wurden kurzerhand ausgeklammert. Der für die Argumentation günstige

Wirklichkeitsrest wurde durch suggestive Kommentierung der beabsichtigte propagandistische Effekt verliehen, um »ein Volk für die Durchsetzung seiner Lebensansprüche mit zu befähigen und zu erziehen«, wie Goebbels formulierte.
Ein Beispiel für generalstabsmäßige Präsentierung publizistischer Wirksamkeit bot der Einmarsch deutscher Truppen in das Rheinland am 27. März 1936. Das historische Ereignis wurde als perfekte Show inszeniert: Nach Berichten von Zeitzeugen wurden am Vortag Journalisten und Fotografen ins Propagandaministerium gebeten, wo man sie stundenlang warten ließ, um sie dann mit Bussen zum Flugplatz zu schaffen und von dort nach Köln zu fliegen – ohne ein Wort der Erklärung. Ähnlich erging es Filmkameraleuten, die man mitsamt ihren Geräten nach Köln schaffte. Erst dort wurde den Berichterstattern eröffnet, daß deutsche Truppen im Anmarsch seien. Die Methode war äußerst erfolgreich: Das Ereignis wurde publizistisch lückenlos und eindrucksvoll aufbereitet.
Im selben Jahr wurde mit der Aufstellung einer »Kriegsberichterstatter- und Propagandatruppe« begonnen. Sofort erhob sich ein erbitterter Streit zwischen Wehrmacht und Propagandaministerium über Kompetenzen und über die Frage, wer im Falle eines Krieges den Oberbefehl über die Kriegsberichterstattung übernehmen solle.
Das Propagandaministerium errang einen nur befristeten Sieg. Denn als sich bei Manövern unter den zivilen Berichterstattern »totales Chaos« ausbreitete, hatte die Wehrmacht genügend Argumente zur Hand, um sich die »Kriegsberichterstattung« zu unterstellen. Das Reichskriegsministerium forderte am 3. Mai 1938 in seinen »Richtlinien für die Zusammenarbeit zwischen Wehrmacht und Reichsministerium für Volksaufklärung und Propaganda in Fragen der Kriegspropaganda« energisch eine militärische Form der Berichterstattung: durch die Propagandakompanien.
Bereits zuvor war das Tragen von Uniformen für Wochenschaumänner obligatorisch geworden. Offenbar hatten die Schwarzhemden der italienischen Berichterstatter beim Besuch Mussolinis 1937 in Berlin großen Eindruck hinterlassen. Mussolini hatte schon lange vor Hitler die Propaganda als »beste Waffe im Kampf um Interessen« empfohlen. Doch das Tragen von Braunhemden oder gar SA-Uniform konnte das Propagandaministerium gegen die Wehrmacht nicht durchsetzen. Man einigte sich schließlich auf eine »hechtblaue«, gewissermaßen »neutrale« Uniform. Diese Uniformierung soll bei Hitlers Besuch in Rom im folgenden Frühjahr großen Eindruck bei der italienischen Bevölkerung hinterlassen haben.
Wie vordergründig die Goebbelssche Wochenschau »durch die Montage der Sujets Ideenverbindungen im Beschauer« gestaltete, dafür bietet die *Ufa-Tonwoche Nr. 355* vom 23. Juni 1937 ein Paradebeispiel, für das sich Johannes Eckardt in »Der deutsche Film« 1938 begeistert: »Wenn die Wochenschau unmittelbar an eine intensive Aufnahme von Szenen aus

dem Spanischen Bürgerkrieg Bilder des deutschen Arbeitsdienstes stellt, dann ergibt sich fast für jeden Beschauer eine ideeliche Verbindung der beiden Bilderkomplexe, die formal als Bilder miteinander nichts zu tun haben. Auf diese Weise wird aber wieder das Abbild zum Sinnbild, wächst also über seine technische Voraussetzung und Vollendung hinaus in den Bereich einer ideelichen Gestaltung, einen Bereich, in dem man bereits von künstlerischer Schöpfung spricht.«[142]
Der Oktober des Jahres 1938 war ein weiterer Meilenstein für den Siegeszug der Wochenschau: Goebbels machte durch Erlaß die Vorführung von Wochenschauen den Kinos zur Pflicht und setzte durch, daß ältere Wochenschauen nicht länger für billigere Gebühren zu haben waren; damit erreichte er, daß jedes Lichtspielhaus die aktuellsten Informationen auf die Leinwand projizierte.
Im August/September 1938 fand dann erstmals ein Lehrgang statt, auf dem Offiziere über die Aufgaben der Propaganda im Kriegsfalle unterrichtet wurden. Förderung der Wehrfreudigkeit, Erhaltung der Wehrwilligkeit, Steigerung der Opferbereitschaft, Erhaltung von Ruhe und Ordnung im eigenen Volke und Tarnung der militärischen Absichten – das waren nur einige der Ziele, die man mit Hilfe der »Kriegsberichterstattung« zu erreichen hoffte.
Kriegsvorbereitungen fanden zunehmenden Niederschlag im Aufbau einer effektiven Berichterstatter-Truppe. Im Sommer und Herbst 1938 wurden zahlreiche Propagandakompanien aufgestellt, und im Winter 1938/39 unterzeichneten der Chef des Oberkommandos Wehrmacht, General Wilhelm Keitel, und Joseph Goebbels ein »Abkommen über die Durchführung der Propaganda im Krieg«. Gleich der erste Satz formuliert die Bedeutung, die der Propaganda im Konzept nationalsozialistischer Kriegsführung eingeräumt wird: »Der Propagandakrieg wird in seinen wesentlichen Punkten neben dem Waffenkrieg als gleichrangiges Kriegsmittel anerkannt.« Bis zum Sommer 1939 wurden dann auch der Marine und der Luftwaffe Propagandakompanien zugeordnet. Nicht nur das Kriegsministerium, auch das Propagandaministerium waren für den kommenden Krieg gerüstet.
Goebbels hatte sich schließlich mit der Kompromißformel zufriedengegeben, wonach in allen Fragen, »die Politik *und* Kriegsführung gemeinsam berühren und die sich auf die Gestaltung der Kriegsführung auswirken könnten«, Einvernehmen mit dem Oberkommando der Wehrmacht herbeizuführen war.
Ufa-Ton-Woche Nr. 439/1939 (Zensur: 1. Februar 1939)
Die Eingangs-Sequenz feiert den Einzug Francos in Barcelona: Fliehende »Frauen und Greise sind Opfer der bolschewistischen Schreckenszeit«, deren Ziel als »auf der Flucht nach Frankreich« angegeben wird. Wie eine Augenzeugin 1986 auf dem Symposion in der Universität Bar Jlan (Israel)

mitzuteilen wußte, flohen diese Opfer des Bürgerkrieges in Wahrheit vor den Faschisten. – Bilder von Luftschutzübungen in Paris, sieben Monate vor Kriegsbeginn, sollen die Verdunklungsübungen im Reich legitimieren. – Polizeisport mit paramilitärischem Programm im Berliner Sportpalast: Himmler bewundert gewagte Salto-Sprünge über Pferde usw. – Der Kameramann an der Olympia-Sprungschanze in Garmisch-Partenkirchen kennt offensichtlich nur deutsche oder nordische Sieger.
60% dediziert die *Wochenschau Nr. 439/1939* dem 6. Jahrestag von Hitlers Machtergreifung: Aus diesem Anlaß schmücken im Reichstag viele Hakenkreuz-Fahnen das Bild. Hitlers berühmt-berüchtigte Rede gegen die Juden dient als Signal für allgemeine Judenhetze: »Wenn es dem internationalen Finanzjudentum gelingen sollte...« usw., »dann wird das das Ende des Judentums sein«. In Hitlers apokalyptische Donnerworte stimmt Göring in seiner Eigenschaft als Reichstagspräsident willfährig ein. – Aus dem endlosen Fackelzug wird aus einer Fahne (groß) das Hakenkreuz bildfüllend herausgeblendet. Diese euphorisch gestimmte Sequenz ist zum Nachvollzug im Kino auf Mit-Erleben programmiert. Geräuschpegel der Hitler und Göring auf dem Balkon zujubelnden Massen schwillt orkanartig an. Wie mit so vielen anderen Ufa-Wochenschauen mit ihren Themenkonglomeraten teilt auch diese vor allem die Logik des Disparaten. Die Synthese der Teile ist rein technisch. Das dürftige dramaturgische Gerüst wird durch die Dominanz des Kommentars vertuscht.

> »Das Wesen der Propaganda besteht darin, Menschen für eine Idee zu gewinnen, so innerlich, so lebendig, daß sie am Ende ihr verfallen sind und nicht mehr davon loskommen.«
>
> *(Goebbels)*

b. *Zum 50. Geburtstag Adolf Hitlers in Berlin: Ufa-Tonwoche Nr. 451/1939* (Zensur: 25.4.1939)

Das Goebbels-Zitat dürfte den Herstellern des Wochenschauberichts als Leitfaden für die emotionale Dramaturgie gedient haben, um Hitlers 50. Geburtstag weltweit zu feiern. Die Konzeption des Films hat drei Hauptadressaten im Blick: die eingeschworene Klientel zu ihrer Selbstbestätigung; die noch wankelmütigen Volksgenossen, damit auch sie der großen Idee verfallen; die ausländischen Regierungen, die mit dieser militärischen Herrschau beeindruckt werden sollten. Was die Reden von Hitler und Goebbels, was die Ungeist sprühenden Texte politischer Defraudanten nicht vermitteln konnten, das hat der Propagandafilm, als Extrakt der neuen Denkart, mit präjudizierender Kraft eindrucksvoller ins Volk getragen als alle anderen Ausdrucksmittel zusammengenommen:

Den »Aufbruch volkhaften Willens« in der selektiven Darstellung des jubelnden Volkes. Die Wochenschau Nr. 451 schreibt für diese Art der Propaganda das Musterbuch.
Am 25. April 1939 mit 200 Kopien gestartet, lief die Nr. 451 bis Mitte Juni in 40 Prozent aller deutschen Kinos. Hochgerechnet bedeutet dies, daß etwa 40 Millionen Menschen an Hitlers kinomatografischer Geburtstagsfeier teilgenommen haben, also mehr als die Hälfte der damals 70 Millionen Deutschen. Die seltene Tatsache, daß die lineare Dramaturgie keine wichtige Phase im Geschehensablauf versäumte, verdankt sich dem minutiös vorbereiteten Drehplan, der mit logistischer Akribie auf den straff organisierten Veranstaltungsablauf synchronisiert war. Die Kamera-Teams belichteten über zehn Kilometer Film, wovon schließlich 546 Meter für die Schluß-Montage für würdig befunden wurden.[143] Da Hitler immer weniger als sein eigener Sympathieträger zu verkaufen war, erscheint er hier kein einziges Mal in Großaufnahme. Es wurden immer nur fotogene Passagen für die Massen-Werbung verwertet, ohne herrischen Gestus und unbeherrschte Mimik, um das zur hypnotischen Figur mühsam aufgebaute genialische Erscheinungsbild nicht zu verwässern. Hitler redet an seinem Jubeltag kein einziges Wort vor der Kamera.
Das organisatorische Vorgeplänkel für die pompöse Show beginnt am Vorabend von Hitlers Geburtstag. Zu festlichen Wagnerklängen wird die neuerstandene Berliner Siegessäule ins Bild geholt; ein langer Blick auf die Arterie des Films, auf die Ost-West-Achse im Tiergarten, erlaubt einen Vorgeschmack auf die dort als historisches Ereignis geplante große Parade. Die Tyrannei der Kulisse wird so für Sekunden entlarvt. Die Kamera zeigt bedeutungsvoll den Wechsel des Kalenderblattes vom 19. auf den 20. April 1939.
Inhalt: Den Geburtstag Hitlers feiert strahlender Sonnenschein: »Führerwetter!«. Der Spielmannszug der »Leibstandarte Adolf Hitler« darf die Gratulations-Cour eröffnen, außer diversen Nazi-Größen nur Tiso und Hácha unter den prominenten ausländischen Gratulanten; die in engelsweiß drapierten Goebbels-Kinder bleiben als dekorative Unschuld in Hitlers Nähe, auch um Kindesliebe auf ihn abzustrahlen. Der Mercedes-Konvoi schiebt sich durch die enthusiasmierte Menge der Reichshauptstadt; in Wortwahl und Tonart verhalten, überläßt der Kommentar die stimmungsmäßige Überhöhung der musikalischen Kommentierung. Nachdem Hitler unter dem Baldachin auf der Tribüne seine angemessene Position eingenommen hat, nimmt die Parade ihren Verlauf. Die »größte Heerschau des Dritten Reiches« dauert viereinhalb Stunden; vielfach gewährter Blick von hoch oben auf die Paradeallee und auf die ikonografischen Versatzstücke der Stärke, die aus dieser Perspektive wie Spielzeug wirken. Alle Waffengattungen defilieren im Paradeschritt an Hitler vorbei. Dazu Hitlers physischer Kraftakt der mal ausgestreckten,

mal angewinkelten Grußstereotypen. Auf der Ehrentribüne ausländische Militärattachés und das Diplomatische Corps als je nachdem »staunende« oder verblüffte Zeugen der Machtdemonstration. Hitler hatte seinem Außenminister von Ribbentrop folgenden Auftrag erteilt: »Zur Feier meines 50. Geburtstag bitte ich Sie, eine Reihe ausländischer Gäste einzuladen, unter ihnen möglichst viele feige Zivilisten und Demokraten, denen ich eine Parade der modernsten aller Wehrmachten vorführen werde.«[144]

Zwischen den Einstellungen immer wieder inbrünstig dem historischen Augenblick hingegebene Gesichter als affektives Moment der Begeisterung. Ihr Blick aufs Geschehen ist nicht der von Beteiligten, sondern aus der Perspektive von oben. Der Schnitt zergliedert die statischen Bilder und täuscht dynamisches Geschehen vor; die Redundanzen macht die Montage erträglicher. Zum Schlußakkord das unvermeidliche Ritual der gesenkten Fahnen zur Nationalhymne: »Deutschland, Deutschland, über alles in der Welt...« Der Inhalt diktiert hier die Form.

Kommentar-Text: »Vorbereitungen zum fünfzigsten Geburtstag des Führers / Dem Schöpfer des Großdeutschen Reiches gelten Dank und Glückwunsch der ganzen Nation / Unaufhörlich werden aus allen Gauen des Reiches und aus allen Schichten des Volkes Geschenke für den Führer in die Reichskanzlei gebracht / Aus aller Welt treffen Gäste in Berlin ein / Am Vorabend des Geburtstages übergibt der Generalbauinspekteur der Reichshauptstadt, Albert Speer, dem Führer die fertiggestellte Ost-West-Achse / Vom großen Stern grüßt die neuerstandene Siegessäule / Das Ständchen der Leibstandarte eröffnet am Geburtstagsmorgen den Reigen der Gratulanten / Der slowakische Ministerpräsident Dr. Josef Tiso, der Staatspräsident des Reichsprotektorats von Böhmen und Mähren, Emil Hacha, und Reichsprotektor Freiherr von Neurath (Neurath besteigt *vor* dem ausländischen Staatsgast Hacha die schwarze Staatskarosse) / Die Truppen formieren sich zur Parade / Es beginnt die größte Heerschau des Dritten Reiches / Viereinhalb Stunden lang ziehen die Formationen aller Waffengattungen an ihrem Obersten Befehlshaber vorüber / Fallschirmjäger / Eine motorisierte Infanteriedivision / Eine verlastete Panzerabteilung / »Fahnenbataillon – Halt!« Eine differenzierende Eigenleistung des Kinopublikums wird nicht vorausgesetzt.

Die omnipräsenten Kameras machen den Kommentar entbehrlich, der die optische Sprache in ihrer Effizienz nur unnötig bedrängen würde. Die allein mit ästhetischen Mitteln bewirkte Steigerung ins Festliche, reduziert den Kommentar auf karge Mitteilungen. Die Qualität der nationalsozialistischen Idee soll sich nicht in verbalen Botschaften manifestieren, sondern in den Sympathieträgern dieser Botschaft, als filmische Mitteilung. So ist dies Dokument einer Geburtstagsfeier zugleich ein Dokument dafür, wie der Film der NS-Propaganda für die Aufgabe instrumen-

talisiert wird, sich im öffentlichen Bewußtsein seine eigene Realität zu verschaffen.
Unter der Überschrift »Parade als Paradestück« gibt der Zeitgenosse G. Santé einen anschaulichen Einsatzbericht jener zwölf Kameramänner, die am 20. April 1939 mit der filmischen Dokumentation der großen Parade beauftragt waren. Dieses Zeitdokument bezeugt außer der generalstabsähnlichen Planung der Abläufe und ihrer filmischen Realisierung auch ein zuverlässiges Stimmungsbild in seiner damaligen Diktion. Hierfür beispielhaft ist die Befolgung der Anweisung für Kameramann Nr. 2: »Begleitfahrt durch das Truppenspalier. Erfassen der gesamten imposanten Paradeaufstellung. Diese Aufnahmen gelangen mit am besten. Der Kameramann suchte und fand hier neue Blickpunkte, indem er sein Objektiv nicht unmittelbar auf den Führer richtete, sondern zwischen sich und dem Wagen des Führers stets Fronten von Soldaten ließ und so das Bild wirklich vollkommen erfaßte, sinn- und zweckvoll zugleich: Man darf hier also bereits von dem sprechen, was für die gesamte Gestaltung der Wochenschau Zielsetzung zu sein hat: ein Bild, das Auge und Gefühl in gleicher Weise befriedigt und packt.«
Allein für die Parade wurden 9000 Meter Film verbraucht, wobei die zwölf Kameramänner nichts ausließen, »was zur Erhöhung der Wirkung beitragen konnte«: »Das Ereignis barg in sich schon hinreichende Steigerungen, dennoch versuchte man, diese durch verschiedene Brennweiten noch zu verstärken. Von der Totale kamen die Objektive zu Einzeleinstellungen. Von normaler Entfernung, wie sie der Natur entspricht, sprang man dicht an die Formation heran und manchmal fast buchstäblich in diese hinein.«[145]
Gerd Albrecht hat die jeweiligen Anteile der Erscheinungstypen quantifiziert und dabei errechnet, daß die Darstellung des Militärischen 64 Prozent der Laufzeit beträgt, während die Würdigung der staatlichen oder der vom Volk getragenen Aktionen nur 36 Prozent ausmachen. Von der Gesamtzahl der im Film gezeigten Totalen entfallen 81 Prozent allein auf die Sequenzen mit militärischen Aktionen, während die Halbnah-, die Nah- und Großaufnahmen zu 75 Prozent die nichtmilitärischen Sequenzen vermitteln. Interessant für die Analyse von NS-Propagandafilmen dürfte deren Bestückung mit Beeindruckungs-Symbolen sein:
In *Sequenz 1* akkumulieren in 35 von 50 Einstellungen Symbole zur Geburtstagsfeier, darunter in 28 Einstellungen solche des Dritten Reiches (Fahnen, Hoheitsadler, Hakenkreuze, Führerbilder) und sieben Einstellungen historische Symbole (Brandenburger Tor, Siegessäule), die der flüchtige Blick des Kinogängers aber nicht entziffern kann. Er nimmt alles als zum höheren Ruhme des Jubilars zur Kenntnis. In *Sequenz 2* begegnet uns die Wehrmacht relativ selten, insgesamt nur viermal; demge-

genüber wird die SS in 28 Einzeleinstellungen vorgeführt, sie repräsentiert also die Macht. 23mal ist die Bevölkerung im Bild, in der Hälfte der Fälle als unspezifische Menge. In *Sequenz 3* ist auffallend, daß der Führerwagen 19mal mit der Wehrmacht, aber nur 9mal im Kontext mit der Bevölkerung erscheint. Bei *Sequenz 4* stellt Albrecht ferner fest, daß – obwohl an allen wichtigen Punkten Kameras postiert waren – das Teleobjektiv also nicht hätte bemüht zu werden brauchen, es gleichwohl in Aktion tritt, sooft nämlich die Masse der Paradierenden »zusammengedrückt« werden soll, um »sie so zu einer kaum auflösbaren Einheit werden« zu lassen. Damit soll psychologisch sowohl die Massenhaftigkeit als die Einheit und Einheitlichkeit dieser Masse suggeriert werden. In *Sequenz 5* (Epilog) zählt Albrecht insgesamt nur sieben Einstellungen, die den gleichen Ort wie in Sequenz 2 zeigen: Hier gilt es, die schnellen Schnitte von Perspektiven zu registrieren, die jeweils aus der Aufsicht bzw. aus der Untersicht der Kamera gewonnen wurden.
Außer Hitler ist es die Fahne, die in diesem Film als Mythos figuriert. Als er seinen Platz einnimmt, wird feierlich die Führerstandarte hochgezogen. Ein eigenes Fahnenbataillon wurde aufgeboten, das mit seinem riesigen Fahnenwald imposante Schwenks quer über die Parade-Straße exerziert, um schließlich unter den Klängen des Deutschlandliedes die geweihten Tücher ehrfurchtsvoll vor des Führers Füße zu senken. Der letzte verblüffende Schnitt des Jubelfilms blendet vom Fahnenritual auf Pimpfe und Jungmädel über, die »aufschauen«, ohne daß sogleich das Ziel des frommen Blicks erkennbar wird – erst die folgende Einstellung macht die Blickrichtung deutlich: Adolf Hitler. Er steht hoch über ihnen – auf dem Balkon. In dieser simplen Metapher formuliert der Film die optische Entsprechung byzantinischer Machtverhältnisse.
Die *Wochenschau Nr. 451* möchte nicht nur eine Hymne auf die Größe Hitlers sein, sondern sollte aus diesem Anlaß ein Oratorium auf die von ihm geschaffene Idee und Wirklichkeit des Großdeutschen Reiches und auf die Einigkeit der neuen Nation intonieren. Das Ergebnis illustriert getreulich jene Handlungsanweisung, die Ludwig Heyde in der Broschüre »Film im Dienste der Führung« (Dresden, 1943) gibt:
»Die Wochenschau insbesondere ist der gegebene Ort propagandistischer Einwirkung, um die Welt des Führers allen Volksgenossen nahezubringen und sein Wesen als Verkörperung des gesamtdeutschen Seins fühlbar werden zu lassen« – als gärende Mischung der Gefühle.

»Ob bei dem Bau eines Panzergrabens 10000 russische Weiber an Entkräftung umfallen oder nicht, interessiert mich nur insoweit, als der Panzergraben für Deutschland fertig wird... Wenn nur einer kommt und sagt: ›Ich kann mit den Kindern oder den Frauen den Panzergraben nicht bauen. Das ist unmenschlich, denn dann sterben die daran‹ – dann muß ich sagen: ›Du bist ein Mörder an deinem eigenen Blut, denn wenn der Panzergraben nicht gebaut wird, dann sterben deutsche Soldaten, und das sind Söhne deutscher Mütter. Das ist unser Blut.«

(Aus einer Rede Heinrich Himmlers bei der SS-Gruppenführertagung in Posen am 4. Oktober 1943.)

c. Deutsche Wochenschau im Krieg

Mit dem Krieg begann die »große Zeit« der deutschen Wochenschau. Gab es bis zum Krieg noch vier verschiedene Wochenschauen – »Ufa-Tonwoche«, »Deulig-Ton-Woche«, »Tobis« und »Fox-Tönende Wochenschau« –, so änderte sich das bald. Einige Monate lang erschien zwar noch eine vereinheitlichte Wochenschau mit verschiedenen Vorspännen, doch ab dem 21. November 1940 wurde nur noch eine Wochenschau, die »Deutsche Wochenschau«, produziert. Jetzt zahlte sich die »Kinofreudigkeit« des deutschen Publikums aus, die Goebbels durch vorsichtige Dosierung der Filmpropaganda erhalten wollte.

Vom ersten Tag des Krieges an funktionierte die Propagandamaschinerie wie gewünscht. Was beim Einmarsch in das Rheinland bereits geprobt worden war, erfuhr jetzt in der überschäumenden Kriegsbegeisterung seine Perfektionierung. Mit den deutschen Truppen, die am 1. September 1939 in Polen einfielen, marschierte gleich ein halbes Dutzend Propagandakompanien mit. Sie vermittelten der Öffentlichkeit ein packendes, »naturgetreues« Bild von den »Blitzsiegen« auf den polnischen Schlachtfeldern.

Mit seiner Ernennung zum Chef der »Deutschen Wochenschauzentrale beim Reichsminister für Volksaufklärung und Propaganda« am 1. Februar 1939 hatte Fritz Hippler rechtzeitig vor Kriegsbeginn die Propagandawaffe der Deutschen Wochenschau in die Hand bekommen: Diese Zentrale war »Trägerin der politischen und gesamtdramaturgischen Gestaltung der Wochenschauen«, die in gemeinsamer Planung mit den Wochenschauleitern die einzelnen Aufträge vergab.[146]

Jenen Kernsatz, nach dem »die Filmwochenschau für eine politisch-geistige Führung und Beeinflussung der Öffentlichkeit besonders geeignet« erscheint, hat ihr nationalsozialistischer Exeget Hans-Joachim Giese pünktlich zum Kriegsbeginn 1939 in seinem Buch *Die Film-Wochenschau im Dienste der Politik* formuliert, wenngleich nach dieser Erkenntnis schon seit 1933 verfahren worden war. Auch Goebbels hatte von Anfang

an gefordert, was er aber erst im dritten Kriegsjahr, am 15.2.1941, in Thesenform zur Auflage machte:
»Der Film hat heute eine staatspolitische Funktion zu erfüllen. Er ist ein Erziehungsmittel des Volkes. Dieses Erziehungsmittel gehört – ob offen oder getarnt, ist dabei ganz gleichgültig – in die Hände der Staatsführung.«
Die nationalsozialistische Kriegs-Wochenschau vermittelte den Eindruck unerklärter Faktizität, die den Zuschauer in ihren Bann zog und ihn glauben machte, daß die Aufnahmen unmittelbar von der vordersten Front stammten und unter Todesgefahr aufgenommen wurden. So versicherte denn auch der Direktor der »Tobis«, Kurt Hubert, im Herbst 1940, daß die Kameramänner reguläre Soldaten sind, die die volle Soldatenpflicht erfüllen, immer an vorderster Linie (denn) »dies erklärt den Realismus der Filme, die wir zeigen...«. Der Direktor der Deutschen Wochenschau im Kriege, Heinrich Roellenbleg, charakterisiert die gefilmten PK-Berichte als Waffe, die als Mittel einer »modernen Staatsführung neben die Formationen der Wehrmacht (tritt), um zu ihrem Teil zur Entscheidung beizutragen«.[147] Die Mitglieder der Propagandatruppen waren im Dienst an der Waffe nicht nur ausgebildet, sie wurden auch in Notfällen als Frontkämpfer eingesetzt. So hatte der PK-Berichter bei der Luftwaffe bei einem feindlichen Angriff bei Gelegenheit auch das Maschinengewehr im Flugzeugheck zu bedienen; andere kämpften häufig an vorderster Front. Bis Oktoberr 1943 waren mehr als tausend von ihnen gefallen, wurden vermißt oder waren verwundet.
In der einschlägigen Literatur des Dritten Reichs wird das Hohelied auf den Todesmut der PK-Berichter angestimmt, um auf diese Weise den Bildern und Berichten den heroischen Charakter des Dabeiseins in der tödlichen Gefahr zu verleihen: »Aus der alten Aktualitätenschau hat sich die Wochenschau zu einem einzigartigen Zeitdokument entwickelt. Erst die Tendenz gab ihrer kurzgeschnittenen Bildfolge Idee, Ziel und Stil. Ihre Vollendung aber fand sie in der deutschen Kriegswochenschau. Der höchste Einsatz der Männer unserer Film-PK schuf oft einzigartige Dokumente des Mannesmutes, in denen die Grenze zwischen Tod und Leben überschritten wurde.«[148]
Um den Heroismus der Berichterstatter herauszustreichen, wurden im Vorspann der Wochenschau jene Namen von PK-Berichtern mit einem Kreuz versehen, die bei ihrer Tätigkeit den Tod gefunden hatten. Goebbels schreibt 1943 in *Das eherne Herz*[149] das Verdienst am Erfolg der Wochenschau ausschließlich den PK-Männern zu, von denen viele, wie er betont, im Dienst der deutschen Nation ihr Leben gelassen haben. »Hier offenbart sich eine im höchsten Grade moderne Art der Kriegsführung, an die die dilettantische Propaganda der Feindmächte überhaupt nicht heranreicht.« Goebbels irrt: Der erste im Krieg gefallene Kameramann

war ein Franzose. J. A. Dupré fiel 1916 bei Verdun im deutschen Trommelfeuer. Bei Wochenschauaufnahmen an der Somme-Front fielen vier deutsche Kameramänner. Im Zweiten Weltkrieg sind besonders viele russische Kameraleute an der sowjetischen Westfront verblutet; ihnen wurde in Maria Slawinskajas Dokumentarfilm *»Kameramann an der Front«* (»Frontovoi Kinooperator«, 1946) in den Kamerabildern des bei Breslau gefallenen Wladimir Suschinskij ein Denkmal errichtet.»Der Hauptheld des Films ist der Kameramann«, notiert die russische Regisseurin Esther Schub.[150]

Die mit den Wochenschauen suggerierte Tatkraft der Nazi-Führung und die demonstrierte Schlagkraft der Wehrmacht riefen später selbst dann noch den Eindruck von Vormärschen hervor, als die deutsche Armee längst den Rückzug angetreten hatte. Wie sehr die Wochenschau bereits vor ihrer Zentralisierung in Goebbels' Propagandaministerium durch die Suggestivkraft der Bilder ihrer Polenfeldzug-Ausgabe auf Publikumsresonanz stieß, beweist die Statistik: In einer 1940 erschienenen Publizistik-Reihe weist Giese nach, daß aufgrund der aktuellen Frontberichterstattung der Kinobesuch im Juni 1940 gegenüber dem gleichen Monat des Vorjahrs um 90 Prozent gestiegen war.

Die gesteigerte Beliebtheit der Wochenschau läßt sich auch an den Produktionszahlen ablesen: Vor dem Krieg wurden 500 Kopien der Wochenschau hergestellt: Im Jahr 1943 waren es 2400 Kopien (nach F. Hippler). Während vor dem Krieg etwa nur 3000 Filmmeter pro Woche aufgenommen wurden, belichteten die Wochenschaumänner im Krieg bis zu 55000 Meter Film pro Ausgabe. Vor dem Krieg wurden für Wochenschauen 13,5 Millionen Zelluloidmeter kopiert und auf dem Höhepunkt des Krieges fast 100 Millionen Meter (Fritz Hippler). Mit der Fülle des Materials, mittels quantitativer statt qualitativer Verfahren, wurde die Vorführdauer von zehn Minuten in Friedenszeiten auf zwanzig bis dreißig Minuten in den Kriegsjahren ausgeweitet. Die deutsche Kriegswochenschau war in den Jahren, als sie noch Siege mitfeiern konnte, in ihrer Propaganda-Qualität offensichtlich denen der Alliierten überlegen. Der »Manchester Guardian« urteilt jedenfalls schmeichelhaft: »Wir sahen zwei deutsche Kriegsfilme, im Vergleich zu denen auch die besten bisher gezeigten britischen Wochenschauen wie unreife Schuljungenarbeiten wirkten. Die englischen Wochenschauen verhalten sich zu den deutschen wie laues Wasser zu starkem Whisky.«[151]

Die Zahl der Kopien kletterte von 800 auf 2000 im Inland und für den Vertrieb im Ausland von 30 auf 1000 Kopien, und zwar in 15 verschiedenen Sprachen. Ein Zeitungsartikel über Wochenschauen berichtet im Juni 1941:

»Die Auslandswochenschau geht in alle Länder der Erde, auch nach Nordamerika und Südamerika, wohin sie von Lissabon aus mit dem Flugzeug gebracht wird. Mit Rußland stehen wir im Wochenschauaustausch, in Japan hat sie eine besonders große Verbreitung. In Europa hat die deutsche Kriegswochenschau Zweigredaktionen in Wien, Paris, Madrid, Brüssel, Den Haag, Kopenhagen, Oslo, Warschau, Preßburg und Zürich«.

Rudolf Oertel resümiert in seinem Buch: »Während des Polenfeldzuges, während des Siegeszuges im Westen sind Millionen Menschen nicht wegen der Spielfilme, sondern wegen der Wochenschauen vor den Lichtspieltheatern Schlange gestanden. Das beweist die ungeheure Bedeutung, die der Film als Zeitbericht gewonnen hat.«[152]

Die im Ausland zirkulierenden deutschen Wochenschauen hatten eine ausschließlich propagandistische Mission: Ihre zur nationalsozialistischen Ikonographie stilisierten Argumente in visueller und verbaler Form sollten bei den noch neutralen Regierungen für Verständnis werben, dessen sich Hitler zur psychologischen Absicherung seiner Pläne versichern wollte, um ohne kritische Reaktionen des Auslands seinen Eroberungen nachgehen zu können.

In den von Wehrmacht und Waffen-SS okkupierten Gebieten sollte die Wochenschau zur Lähmung des Widerstands beitragen. Potentielle Widerstandskräfte sollten die deutsche Zuversicht auf den Endsieg vermitteln und geplanten Partisanenaktionen sowie dem organisierten Widerstand den Elan nehmen. Denn erst recht für die besetzten Länder gilt, was Adolf Hitler 1937 sagte: »Ich kann keine Oppositon gebrauchen. Dafür habe ich Konzentrationslager gebaut. Ich könnte das alles auch mit Gerichten machen, aber das dauert mir zu lange.«

Die deutsche Bevölkerung war schon im Sommer 1939 durch Wochenschauberichte auf die bevorstehende kriegerische Lösung des »Polenkonflikts« vorbereitet worden: Die *Ufa-Tonwoche Nr. 468* (Zensur v. 23. 8. 1939) gab einen tendenziösen »Rückblick auf Polen und Danzig seit dem Ersten Weltkrieg« oder sie verabschiedet Ribbentrop vor seinem Flug nach Moskau. In der folgenden *Ufa-Tonwoche Nr. 469* (Zensur v. 30. 8. 1939), der letzten Friedens-Wochenschau, werden die Volksgenossen über Rippentrops erfolgreichen Abschluß eines deutsch-sowjetischen Nichtangriffspaktes unterrichtet, der faktisch das Schicksal Polens besiegelt. Die Berichte »von der Not der aus Polen geflüchteten Deutschen« sind an exponierter Stelle plaziert – als vorauseilender Kommentar zum Überfall auf Polen: »Schon ein Blick auf die (geflüchteten) Menschen zeigt, wie furchtbar ihre Erlebnisse gewesen sind und was sie haben aushalten müssen, ehe sie als letzten Ausweg... die Flucht über die Grenze wählten«. Die im Film heroisierten Flüchtlinge dürfen im Flüchtlingslager diesen ihnen gewidmeten Wochenschaubericht ansehen: »Heißes Mitgefühl strömt den deutschen Brüdern und Schwestern entgegen. Fast alle Frauen haben zu ihren Taschentüchern gegriffen, niemand schämt sich der Tränen. Die Männer sitzen da, ihre Gesichter sind hart und entschlossen geworden. Zehn Minuten Wochenschau – ein Erlebnis, das nie verlöschen wird.«[153]

Ufa-Tonwoche Nr. 470/37 (Zensur: 7.9.1939)

Die erste Kriegswochenschau erschien in den Kinos bereits sechs Tage nach dem deutschen Überfall auf Polen. Viele Kampfszenen und der völkerverhetzende Vorspann finden sich später im *»Feldzug in Polen«* (1940) wieder. Dieser 18-Minuten Streifen Nr. 470 vom Sept. 1939 ist in 17 Kapitel gegliedert, die mit Ausnahme von Hitlers Reichstagsrede vom 1. September 1939 fast sämtlich Blitzkrieg-Material bzw. in Polen aufgenommene »Feindbilder« verarbeiten; letztere sollen in den Kapiteln 1 bis 7 den negativen polnischen Prototyp als kollektiven Homunkulus erzeugen helfen, im Film als »polnische Mörderbande« tituliert, die so treue Volksdeutsche wie den SA-Mann Josef Wessel hinterrücks erschießen. Drei Kapitel (9, 10, 12) suggerieren dem heimatlichen Kinogänger, der im Film ausgemachte Hauptfeind England stelle die nächste nationale Bedrohung dar, der rechtzeitig durch Flugabwehrmaßnahmen, Verdunkelungsübungen und Munitionsproduktion zu begegnen ist. Die HJ »ummauert« den Pergamon-Altar mit Sandsäcken gegen Luftangriffe. Der Film demonstriert das taktische Zusammenspiel von Rüstungsfront und Feindfront.

Ufa-Tonwoche Nr. 472/39 (Zensur: 20. Sept. 1939)

Am Tage, als die Tonwoche Nr. 472 im Reich uraufgeführt wurde, vereinbarten Hitler und Stalin ihre sogenannte Demarkationslinie auf Kosten Polens. Man sieht Reste der geschlagenen polnischen Armee bei Gdingen »aus ihren Schlupfwinkeln hervorkriechen«. Nach solchen »Bildern des Chaos«, höhnt der Sprecher, zogen »mit den deutschen Soldaten hier Sicherheit und Ordnung wieder ein«. Dem Zuverversicht strahlenden Satz, wonach »sich in der Heimat alle Kräfte zu einem entschlossenen Abwehrkampf« sammeln, folgen idyllische Sequenzen von blonden Mädchen bei der Heuernte, Frauen beim Roten Kreuz – von lyrischen Weisen umspielt: »Frauen ersetzen ihre Männer und arbeiten tatkräftig mit« heißt der moralische Imperativ. Vor verwundeten Polenkämpfern zeigen adrette Kraft-durch-Freude-Turnerinnen ihre artistischen Bemühungen. Alles klappt in Hitlers Krieg wie am Schnürchen: Nachschubzüge rollen Granaten an die Ostfront, die Feldbäckerei backt Brot für den Kommiß. Ein abgeschossener französischer Jagdflieger wird »ritterlich« und mit vollem Salut beigesetzt: wer ritterlich kämpft (im Gegensatz zu den Polen), der wird auch ehrenvoll in die fremde Erde gesenkt. Ein gefangener britischer Offizier berichtet »freiwillig« über gute Behandlung, gutes Quartier und gutes Essen: – »keine Klagen«. Polnische Gefangene in unsympathischer Auslese werden zur Summe negativer Prototypen addiert; nachdem sie hinter Stacheldraht verschwunden sind, können »die vertriebenen Volksdeutschen in ihre Dörfer zurückkehren«. Aber auch Bilder vom Schaurigen sollen der Heimatfront nicht erspart bleiben: »Diesem Mann wurde ein Auge ausgestochen, dieser Frau wurde das Gesicht verunstaltet, diesem Mann wurde die rechte Hand durchbohrt« – natürlich von polnischen Untermenschen. Im Getto von Warschau werden schaufelnde Juden gezeigt: »Zum ersten Male in ihrem Leben sind sie gezwungen zu arbeiten« (diese Passage, in der Juden Trümmersteine hervorschaufeln, oder mit den Händen wegtragen, ist später in den Hipplerfilm *»Der ewige Jude«* montiert worden).

Hitler fliegt mit der Ju 52 über Frontgebiet. Auf die Erde zurückgebracht, löffelt er leutselig Suppe aus der Gulaschkanone: »Der Führer bleibt bei seinen Soldaten«. Göring und v. Brauchitsch berichten ihm im HQ über die Gefechtslage. Und schon ist Hitler in Lodz – »kurz nach der Eroberung«. Ja, so wünscht man sich daheim den Führer: *»Hitler und seine Soldaten – eine auf Leben und Tod verschworene Gemeinschaft«*.

»Eine der wirklichkeitsfremdesten Schöpfungen des Versailler Diktats, politisch und militärisch nur ein aufgeblasener Popanz, beleidigt monatelang einen Staat und droht ihm, ihn zusammenzuschlagen, die deutschen Armeen zu zerhacken, die Grenze an die Oder oder an die Elbe zu verlegen und so fort... Deutschland sieht monatelang diesem Treiben geduldig zu, obwohl es nur einer einzigen Armbewegung bedurft hätte, um diese von Dummheit und Hochmut aufgeblähte Blase zusammenzuschlagen« *(Adolf Hitler, Rede am 19. Juli 1940)*.

d. »Feldzug in Polen« (1940) und »Feuertaufe« (1940)

Ein Beispiel für die Propaganda-Tendenzen ist der aus mehreren Wochenschauen zusammengestellte 40-minütige Bericht über den *»Feldzug in Polen«* (1940); in seiner demagogischen Versprachlichung aller Bildmomente versucht Fritz Hippler, die Invasion deutscher Truppen in Polen zu rechtfertigen. Dieser stark erweiterte Wochenschaubericht beginnt mit obligaten Auslassungen über den »urdeutschen Charakter der Stadt Danzig«, die vom »polnischen Raubstaat« kassiert worden sei. »Mit eiskalter Berechnung« habe die polnische Regierung zum Krieg getrieben, »um das Unrecht von Versailles zu verewigen«. Und weiter: »Polen hatte die Aufgabe, Deutschland vom Osten aus ständig zu bedrohen. Diese Bedrohung aufrechtzuerhalten, ist das erklärte Ziel der Engländer.«

Eine einzelne brennende Hütte genügte Fritz Hippler als Beweis dafür, daß »die Polen volksdeutsche Höfe brennen und verwüsten«. »Nach der schändlichen Gleiwitzer Posse 1939«, wie Günther Anders den von den Deutschen inszenierten Anlaß für den Überfall auf Polen bewertet, hat Hitler »den Osten überfallen, alle Dörfer und Städte verwüstet und Abermillionen umgebracht«. Dagegen heißt es im Wochenschautext: »Nach-

dem Polen gegen die deutschen Lebensrechte die Waffen drohend erhoben hat, setzten am 1. September 1939 die deutschen Truppen über die deutsch-polnische Grenze.«
Weil die Wochenschau diese angebliche Bedrohung – außer durch die erwähnte brennende Hütte - mit realistischen Mitteln nicht sichtbar machen konnte, verließ sich Hippler auf die Überzeugungskraft einer eingeschnittenen Landkarte, über die wie riesige Fangarme polnische Eroberungsgelüste nach deutschen Provinzen dargestellt werden. Die belebte Landkarte hatte bereits 1927 Svend Noldan für L. Laskos zweiteiligen Dokumentarfilm *»Der Weltkrieg«* (1927) erfunden. Hippler macht den Zuschauer zum Zeugen der Generalstabsarbeit und ihrer Genialität. Mit so geschürter Komplizenschaft versichert sich die Führung der Zustimmung aus der Bevölkerung. Hinsichtlich der kartographischen Grenzziehungen bietet der Wochenschausprecher eine nachträgliche Rechtfertigung des angeblichen Präventivkriegs gegen Polen: »Hemmungslose politische Eroberungsziele werden (von den Polen) proklamiert. (Die Polen) sehen die polnische Grenze an der Oder oder bereits an der Elbe.«
Die das polnische Land im Blitzkriegstempo überrollenden deutschen Panzerverbände bleiben ohne Kommentar. Etwa zehn Minuten lang begleitet allein euphorische Musik (von Herbert Windt) die rollenden Kommandos. Frei von jeder verbalen Ablenkung sollte das Publikum die Präzision deutscher Generalstabsarbeit in allen Phasen nachvollziehen können. So wurde der deutsche Überfall auf Polen zum historischen Augenblick hochstilisiert. Der Kinogänger daheim sollte sein Augenzeuge sein.
In der Euphorie des auch von Hitler selbst für unmöglich gehaltenen Blitzsieges sind gleich zwei abendfüllende Dokumentarfilme aus Wochenschaumaterial kompiliert worden, die sich in der Überschätzung der deutschen Wehrmacht, insbesondere der Luftwaffe, gegenseitig überbieten. Nach *»Feldzug in Polen«* des Politfunktionärs Fritz Hippler folgt *»Feuertaufe«* von Film-Profi Hans Bertram. In zahlreichen Filmbüchern, sogar bei Kracauer und Courtarde / Cadars, werden beide Filme fälschlich als einundderselbe ausgegeben.
»Feuertaufe« (1939/40) zeigt den Führer, wie er am 1. September 1939 in aller Herrgottsfrühe seinem schwarzen Mercedes entsteigt und seine Rede an die Nation über die Millionen Volksempfänger donnert; jener berüchtigte historische Satz seiner Suada signalisiert katastrophale Folgen: »Polen hat heute Nacht zum erstenmal auf unserem eigenen Territorium auch mit bereits regulären Soldaten geschossen; seit 5 Uhr 45 wird jetzt zurückgeschossen! Und von jetzt ab wird Bombe mit Bombe vergolten!«
Jubel flammt auf. Als Prolog zu seinem Film *»Feuertaufe«* läßt Hans Bertram die Tat auf dem Fuße folgen: Unter der MG-Kanzel auf dem Rollfeld zurren Stukakämpfer symbolisch die Sturmriemen unter ihrer Piloten-

kappe fest. Die Kamera schwelgt in schönen todbringenden technischen Details: MG, Steuerknüppel, Radnarbe, Kampfembleme usw: Die Propeller werden angeworfen. Die Ästhetisierung des Krieges nimmt ihren verhängnisvollen Lauf. Heuschreckenschwärmen gleich schäumen immer neue Fliegerstaffeln in den stahlblauen Himmel auf, von dem lärmenden Kampflied »Wir fliegen gen Osten!« begleitet:

»... die Losung ist bekannt...
Ran an den Feind!
Ran an den Feind!
Bomben auf Polenland!
Wir flogen zur Weichsel und Warthe,
Wir flogen ins polnische Land.
Wir trafen es schwer
Das feindliche Heer
Mit Blitzen und Bomben und Brand...«
(Worte: Wilhelm Stoeppler, Musik: Norbert Schultze).

Mit der übersteuerten Tonkulisse von Norbert Schultze soll nicht nur der optische (Blitzkrieg-)Duktus und sein Hurrapatriotismus der Wörter eine klangliche Entsprechung erhalten. So wird mit den dröhnenden Soldatenliedern auch eine Hochspannung der Affekte erzeugt, die das Gefühl an die Textaussage bindet. Das triviale Pathos eines Refrains wie »Ran an den Feind« wird Wirkung im Parkett noch viele tausend Kilometer von der Front entfernt zeigen und den Film als »Heldenlied einer Waffe« (Frank Maraun) empfangen. »Millionen werden sich am Widerschein der ›Feuertaufe‹ entzünden« (Völkischer Beobachter).
Hans Bertrams »unvergeßlichstes Erlebnis« war nach eigenen Worten jener Flug über das Kampfgebiet an der Bzura, »wo die eingekesselten polnischen Truppen verzweifelte und vergebliche Durchbruchsversuche machten und die Luftwaffe auf einem Raum von dreißig Quadratkilometern ihren Bombenregen abwarf... Durch diesen feurigen Vorhang, den unsere Flieger vor das Ufer legten, ist niemand lebend hindurchgeschlüpft: wo unsere Luftwaffe zuschlägt, trifft sie tödlich.«[154] Diese Vernichtungsschlacht bei Kutno war nicht nur strategischer Höhepunkt, sondern wird auch zu einem dramaturgischen.
Durch die blicknahen Kontakte mit dem Feind hatte die Kriegswochenschau ihre martialische Kategorie entwickelt, indem sie ihre Kameras als Teil der Offensive selber offensiv werden ließ. Sie hat »jene Unverbindlichkeit des weltenbummelnden Betrachters abgestreift und ist auf Schußnähe gegangen, wobei man spürt, daß die Filmkamera, die diese und jene Kampfszene durch die Linse dringen ließ, von der gleichen Hand getragen wurde, die im anderen Augenblick die Waffe an sich riß.«[155]

In Filmen mit authentischem Anspruch wie *»Feuertaufe«* (1939/40), *»Feldzug in Polen«* (1939/40), *»Sieg im Westen«* (1940) usw. werden die Schlachten ein zweites Mal geschlagen und nun auch mit ästhetischen Mitteln gewonnen. Indem die Leinwand die Schlacht verkürzt, Szenen auswählt oder andere kippt, rudimentäre Kontexte herstellt, die es in der Realität in dieser Dichte gar nicht gab, dispensieren sie alles propagandistisch Unerwünschte. Statt brutaler Bilder des Grauens »Bilder von schauriger Schönheit«. Das wahre Elend des Krieges und die Legion von eigenen Heldentoten werden durch opulente Bilderpracht überlagert und im Kopf des Zuschauers zur spannenden Legende verklärt. »Eine einzige riesige gewitterdunkle Rauchpyramide über der brennenden Stadt und darüber die in der Sonne glänzende hochgewölbte Kuppel einer weißen Kumuluswolke, über ihr die Staffeln unserer Kampfflugzeuge, die in Wolke und Rauch hinein ihre todbringende Last entladen« – bis die Hauptstadt Warschau fällt (Frank Maraun: in »Der deutsche Film« Nr. 11 (1940, S. 220). Der Zuschauer im Kino daheim ist emotional dabei, ist selbst Kriegsteilnehmer ohne unmittelbare Gefahr. Durch ästhetische Eingriffe in den Realitätsgehalt des gewöhnlichen Krieges wird dieser entdinglicht. So wurde vielen der Krieg in seiner ästhetischen Überhöhung zum eigenen Erlebnis.
Die aus 17000 Meter Rohmaterial kompilierte Kampfberichterstattung in *»Feuertaufe«* (1940) unterscheidet sich in ihrer usurpatorischen Grundstruktur aus höherer Siegerperspektive kaum wesentlich von jenen vielen PK-Berichten, die nach Hitlers »Blitzkrieg« noch folgen werden und die von der ersten bis zur letzten Sequenz bestätigen, was Propaganda-Chef Dr. Goebbels am 19. Januar 1940 der Welt stolz verkündet hatte: »Der Krieg ist bei uns bis in die letzte Pore vorbereitet und durchorganisiert.« Dies gilt auch für diesen Film von Bertram, der die Montage der Geschichte zu Meisterstücken der Filmmontage macht, ja, das Modul dafür bildet. »Hier wurde mit der Kamera Weltgeschichte geschrieben.«[156]
Hitler spricht in einem »Tagesbefehl der Wehrmacht« den Soldaten der Polenfront seinen Dank und seine Anerkennung für einen Kampf aus, »der vom besten deutschen Soldatentum berichtet«. Und er vergißt dabei nicht, der Gefallenen zu gedenken, »die wie die zwei Millionen Toten des Weltkrieges ihr eigenes Dasein gaben, damit Deutschland lebe. Unter den Fahnen, die in stolzer Freude allerorts in deutschen Landen wehen, stehen wir enger denn je zusammen und binden den Helmriemen fester.«[157] Unter den Gefallenen waren auch sieben an Bertrams *»Feuertaufe«* beteiligte PK-Berichter.

Die Deutsche Wochenschau Nr. 513/28 (Zensur v. 3. 7. 1940) feiert im Rückblick auf den Frankreich-Feldzug den Führer: Sein bloßes Erscheinen ersetzt die Generalstabskarte: Man sieht ihn »bei der Fahrt durch die

Vogesen«, »inmitten seiner Soldaten, deren Jubel ihn umbrandet«, in Straßburg, »auf den Schlachtfeldern der Maginotlinie... Der Zug des Führers fährt durch das jubelnde Land, überall werden ihm Zeichen der Liebe, der Treue, der Dankbarkeit entgegengebracht«. Hitlers charismatische Unfehlbarkeit wird in Jubelbildern und Jubeltext beglaubigt. Schließlich wieder in seiner Reichshauptstadt, wird der »siegreiche Feldherr von seinem Volke unter dem festlichen Geläut der Glocken empfangen«[158], die seine Geniestreiche heiligen. Die Mehrzahl der Frankreich-Sequenzen wird in *»Sieg im Westen«* noch einmal zur kollektiven Emphase anfeuern.

»Denke an den Führer Tag und Nacht
und keine Kugel, kein Bajonett wird dich erreichen«
(Kriegsflugblatt des Oberkommandos der Wehrmacht)

»Siegreich woll'n wir Frankreich schlagen,
sterben als ein tapfrer Held«
(Soldatenlied »Musketier seins lust'ge Brüder«)

»Der Krieg geht über die Felder
Die Straßen landauf und landab.
Da liegt in dem Dämmer der Wälder
so manches Soldatengrab«
*(»Auf den Straßen des Sieges«
– Lied aus »Sieg im Westen«)*

e. »Sieg im Westen« 1941

Auch der Frankreich-Feldzug wurde in einem abendfüllenden Dokumentarfilm festgehalten, der aus Wochenschau-Sequenzen zusammengestellt war; der Film geriet zum Hohelied auf den Führer und sein strategisches Genie. Die Zeitschrift *Der deutsche Film* nannte *»Sieg im Westen«* den Gipfelpunkt aller bisherigen deutschen Wochenschauen. »In der Wiedergabe der unmittelbarsten, der vordersten Kriegswirklichkeit todesmutig ertrotzten Aufnahmen« hätte »die atemversetzende laufende Illustration zudem ergeben, was Frontberichte in Rundfunk und Presse vom Geist der kämpfenden Truppen kündeten«.
Durch Einschübe kartographischer Übersichten mit Animationsteilen sollte der »Gang des deutschen Schicksals« (so das Beiheft) vor dem Hintergrund von Hitlers strategischen Gedankenflügen »in äußerster Kürze« jedermann sichtbar gemacht werden. So sollte das Vertrauen in die Unfehlbarkeit des Führers und seine Genialität als den Garanten für künftige Unternehmungen gefestigt werden.
Die von Svend Noldan und Fritz Brunel raffiniert organisierte Struktur dieses zum Epos ausgeweiteten Wochenschaufilms kann als ein Beispiel

für alle anderen Streifen dienen, in denen die deutsche Wehrmacht als eine im Vertrauen auf den »Endsieg« zusammengeschweißte Schicksalsgemeinschaft figuriert. Das idealtypische Landserporträt wurde aus insgesamt 330000 Filmmetern zum Bild des »deutschen Helden« herausdestilliert. Diese heldische Natur kräftigt auch ein Landsergesicht in Großaufnahme, das Siegfried Kracauer als »ein weiches Gesicht« beschreibt, »das unabsichtlich die enge Beziehung zwischen Blut und Seele, Sentimentalität und Sadismus« verrät.

Da Hitlers »Helden« als unverwundbar geschildert werden mußten, wurden alle vorhandenen Dokumente über Verluste an Menschen und Material ausgespart. Die Ideologie der Unbesiegbarkeit wäre durch Verstümmelte und Leichen nur gestört worden und der Begeisterungstaumel abgekühlt. Die Leichen, die im Film der Rasen deckt, sind volksfremde Körper. Die optimistische Darstellung des Krieges kulminiert in Adolf Hitler als der Personalisierung aller Erfolge der Wehrmacht und ihrer Generäle. Hitler wurde mit Hilfe der Wochenschau – mit Ausnahme der beiden letzten NS-Wochenschau-Nummern – zum Übermenschen stilisiert.

Anders als im Wochenschaufilm *»Feldzug in Polen«* spiegelt sich der Heldenmut der deutschen Landser hier in dem Mut ihrer Feinde: Ohne den »Erbfeind« herabzusetzen, bescheinigt der Wochenschausprecher dem »Poilu« ausdrücklich kämpferische Tapferkeit. Der teutonische Sieg sollte sich nicht der Schlappheit der Franzosen verdanken, sondern allein der überlegenen Kriegsführung.

»Sieg im Westen« ist nationalistisch bis in die letzte Einstellung hinein, aber der Streifen ist kein typisch nationalsozialistisches Pamphlet, wie es sich die Deutsche Wochenschau ansonsten besonders angelegen sein ließ. Sogar jene oft zitierte Episode, in der die Kamera auf den gliederverrenkenden »Negertänzen« gefangener senegalesischer Söldner verweilt, kommt ohne Kommentar daher: Der Kino-Besucher sollte sich seinen eigenen Vers darauf machen. In der *Deutschen Wochenschau Nr. 513* vom 3.7.1940 wurde diese Szene dagegen mit bissigen Bemerkungen über die schwarzen Barbaren versehen, die von den Franzosen auserwählt worden seien, die europäische Zivilisation zu verteidigen.

Die Zeitschrift *Der deutsche Film* glaubte bei den aufgenommenen französischen Kriegsgefangenen »Ahnungslosigkeit« zu erkennen und verglich ihre »spielerische private Einstellung« und ihre »Ziellosigkeit« mit dem diametral anderen deutschen Wesen und seinen Tugenden. Ihnen wurde »das klare und edle Bild des immer selbst in größter Hitze noch aufrechten, optimistischen, sieggewohnten deutschen Soldaten« gegenübergestellt, »das auch in Großaufnahmen wundervoll herausgehoben ist«.[159]

Laut Beiheft zu dieser Wochenschaufolge bestand ihre vornehmste Aufgabe darin, jene »Werte in Erscheinung treten zu lassen, für die wir heute im Kampfe stehen«. *»Sieg im Westen«* ist im Auftrag des Oberkommandos des Heeres entstanden und sollte die Macht des Allermächtigsten heraufbeschwören. Der verherrlichende Film ist in drei Kapitel gegliedert: a) »Der Entscheidung entgegen« (Einleitung); b) »Der Feldzug« (Hauptteil); c) »Finale«.

Die Introduktion hält sich an die Formel des damaligen NS-Film-Ideologen vom Dienst, Hans-Joachim Giese. Im Schlußwort seines Buches »Die Film-Wochenschau im Dienste der Politik« (1949) erklärt er: »Dieses publizistische Führungsmittel... stellt, in Erfüllung des Grundgebotes jeder Propaganda, nicht die objektive Wahrheit an sich ... aber mit anständigen Mitteln *die* Seite der Wahrheit dar, die im Interesse des deutschen Volkes zu verbreiten notwendig ist.« Dazu gehörte die »notwendige« Version von der »Einkreisungspolitik der Feindmächte bis zum Weltkrieg und dem Versailler Diktat«.[160]

Die folgenden weiteren Stichworte sind dem Ankündigungstext (RFA 5833) entnommen:

»In Adolf Hitler erstand dem deutschen Volk der Führer zu neuer Einheit und Freiheit. Zug um Zug wird das Unrecht von Versailles beseitigt, die Wehrpflicht wieder eingeführt, die abgetrennten deutschen Gebiete wieder befreit, die Tschechoslowakei als Flugzeugstützpunkt der Westmächte undschädlich gemacht. Trotz wiederholter Friedensvorschläge des Führers kommt es mit England und Frankreich zum Krieg. Polen wird in 18 Tagen zerschlagen. Der Westwall wird verstärkt. Deutschland sichert Europa im Norden von Narvik bis Kopenhagen«.

Der Einführungsteil beginnt mit dem Zermoniell des Fahneneids und zeigt die gläubigen Gesichter der Vereidigten, ins Festliche gesteigert durch schwelgerische Musik. Die suggestive Wirkung dieses Präludiums sollte junge Betrachter motivieren, sich schon bald denen anzuschließen, die ihm die Leinwand als Vorbilder zeigte: »Ich schwöre ... daß ich als tapferer Soldat bereit sein will, für diesen Eid jederzeit mein Leben einzusetzen!« Es folgen im Postkartenstil Sequenzen schöner deutscher Landschaften, die als Sinnbilder ausgebreitet werden für alles Erhabene, das Deutschland in den Kampf ziehen läßt. Im weiteren Verlauf werden immer wieder Szenen aus der heimatlichen Idylle eingeblendet, die im raschen Wechsel mit Aufnahmen von der Front den Eindruck einer im Kampf vereinten Nation erwecken sollen. Auch die Statue der heiligen Uta am Naumburger Dom (11. Jahrhundert), hier als Sinnbild für die deutsche Frau germanischen Typs, dient als Identifikationsobjekt, wie in anderen Dokumentarfilmen der Bamberger Reiter. Beide Figuren sollen den Mythos des nordischen Menschen verkörpern. »Der Heros, der Held ist stets schön«, unterstützt Chefideologe Alfred Rosenberg den neuen Schönheitsrausch: »Das heißt aber: Von bestimmter rassischer Art«.[161]

Die faschistische Ästhetik physischer Vollkommenheit feiert vor allem in den idealisierten Aktplastiken von Klimsch, Breker und Thorak Triumphe. Die Figuren gleichen gesunden Nackten in homöopathischen Zeitschriften. »Das erste Gesetz aller Propaganda« sei, so Hans Traub bereits 1933, »die Menschen aufnahme- und begeisterungsfähig zu erhalten«.[162]

Um die Größe des Führers und Reichskanzlers Adolf Hitler in Beziehung zu setzen zum »eisernen Kanzler« Bismarck, der wie Hitler einen historischen Auftrag erfüllt habe, nämlich das Reich zusammenzuschweißen, wird die »geniale Führung Bismarcks« zum Vermächtnis erklärt. Hitlers Eroberungskrieg wird als in Bismarcks Expansionspolitik wurzelnde Mission legitimiert. Originalaufnahmen aus dem Ersten Weltkrieg leiten zu der Behauptung über, daß als Folge des »Diktats von Versailles« Inflation und Arbeitslosigkeit grassierten: »In dieser Zeit des Verfalls gründete Hitler die NSDAP«, kommentiert der Filmsprecher den ideologischen Humus lapidar.

So dürfte entstanden sein, was Hannah Arendt in ihrem Buch »Elemente und Ursprünge totaler Herrschaft«[163] die »furchtbare negative Solidarität« genannt hat: Sie ließ sich wohl nur herstellen bei einem Wählervolk, das von allen anderen Parteien der Weimarer Republik als zu dumm und zu würdelos angesehen wurde.

Unter der Devise »der Führer holt zurück, was deutsch ist«, sollte die optisch opulente Einleitung die Legitimationszwänge kaschieren, unter denen die Abfolge des Schreckens stand: der Einmarsch ins Saarland, die Annexion des Memellandes, des Sudetenlandes, die Okkupation des zynisch »Protektorat« genannten Böhmen und Mähren, der Einmarsch in Österreich und schließlich der Überfall auf Polen.

Den Beweis für die Behauptung des Films, »das Deutschtum in Polen erfährt schlimmsten Terror«, bleiben die »authentischen« Bilder schuldig. Eher beiläufig wird die Besetzung Norwegens und Dänemarks notiert, als handele es sich um einen bewaffneten Osterspaziergang.

Der Hauptteil des Films *»Sieg im Westen«* trägt den Zwischentitel »Der Feldzug«. Die Inhaltsangabe vermittelt folgende kriegerische Abläufe als heroisches Drama, dem optische Verkürzungen angemessen sind:

Die großen Operationen im Westen im Mai und Juni 1940. Die deutschen Armeen gehen in breiter Front gegen Holland und Belgien vor. Nach fünftägigem Kampf ist die Festung Holland genommen. Die Maas wird überwunden, die Maginot-Linie durchbrochen. Der Kanal wird erreicht, der Ring um die französisch-englischen Truppen schließt sich und führt zur wilden Flucht der englischen Expeditionsarmee bei Dünkirchen. Der König der Belgier bietet die Kapitulation an. Ein zweiter großer Aufmarsch der deutschen Heere findet an der unteren Somme, am Oise-Aisne-Kanal und an der Aisne statt. Die Weypand-Linie wird zerschlagen, Rouen genommen. Am 14. Juni ergibt sich Paris. Die 1. Armee an der Saar geht gegen die Maginot-Linie an, überschreitet den Oberrhein, die Festungen fallen, die letzten schweren Werke der Maginot-Linie werden genommen. Frankreich bietet den Waffenstillstand an. Compiègne wird zum Schauplatz der Waffenstillstandsverhandlungen.

Die eigentlichen Kriegs-Szenen sind so austauschbar wie sie ermüdend sind, obwohl aus einer Serie von Wochenschauen die dramatischsten Teile eingeschnitten wurden. Mit dem minutenlang demonstrierten Bombardement auf die »komplizierte Verteidigungsmaschinerie« der Maginot-Linie sollte auch deren Symbolkraft zerstört werden; denn »der deus ex machina (kann) niemals die Maschine selber sein« so sollte der Film vermitteln, »sogar die perfekteste Organisation ist nutzlos, wenn sie nicht als bloßes Werkzeug, sondern vielmehr einer dekadenten Generation als autonome Kraft gilt«.[164] Diese Sequenz hatte keinen anderen Sinn, als zu beweisen, daß die Maginot-Linie nur die zitierte Bedeutung hatte und daß der deutsche Sieg eben auch ein Sieg des Lebens über den Tod und der Zukunft über die Vergangenheit war. Zu den Bildern englischer Kriegsgefangener im Sammellager wird deren populärer Song: »We will hang our washing on the Siegfried Line« in Moll verfremdet, um den verebbenden Siegesoptimismus des »perfiden Albions« auf eingängige Weise zu illustrieren. Als im Morgengrauen deutsche Fallschirmjäger aus 300 Meter Höhe über Holland abspringen, nimmt der Kommentar die Empfindungen des Kinopublikums stolz vorweg: »Der Welt stockt der Atem«: Das Fort Eben Emael hat kapituliert. Eine Prognose des Films ist freilich nicht eingetroffen, daß dieser Feldzug »entscheidet über das Schicksal der deutschen Nation für die nächsten tausend Jahre.«

Der verbale Prolog zu dem als »Der Feldzug« betitelten Hauptteil von *»Sieg im Westen«* wurde eine sterile Addition »typisch deutscher« Helden-Gesichter unterlegt. Szenen aus erbeutetem Wochenschaumaterial effektvoll in den Film montiert, sollen mit ihrem Sammelsurium von »Feindgesichtern«, besonders der Senegalesen, die rassistischen Vorurteile bestätigen. Ihr »fremdartiger« Freudentanz soll als degoutant empfunden werden. Dasselbe Prinzip kontrastierender Montage wird angewandt, wenn die in Verdun zu Marschmusik paradierenden deutschen Truppen gegen die laschen Gefangenenkolonnen geschnitten werden; damit soll jedermann klar vor Augen geführt werden, daß die Natur den Deutschen zum Herrenmenschen bestimmte.

Gleichwohl wird der Krieg gegen den französischen »Erbfeind« als ritterlich dargestellt. Es ist übrigens auch ein »hygienischer Krieg«, der den Anblick von Toten und Verwundeten dem Zuschauer weitgehend erspart. Der Tod ist zu dem dekorativen Sinnbild eines blumengeschmückten Doppelgrabes stilisiert. Der frische Margeritenstrauß versichert dem Filmbetrachter in der Heimat, daß die tödlichen Folgen soldatischer Pflichterfüllung lyrische Verklärung finden: Ein erhabener Tod garantiert den Einlaß in Walhall. Die Trauer um den realen Verlust der »Helden« soll durch ihre Sakralisierung gelindert werden.

Um den Prospekt ästhetischer Todesverklärung bühnenwirksam zu illuminieren, reißt die Filmblende immer wieder diffuses Abendlicht und wolkenverhangene Himmel auf, um desto effektvoller durch den unheildräuenden Qualm bis ans Licht des Sieges vorzustoßen. Im irrealen frühmorgendlichen Nebelglanz sollen die drohenden Gefahren abgemildert werden. Zum perfekten Szenario streuen die perfekten Stimmungsingenieure theaterwirksames Gegenlicht ins dramatische Spiel, um den Eindruck zu vermitteln, Gefahr lauere nur den so erzeugten Schemen auf. In der moribunden Kulisse ist kein Platz für als Individuen ausgewiesene Helden; sie verschwinden in der Komparserie, gehen in Hitlers anonymer Statisterie der Todgeweihten auf. Dem heroischen Kampf der Schicksalsgemeinschaft verleiht der Bühnenzauber auf der Walstatt mitten im Feindesland jenes mystische Flair des Unwirklichen, das dem Zuschauer im Theatersessel daheim das Gefühl vermitteln hilft, Bühne und Parkett gehörten zusammen. Der tragische Tod ist von der Besetzungsliste gestrichen, nur der heroisch drapierte Tod bekommt auf Hitlers Welttheater einen schönen Abgang wie im antiken Heldenepos. Was die Optik nicht verklären konnte, besorgt die opernhafte Klangkulisse: »Ja, die Fahne ist mehr als der Tod!«

Die deutschen Landser in ihrem unaufhaltsamen Vorwärtsdrange beobachtet die Kamera mit Vorliebe als Brücken überschreitende energiegeladene Pioniere der Tat – das symbolisch gemeinte andere Ufer als ihr siegverheißendes Ziel fest im Visier.

Dem Begriff der »vordersten Front« korrespondiert qualitativ jener der »Heimatfront«. Kämpfer für Hitlers Siege hier wie dort, bilden sie eine unverbrüchliche Schicksalsgemeinschaft, auch in der Gewißheit wechselseitiger Verläßlichkeit. Selektive Kameras in einer deutschen Waffenschmiede summieren in den intelligenten Physiognomien und ernsten Mienen deutscher Rüstungsfacharbeiter das unbedingte Vertrauen in ihre Präzisionskünste. Wie bombensicher das technische Räderwerk von Rüstungsminister Fritz Todt funktioniert, findet in der folgenden Sequenz als Inszenierung hoch am wolkenlosen Himmel einen imponierenden Ausdruck. Im pausenlosen Wechsel hageln Stukas und Langstreckenbomber ihre tödliche Fracht auf militärische und zivile Ziele herunter. Das Ziel im Fadenkreuz, lassen sich die Stukas bis auf hundert Meter über der Erde herunterfallen – diese von enervierendem Sirenengeheul begleiteten Fallgeschwindigkeiten bekommen hier sinnliche Qualität – Maschine und Mensch werden eins. Die Schlacht um das legendäre Bollwerk Chemins des Dames wird kartographisch mit effekt-

voller Tricktechnik eingeleitet, um noch das Hirn logistischer Generalstabsarbeit vor Augen zu führen, das hier in Generaloberst von Rundstedt personifiziert wird.
Natürlich darf sich der deutsche Landser zwischen seinen Siegen auch mal entspannen. Sogar frontgehärtete Haudegen können lustig sein, oder was die Filmautoren dafür halten: Während sie auf einem Bauernhof biwakieren, bespritzen sich die kampferprobten Männer mit Wasser, planschen, ei der Daus, in viel zu kleiner Wanne zwischen wild umhergackernden Hühnern. Die Kamera belauscht die Helden beim Friseur, beim Stiefelputzen, beim Pferdestriegeln, beim Briefeschreiben, während der deutsche Offizier noch in der Gefechtspause seine heiligen Pflichten versieht: Er studiert die Karte für die nächste Attacke. Wer im Kino möchte da nicht mit dabei sein, bei den fröhlichen Siegern. Auf die entsprechende Marschliedbeschwingtheit folgen elegischere Töne eines orgelspielenden Landsers; dessen Stimmungslage überblendet der Film weich auf Wasser, worin eine blonde deutsche Frau in der Heimat ihre Wäsche spült. Für sie zu kämpfen, will die rührende Szene sagen, um ihr Glück zu bewahren, sind die tapferen Jungs gegen den Erbfeind über die Maginotlinie marschiert, denn »Siegreich woll'n wir Frankreich schlagen«. Dann folgt dramaturgisch wohltemperiert eine siegverheißende Sondermeldung: Der Schützengraben füllt nun wieder Bild und Bewußtsein.
Die relative Zurückhaltung in der verbalen Polemik gegen Frankreich hat ihre Ursache wahrscheinlich in dem Umstand, daß man die kollaborierende Vichy-Regierung und den greisen Marschall Pétain nicht unnötig brüskieren wollte. So wirkt die eher anachronistische Kavalkade trippelnder deutscher Schimmelreiter auf den Champs Elysée als stammte die Sequenz aus einem filmischen Historiengemälde. Diese Parade fand übrigens in Abwesenheit von Hitler statt, nur mit Generaloberst von Bock. Über dem Eiffelturm ebenso wie auf den Denkmälern von Verdun und Compiègne prangt die Siegerflagge.
Höhepunkt des Films ist die genüßlich ausgebreitete Kapitulationszeremonie im Wald von Compiègne. Nachdem der französische General die deutschen Ehrenkompanien abgeschritten hatte, erwarten Hitler (zum ersten Male im Bild!)* und Keitel den besiegten Feind im Waffenstillstandswaggon von 1918, jenem historischen Requisit des »deutschen Traumas«.

* Je weiter sich die Wochenschauen vom Datum der Machtergreifung entfernen, desto sporadischer taucht Hitler darin auf. Sein Erscheinen sollte nicht zur Routine erstarren, sondern dem Zuschauer jedesmal ein psychologisch genau kalkuliertes Erlebnis bedeuten. Hitler selbst hat dafür entsprechende Weisung gegeben: »Ich wünsche nicht, daß bei Veranstaltungen nur Aufnahmen von meiner Person gemacht werden. Die Veranstaltungen müssen in ihren Einzelheiten besser erfaßt werden. Die Wochenschau muß über die Entstehung der neuen Bauten,

Finale: Während Hitler mit Troß als Trimphator Germaniae durch die Kathedrale von Reims schreitet, steigert sich der Choral »Lieb Vaterland, magst ruhig sein« zum Creszendo, zum eigentlichen deutschen Tempo. Das organisierte Publikum durfte sich beruhigt im Kinosessel zurücklehnen, denn nun wußte es: Auf die deutsche Wehrmacht und ihren Oberbefehlshaber Adolf Hitler ist Verlaß.
Um auch etwaigen Zweiflern im Parkett in einer Tour d'horizon den Krieg als einen gerechten zu vermitteln, wirbeln zur Schluß-Apotheose noch einmal die eindrucksvollsten Sequenzen des Films als Kürzel durcheinander, um im Bilde des unaufhaltsamen Vormarsches deutscher Landser zu kulminieren. Im Gegenlicht nimmt der Film das Eingangsstimulans wieder auf: die zum Himmel gereckte soldatische Eideshand als versinnbildlichte höchste Treue.
Der Refrain des dramaturgisch-affektiv gut unter die Bilder gemischten Soldatenliedes »Auf den Straßen des Sieges« von Herbert Windt ersetzt als Leitmotiv die im Film nur sparsam flatternde Hakenkreuzfahne:

»Wenn deutsche Soldaten marschieren,
dann hält sie kein Teufel mehr auf.
Dann fallen die Würfel des Krieges,
dann steigt mit den Fahnen des Sieges
die Weltenwende herauf.«

»Soldat, du bist mein Kamerad,
wenn unsre Knochen bleichen.
Mond fällt auf uns wie blauer Rauch,
der Affe schreit im Bambusstrauch.
Soldat, du bist mein Kamerad,
wenn unsre Knochen bleichen.«

(Dieses Lied des Dichters Klabund war im Dritten Reich verboten)

f. Dem Untergang entgegen

Das reguläre Kinoprogramm in Friedensjahren, das aus einem Kurz-Spielfilm, einem Kulturfilm – wie der Dokumentarfilm damals genannt wurde –, der Wochenschau und dem Hauptfilm bestand, wurde im Krieg nach Bedarf zugunsten der Wochenschau geändert. Dabei wurde die Wochenschau inhaltlich dem Ernst der Zeit angepaßt; humoristische Auflok-

technischer Werke, sportlicher Veranstaltungen mehr bringen. Der Bau der neuen Kongreßhalle in Nürnberg ist z. B. noch nicht einmal erschienen. Die Wochenschau muß politisch witziger gestaltet werden, so z. B. jetzt Aufnahmen über die nervösen Vorbereitungen der Tschechoslowakei bringen. Zum Schluß muß dann eine Großaufnahme des deutschen Soldaten zu sehen sein. Es darf keine Woche vergehen, in der nicht Aufnahmen der Marine, des Heeres und der Luftwaffe erscheinen. Die Jugend ist in erster Linie an solchen Dingen interessiert.«[165]

kerung war unerwünscht. Goebbels warnte wiederholt, bereits von 1940 an, vor allzu optimistischer Einfärbung der Wochenschau. Nach der Kapitulation Frankreichs sollte der Eindruck vermieden werden, nun sei der Krieg zu Ende, und als der Rußlandfeldzug in eine erste kritische Phase trat, gegen Ende 1941, da gestand Goebbels sogar psychologische Fehler ein: Man habe bislang der Bevölkerung zu viele unangenehme Nachrichten vorenthalten.

Im Januar 1942 schreibt Goebbels in sein Tagebuch: »Es ist notwendig, solche Bilder dem deutschen Volke vorzuführen, damit es einerseits sich keinen Illusionen hingibt, andererseits aber auch an diesen Darstellungen feststellen kann, daß die Kriegsführung im Osten auch für den Gegner ihre Begrenzung findet, und daß es keine Schwierigkeiten und kein Ungemach gibt, das nicht am Ende durch menschliche Kraft überwunden werden kann.«[166]

Auch nachdem sich das Ende des 1000jährigen Reiches längst ankündigte, wurde unverdrossen von Hitlers Endsieg gefaselt. Mit der Fortdauer des Krieges erkennt Goebbels jedoch neue zusätzliche psychologische Schwierigkeiten. Im Mai 1943 heißt es in einer Tagebuchnotiz: »Das Problem der Wochenschau wird bei längerer Dauer des Krieges immer schwieriger. Man weiß nicht mehr, was man bringen soll.«

Zu dieser Zeit, im Frühjahr 1943, zählen die Propagandatruppen aller Waffengattungen etwa 15000 Mann. 85 Filmberichter des Heeres, 42 der Marine, 46 der Luftwaffe und 46 Filmberichter der Waffen-SS liefern wöchentlich per Eil-Kurier ihren Rohstoff in die Filmstudios nach Berlin, wo Goebbels mit eiserner Energie selbst Schnitt und Vertonung überwacht und die Interaktion zwischen Text und Kontext zu Kabinettstücken seiner Propagandakünste entwickelt. Wie wir aus seinen Tagebüchern wissen, hielt er die Wochenschau für eines »von den ganz wichtigen Propagandamitteln, die wir augenblicklich im Krieg besitzen. Es kostet zwar jede Woche viel Mühe, die Wochenschau richtig zusammenzustellen, sie zu einen wirksamen Propagandamittel zu machen. Aber die Arbeit lohnt sich.« Goebbels scheint die Musil'sche Formel für Literatur auf die Wochenschau angewendet zu haben, nach der erstere nicht die Aufgabe habe, *das* zu schildern, was ist, sondern das, was sein soll.

Als sich mit der Eskalation des Rußlandkrieges auch die Stärke der Propagandakompanien vergrößerte, wurde eigens die Stelle eines Chefs der Propagandatruppen eingerichtet. Zu jener Zeit wurden auch die »12 Gebote für Filmberichter« erlassen, deren erstes lautete: »Du sollst immer daran denken, daß durch deinen persönlichen Einsatz Millionen an dem Weltgeschehen teilnehmen, und daß du den gegenwärtigen und kommenden Geschlechtern eine wahrheitsgetreue und lebendige Darstellung des gigantischen Ringens um Deutschlands Größe durch deine Arbeit geben mußt.«

Goebbels glaubte bis zum bitteren Ende an die Macht der Propaganda, an einen Sieg mit Hilfe ihrer Bilder; doch die Realität hatte längst auch bei den PK-Truppen anders entschieden und alle Illusionen zerstört, die mit ihrer Hilfe genährt worden waren. Von Ende 1944 an wurden alle »frontverwendungsfähigen« Männer der Propagandatruppen zu den kämpfenden Truppen abkommandiert. Bis Oktober 1943 waren mehr als tausend PK-Berichter bereits gefallen, vermißt oder verwundet. Bereits im November 1943 wurde das Hauptgebäude der Ufa, in dem alle Kriegswochenschauen fertiggestellt worden waren, durch Bomben schwer beschädigt. Die Produktionsstudios der Wochenschau wurden im Juni 1944 nach Buchhorst verlagert, in eine Baracke in den Außenbezirken Berlins. Obwohl jetzt höchstens noch ein Drittel des regulären Personals verhanden war, bleibt Goebbels' Optimismus unerschüttert.
»Die letzte Filmstatistik ist trotz aller Schwierigkeiten in den verschiedenen Gauen immer noch positiv ausgefallen«, schreibt Goebbels am 22. März 1945 in sein Tagebuch. »Man wundert sich darüber, daß das deutsche Volk noch Lust hat, überhaupt ins Kino zu gehen. Trotzdem ist das im größten Umfange der Fall.« [167] Ausgerechnet an diesem 22. März 1945 erschien mit Nr. 755/10 die letzte *»Deutsche Wochenschau«*.
Im sich verfinsternden Reich wurde der verzweifelte Siegeswille der kämpfenden Truppe und der zivilen Front von den fanatischen Durchhalteparolen des Joseph Goebbels genährt, den jemand, der es wissen mußte, Veit Harlan nämlich, später als »Meister der Fehlinformation« charakterisiert. Hitler und Goebbels war längst klar, daß sie das deutsche Volk in den Untergang trieben, und genau dies war als ultima ratio ihre zynische Absicht: »... denn was nach dem Kampf übrigbleibt, seien ohnehin nur die Minderwertigen, denn die Guten seien gefallen«. Nach den Tagebuchaufzeichnungen seines Rüstungsexperten Albert Speer sagte Hitler am 18. März 1945 noch folgendes: »Wenn der Krieg verlorengeht, wird auch das deutsche Volk verloren sein. Dieses Schicksal ist unabwendbar.« Es sei nicht notwendig, auf die Grundlagen, die das Volk zu seinem primitivsten Weiterleben braucht, Rücksicht zu nehmen. Im Gegenteil, es sei besser, selbst die Dinge zu zerstören. Denn das Volk hätte sich als das schwächere erwiesen, und dem stärkeren Ostvolk gehöre dann ausschließlich die Zukunft.[168]
Hippler antwortet auf gelegentliche Vorwürfe, die Wochenschau verniedliche den totalen Krieg oder unterschlage den eigenen Anteil an Verlusten aus der Sicht des Frontkämpfers: Dieser werde »dabei der letzte sein, der von der Wochenschau verlangen würde, daß sie die grauenhaftesten Kriegsereignisse wiedergeben solle. Ihm wird es genügen, daß er selbst das Grauen des Krieges am eigenen Leibe erfährt... Gerade der deutsche Soldat würde sich die Veröffentlichung von Bildern verbitten, die zeigen, wie ein Kamerad von einer feindlichen Kugel getroffen wird.«

»In den Ostwind hebt die Fahnen,
denn im Ostwind stehn sie gut,
dann befehlen sie zum Aufbruch,
und den Ruf hört unser Blut.
Und ein Lied gibt dann die Antwort,
und das trägt ein deutsch Gesicht,
dafür haben viel geblutet,
darum schweigt der Boden nicht.

In den Ostwind hebt die Fahnen,
laßt sie neue Straßen gehn,
laßt sie neue Straßen ziehen
daß sie alte Heimat sehn.

In den Ostwind hebt die Fahnen,
daß sie wehn zu neuer Fahrt.
Macht euch stark! Wer baut im Osten,
dem wird keine Not erspart.

In den Ostwind hebt die Fahnen,
denn der Ostwind macht sie weit –
drüben geht es an ein Bauen,
das ist größer als die Zeit!«

Deutsche Wochenschau Nr. 651/10/1943 (Zensur: 24.2.1943):
Für die demagogische Kraft der Deutschen Wochenschau kann die Ausgabe vom 27. Februar 1943 als paradigmatisch gelten: Die Kapitulation der 6. Armee in Stalingrad am 2. Februar 1943, jenes historische Datum, das die Wende des Krieges markiert, wurde zur Vorwärtsstrategie umgedeutet, gekämpft wurde auf imaginärer Walstatt, im Irgendwo, nicht identifizierbar für den Mann im Kino.
Wochenschauen wie diese sind nicht nur wegen der Perfektion der propagandistischen Dialektik in Bild und Kommentierung berühmt und berüchtigt, sondern auch wegen der rhetorischen Künste von Goebbels, dem Hauptakteur. Seine Rede an die Nation im Berliner Sportpalast vom 18. Februar 1943 zählt zu jenen makabren Inszenierungen, in deren hypnotischen Sog sich das deutsche Volk in den Untergang mitreißen ließ. Diese Wochenschau wird auch für künftige Zeiten ein Dokument bleiben, das bei späteren Generationen hoffentlich abschreckende Gefühle auslöst. Sie belegt jenen historisch gewordenen Augenblick, in dem Goebbels »vor unseren Feinden, die uns an ihrem Rundfunk zuhören« die wohl tödlichste Suggestiv-Frage der deutschen Geschichte stellt: »Wollt ihr den

totalen Krieg? Wollt ihr ihn, wenn nötig, totaler und radikaler, als wir ihn uns heute überhaupt noch vorstellen können?« Die Formel »Totaler Krieg« stammt übrigens von Erich Ludendorff, der sie seiner Schrift über vaterländische Opferbereitschaft zum Titel gab.[169]
Dieses Filmdokument hält auch die Antwort auf diese Frage Nr. 4 fest, das enthusiastisch gebrüllte »Ja«, mit dem die Repräsentanten des deutschen Volkes für das totale Chaos votierten. Auf Goebbels' fünfte Frage: »ist euer Vertrauen zum Führer heute größer, gläubiger und unerschütterlicher denn je?« rissen die Fahnenträger spontan ihre Tücher in die Höhe, um ihrem Abgott noch in der Ferne lärmend zu huldigen. Als Goebbels seine Rede in den Aufruf kulminieren ließ: »Nun, Volk, steh auf! Und Sturm, brich los!« da erzeugten die Kameras mit Bildern von ekstatisch jubelnden Massen einen solchen Effekt, der das totale Einverständnis der Kinozuschauer zu erklären vermag. Im Sportpalast hatte sich ereignet, was sich Hitler in »Mein Kampf« als »Gemeinschaft der großen Kundgebung« vorgestellt hatte, denn sie »stärkt nicht nur den einzelnen, sondern sie verbindet und hilft mir, Korpsgeist zu erzeugen . . .« Die Abertausende wünscht Hitler sich unter »dem zauberhaften Einfluß dessen, was wir mit dem Wort Massensuggestion bezeichnen. Das Wollen, die Sehnsucht, aber auch die Kraft von Tausenden akkumuliert sich in jedem einzelnen. Der Mann, der zweifelnd und schwankend eine solche Versammlung betritt, verläßt sie innerlich gefestigt: Er ist zum Glied einer Gemeinschaft geworden.«[170]
In diesem Zusammenhang führt Erwin Leiser »Meldungen aus dem Reich« an, nach denen dieser Wochenschaubericht im Kino »die propagandistische Wirkung der Sportpalast-Kundgebung noch wesentlich gesteigert und nachträglich auch dort überhöht hat, wo bisher noch Skepsis herrschte. Auch zurückhaltendere Bevölkerungskreise konnten sich der nunmehr im Bild sichtbaren, hinreißenden Wirkung der Rede und ihres spürbaren Widerhalls bei den Teilnehmern der Kundgebung nicht entziehen.«
Zu diesem Zeitpunkt war das Schicksal der 6. Armee in Stalingrad bereits besiegelt. Doch die Wochenschau-Ausgabe spielt darauf auch nicht andeutungsweise an. Im Gegenteil, es sollte der Eindruck suggeriert werden, die deutschen Truppen befänden sich weiterhin im Vormarsch.
Obwohl Goebbels eine realistischere Berichterstattung auch über die militärische Lage an der Ostfront wünschte, damit die Deutsche Wochenschau keinen weiteren Vertrauensschwund bei der Bevölkerung erleide, sprach sich Hitler ausdrücklich dagegen aus, die Tatsachen womöglich durch krass realistische Bilder auf die Leinwand bringen zu lassen.
»Das große Thema ist Stalingrad«, notiert Goebbels am 21. Januar 1943 in sein Tagebuch. »Wir müssen uns nun allmählich mit dem Gedanken vertraut machen, das deutsche Volk über die dortige Situation zu unter-

richten. Das hätte eigentlich schon länger geschehen können, aber bisher war der Führer immer dagegen. Schließlich und endlich aber können wir die Dinge nicht so weiter treiben lassen, daß wir dem deutschen Volk erst dann etwas sagen, wenn alles vorbei ist.«[171]

Hitler hatte nie für möglich gehalten, daß die Katastrophe in den Bildern der Wochenschau »als das einzige Movens der Geschichte« erscheinen könnte, wie Hans Magnus Enzensberger es formulierte. Hitler wollte allein das NS-Ideengut als *das* Sensationelle optisch interessant vorführen und nicht den »Anblick zerwalzter Leichen, zertrümmerter Städte, explodierender Schiffe«, um den Hunger nach »authentischer Wirklichkeit« zu befriedigen, wie Enzensberger das Standardmuster der Wochenschau zusammenfaßt. Die authentische Wirklichkeit wollte Hitler ausschließlich als die nationalsozialistische gewürdigt wissen; eine andere durfte gar nicht existieren.[172]

Wie Peter Bucher in seiner umfassenden Studie nachgewiesen hat, errang die Wochenschau nie mehr jene Glaubwürdigkeit, die sie nach der Berichterstattung über Hitlers Polen- und Frankreich-Feldzüge erworben hatte. »In zunehmendem Maße fiel die Wochenschau statt dessen der Lächerlichkeit anheim.« Bucher zitiert Volkes Stimme, nachdem die Festung Cherbourg im Juli 1944 gefallen war: »Monatelang zeigte man uns in der Wochenschau die Unüberwindbarkeit des Atlantikwalls. Jetzt ist der schöne Traum aus.«[173]

Nach der Wende von Stalingrad werden die Deutschen bei den folgenden Kriegswochenschauen zu Zeugen von Hitlers allmählichem Verfall, den er nur mit eiserner Selbstdisziplin überspielte, wie zum Beispiel in der *Deutschen Wochenschau Nr. 660/19* vom 28. April 1943. Sie ist zwar auch seinem 54. Geburtstag gewidmet, aber viel mehr seinem Krieg im Raum Leningrad, in der Ukraine, und am Kubanbrückenkopf. Goebbels hatte in seiner Geburtstagsrede auf den Führer am 19. April 1943 eine für Hitlers Aussehen passende Erklärung: »Durcharbeitete Tage und durchwachte und zersorgte Nächte schreiben in solchen Wochen und Monaten ihre unverkennbaren Züge in sein Gesicht.«[174]

Die Wochenschau der Kriegsjahre 1940 bis 1943 war auf ein einziges Thema verpflichtet: den »Endsieg« sichern zu helfen. Im Vertrauen auf die mangelnde Urteilskraft des Volkes war auch die Psychologie der »Deutschen Wochenschau« ganz auf dieses Ziel hin fixiert; ihre Bildargumente im Kontext des Kommentars waren auf die Aktivierung der sogenannten Durchhaltemoral gerichtet. Jede neue Nummer hatte den »Todfeind« zu verteufeln. Er wurde entweder als »ostischer Untermensch« denunziert oder als ausbeuterischer »dekadenter Kapitalist«. Unter einem von Juden beherrschten Imperialismus könne ein deutscher Mensch kein lebenswertes Leben führen, lautete eine der vielen Hetzparolen, wie sie in den NS-Wochenschauen mit System verbreitet wurden.

Juden gibt es im Dritten Reich übrigens nur in der Mehrzahl oder im kollektiven Singular (»*der* Jude«). Die auf die Juden gemünzten zynischen Äußerungen müssen hier in ihrer negativen Vielfalt nicht wiederholt werden.

»Fallen müssen viele und in Nacht vergehn,
eh am letzten Ziele groß die Banner wehn.
Auch die übrig blieben, tragen all ihr Mal
auf die Stirn geschrieben, flammend Notfanal.

Euch, die nach uns kommen,
hämmern wir es ein:
was zum Glück soll frommen
muß erblutet sein!«
(Heinrich Anacker)

Das Ende des Krieges beschleunigt die Invasion der Alliierten am 6. Juni 1944 in der Normandie, die Nemesis bleibt von jetzt an auch im Westen Hitler auf den Fersen. Die *Deutsche Wochenschau Nr. 719/26* (Zensur v. 14. 6. 1944) widmet ihren Bericht dieser bis dahin als unmöglich beschworenen Landung: »Wie ein Ruck geht es durch die deutsche Front... aus allen Rohren flammen die Mündungsfeuer... in die Hölle der deutschen Abwehr, in eine Symphonie von Blut und Schmutz laufen... die Invasoren hinein!« kommentiert der *Film-Kurier* diesen Wochenschau-Bericht. »Überall zeichnen sich die Spuren der Vernichtung, der ungeheuren Material- und Menschenverluste ab, die der Feind in dieser Hölle erlitt.«[175] Wir hören Goebbels aus dem Souffleurkasten.

Deutsche Wochenschauen Nr. 746/1944 (Zensur: 20.12.1944)
747/2/1945 (Zensur: 4.1.1945)
749/4/1945(Zensur: 18.1.1945)

Im Dezember 1944 standen die Sowjets bereits in Ostpreußen und die Amerikaner vor der deutschen Grenze. Gleichwohl verbreitete die Wochenschau die Mär von der Vorwärtsstrategie, wie etwa in der Ausgabe Nr. 747 von Anfang Januar 1945, der zufolge angeblich weiterhin Haus um Haus, Dorf um Dorf genommen und Panzerarmeen zerschlagen werden.

In der letzten Dezember-Ausgabe des Jahres 1944 *(Deutsche Wochenschau Nr. 746)* wird der Kommentar durch die Musikkulisse in seinem heroischen Tenor noch verstärkt: »Feuergarben mähen den Himmel... Auf der Erde aber tobt die Materialschlacht in einem unvorstellbaren Maße. Wände aus Feuer und Stahl stehen zwischen den Kämpfern auf

beiden Seiten und schaffen eine Zone, die unüberwindlich scheint.« Das war Goebbels' Handschrift! Denn ab diesem Winter, der ins letzte Stadium des Chaos' führte, zeigte Hitler an der Wochenschau kein Interesse mehr, die er bis Mitte 1944 noch höchstselbst überwacht hatte.
In der letzten Weihnacht unterm Hakenkreuz, am 24. Dezember 1944, verschmilzt Goebbels' triviales Pathos mit jenem Vers aus dem »Vorwärts! Vorwärts«-Lied, der mit der Fahne in die Ewigkeit zu führen verhieß, jene Fahne, die vielen dann auch in der Realität den Tod zu bedeuten hatte: In dieser Ringsendung des Deutschlandsenders verhöhnt Goebbels über die Ätherwellen mehr die gefallenen Helden als er die darum Trauernden tröstet: »Über die Gräber vorwärts! Die Toten sind stärkere Heere als wir auf dem Lande, als wir auf dem Meere. Sie schreiten uns voran. Im Lärm der Schlachten des Krieges gingen sie von uns. Beim Dröhnen der Glocken eines siegreichen Friedens werden sie zu uns zurückkehren. Mehr als allen Lebenden sind wir ihnen das Reich schuldig. Das ist die einzige Forderung, die sie uns hinterlassen haben. Sie gilt es zu erfüllen. Halten wir dafür unsere Hände und Herzen bereit, dann muß sich bald, wie der Dichter sagt, die Welt erneuern, wie ein junggeboren Kind.« Das zynische Tondokument kontrapunktiert Hans-Jürgen Syberberg in seinem Film *»Hitler, ein Film aus Deutschland«* (1978) zu Bildern von Auschwitz-Öfen.
Die *Deutsche Wochenschau Nr. 749* von Mitte Januar 1945 warf den letzten Hoffnungsanker aus: Auf die Existenz einer Wunderwaffe war das kriegsmüde deutsche Volk bereits seit Monaten durch gezielte Gerüchte vorbereitet worden. Goebbels versuchte verzweifelt, die magische V-Waffe als einsatzfähig darzustellen, obwohl sie im wörtlichen Sinne nichts als eine leere Hülse war: »Wir bringen die ersten Aufnahmen von V 2 auf ihrem Flug nach England. Sie wurden aus Gründen der Geheimhaltung aus größerer Entfernung aufgenommen und geben nur einen schwachen Begriff vom wirklichen Größenverhältnis der V 2.« Hitler selbst hatte sich alle Entscheidungen über Bildberichte zum Thema V-Raketen vorbehalten.
Albert Speer, der Hitler mehrfach erklärt hatte, daß »ich diese ganze Propaganda für absolut verkehrt halte«,[176] schrieb am 2. November 1944 an Goebbels, daß es ihm »unzweckmäßig erscheint, der Öffentlichkeit Hoffnungen zu machen, ohne daß für absehbare Zeit mit Sicherheit deren Erfüllung gewährleistet ist... Ich darf Sie deshalb bitten, Vorsorge zu treffen, daß... Andeutungen über noch in der Zukunft liegende Erfolge unserer Rüstungsproduktion vermieden werden.«[177]
Otto Hahn, Werner Heisenberg und C. F. von Weizäcker dachten wohl auch nicht wirklich daran, die Atomzertrümmerung, die Entwicklung der Uranmaschine und des Zyklotrons voranzutreiben und Hitler eine derartig verheerende Vernichtungspotenz dienstbar zu machen. Ganz abgese-

hen davon mangelte es den Forschern an den notwendigsten Laborkapazitäten und an versierten Mitarbeitern. Speer erinnert sich an einen privaten Vortrag von Heisenberg, in dem er den »Mangel an Geldmitteln und Materialien« beklagte: »Amerika würde daher voraussichtlich bereits jetzt einen Vorsprung haben, der bei den umwälzenden Möglichkeiten der Kernspaltung außerordentlich folgenreich werden könnte.«[178] Die Forscher waren sich vermutlich der von Michael Stürmer später so genannten dialektischen Einheit von Schöpferkraft und Zerstörungskraft bewußt.

In den *Deutschen Wochenschauen Nr. 723/30/1944, Nr. 725/32/1944* und *Nr. 737/44/1944* hatte Goebbels die V2 bereits angekündigt, zuerst in seiner Breslauer Rede vom 8. Juli 1944. Auch die Wunderwaffe »Ein-Mann-Torpedo« wurde um diese Zeit in der Wochenschau gleich dreimal als Hoffnungsträger vorgestellt. (Nr. 724/31/1944, Nr. 732/39/1944 und Nr. 735/42/1944).

Deutsche Wochenschauen Nr. 751/6/1945 (Zensur: 10.2.1945)
752/7/1945 (Zensur:19.2.1945)

Erstmals im Februar 1945 war Goebbels unter dem Druck der Verhältnisse – und das hieß damals konkret: angesichts der endlosen, nicht mehr zu verheimlichenden Flüchtlingsströme deutscher Volksgenossen aus dem Osten – bereit, die militärische Niederlage als Faktum, nicht jedoch als Fatum zuzugeben. So errichtete er gleichzeitig die Fiktion eines Bollwerks der »Wende«: »Auf diesem Boden« (das war nun das deutsche Reich) »wird und muß Deutschland für Europas Schicksal die Wende erzwingen« *(Deutsche Wochenschau Nr. 752)*.

Erschütternde Szenen von Deutschen auf der Flucht, Volksgenossen, die ihre »Heimat, Hab und Gut aufgeben und vor dem Mongolensturm« zurückweichen mußten, sprechen in Bildern und Ton *die* Sprache, die sich mit der Realität deckt *(Deutsche Wochenschau Nr. 751)*.

Deutsche Wochenschau Nr. 753/8/1945 (Zensur: 5.3.1945)

»Die Wochenschaubilder, die von Berlin gezeigt werden, sind unter aller Kritik. Ich habe aber die Absicht, aus der Schlacht um Berlin ein Heldenlied zu machen. Die Berliner verdienen das auch. Das ganze Reich schaut heute mit einer verhaltenen Spannung auf die Reichshauptstadt, immer in der geheimen Befürchtung, daß sie den Belastungen nicht gewachsen wäre. Wir werden beweisen, daß diese Befürchtungen keine Begründung haben«. An diese prognostischen Worte von Goebbels vom 28. November 1943 war anläßlich der *»Deutschen Wochenschau Nr. 753/8/1945«* zu erinnern, die außer über »Greueltaten sowjetischer Soldaten« und »Abwehrkämpfe« in den Räumen Jülich, Budapest, Ratibor und Frankfurt/Oder erstmals über den Einsatz des Volkssturms in Berlin berichtet, der in der umkämpften Reichshauptstadt Barrikaden baute.

Die *Deutsche Wochenschau Nr. 754/9* (Zensur: 16.3.1945) wird in die

Geschichte der Publizistik eingehen als Beispiel für zügellose Demagogie, die aus jeder Niederlage einen Sieg zu machen versteht und noch die Todeszuckungen als Genesung feiert. So verwandelt sie einen Lohnstreik in den USA zum Trost für das eigene Elend.
Obwohl in Filmen wie *»Sieg im Westen«* Hitlers Truppen tatsächlich siegreich waren, war der damalige Kommentar weit weniger euphorisch als der Kommentar im letzten Stadium der Katastrophe und angesichts der vielen Tode. »Nur dort, im Angesicht des Todes, war es möglich, daß die germanische Unschuld sich in den Herzen der Besten hielt«, beschwor schon 1930 Ernst Jünger jene deutsche Schicksalsstunde, »die mythische Maße besäße.«[179]
Obwohl auch die Wochenschauleute wußten, was die Stunde geschlagen hatte, fabrizierten sie gleichwohl Texte, die man heute für Satire halten könnte, die für das damalige Publikum jedoch blanker Zynismus, mindestens tödlicher Ernst war. Freilich hat Goebbels – der sich übrigens den jüdischen Satiriker Robert Neumann insgeheim als Mitarbeiter des »Völkischen Beobachters« wünschte, »damit das Blatt jeder mit Interesse liest«[180], – die Texte meistens selbst auf das demagogische Niveau gebracht. Er ließ sich vom Leiter der Filmabteilung im Propagandaministerium, Fritz Hippler, jede einzelne Wochenschau-Edition im Rohschnitt vorlegen, und korrigierte Tendenz und Kontext durch Schnitte und Akzentuierung. Vor allem veränderte er die Kommentare. Hippler hatte jeweils am Wochenanfang mit dem »stummen Rohschnitt der Wochenschau« bei Goebbels zu erscheinen, »dann mit dem Feinschnitt, den unterlegten Musikpassagen und dem revidierten Text... Dann wurde diskutiert und entschieden, ob und was zu ändern und zu ergänzen... sei«. [181] »Hier ging es nicht um ›objektive‹ Berichterstattung, um neutrale Ausgewogenheit, sondern ›in der Erkenntnis unseres Rechts‹, um optimistische, siegesbewußte Propaganda, dazu bestimmt, das seelische Kampfpotential des deutschen Volkes zu kräftigen.«[182] Vier Beispiele für diese »siegesbewußte Propaganda« in der Endphase der Deutschen Wochenschau und des Großdeutschen Reiches mögen genügen; auch sie geben keine Auskunft über die tatsächliche Lage.
In der *Wochenschau Nr. 754/9/1945* vom 16. März 1945 werden in *Sequenz 1* (Bericht aus den USA) gewalttätige Auseinandersetzungen von Streikenden mit der Polizei gezeigt, die tatsächlich aber aus dem Jahre 1937 stammen und in Chicago aufgenommen wurden. Der Kommentar lügt gleich mehrfach folgendermaßen: »In einer amerikanischen Industriestadt werden die gegen die geringen Löhne protestierenden Arbeiter zusammengeschlagen. Seit der Machtübernahme ist in Deutschland der Polizeiknüppel verschwunden«. Auf den Polizeiknüppel konnten die Nazi-Schergen verzichten, sie hatten ihre Konzentrationslager.

Sequenz 2 (Westfront) suggeriert mit folgenden Sätzen, die deutschen Truppen seien im Vormarsch: »Das sind die Söldlinge eines ehrgeizigen USA-Generals, der abermals dicht an seinem Ziel vorbeiging. Ihm sollte ein Cannae gegen die deutschen Truppen nicht gelingen. Wie im Osten kämpfen hier deutsche Soldaten unerschüttert, solange Atem in ihnen ist. Das Gros der deutschen Armeegruppe hat mit allen schweren Waffen den Strom überschritten«. Was der Film verschweigt, ist die Tatsache, daß die Truppen den Strom auf ihrem Rückzug überschritten.
In *Sequenz 3* (Wlassow-Armee) marschieren »die mit den modernsten Waffen ausgerüsteten Einheiten« des »Befreiungskomitees der Völker Rußlands« an General Wlassow vorüber, und in *Sequenz 4* (Kurlandfront) rennen die Bolschewisten viermal gegen den Brückenkopf Kurland an, und »viermal wurde ihr Ansturm unter ungeheuren Verlusten an Menschen und Material abgeschlagen« (wessen Verluste verschweigt der Kommentar).
In *Sequenz 5* (Ostpreußen) ziehen Trecks, die »von morgens bis abends reichen...«, über das zugefrorene Haff »in den Schutz des Reiches«. In *Sequenz 6* (Skorzeny) verbreitet der damals populäre Volksheld und Befreier des Duce (12.9.1943), SS-Obersturmbannführer Otto Skorzeny, vor der Kamera Zuversicht in Form markiger Sätze nach Landsknechtart: »Auch der Iwan ist zu schlagen. Das hat unser Haufen bewiesen.«
In *Sequenz 7* (Front an der Lausitz) heißt es siegestrunken: »In harten Gefechten wird durch Panzer und Infanterie Straße um Straße gesäubert. Zwischen den brennenden Häusern arbeiten sich Grenadiere mit Panzerfäusten nach vorn, um die Reste der zurückgehenden Bolschewisten zu erledigen. Auch im Raum Görlitz ist wie im Westen der Krieg mehr denn je Sache des ganzen Volkes geworden. – Die Befreiung der Stadt Lauban: Gegen diesen Ort vor Görlitz treten in den ersten Märztagen mit starker Schlachtfliegerunterstützung deutsche Panzer und Grenadiere zum Gegenangriff an. Nach tagelangen heißen Gefechten dringen die Deutschen am 6. März in die Stadt ein.« (Zwei Monate später hat das Dritte Reich aufgehört zu existieren.)
Goebbels heftet »auf dem Marktplatz des eben erst zurückeroberten Lauban« (Goebbels) dem 16jährigen Hitlerjungen Wilhelm Hübner das Eiserne Kreuz an die junge Heldenbrust. Das letzte Aufgebot waren Schüler ab 13, 14, 15 Jahren, die für eine größenwahnsinnige Ideologie geopfert wurden, eine Ideologie, die in der Ausrottung der Juden und anderer sogenannter nichtgermanischer Rassen und Völker das »humane« Ziel ihrer Jugend sah.
Die *Sequenz 8* (russische Grausamkeiten) soll von den eigenen entsetzlichen Grausamkeiten an Juden ablenken durch Denunziation des russischen Feindes. So geifert es im NS-Jargon: »Auch in diesem Gebiet haben

die bolschewistischen Bestien die schlimmsten Verbrechen begangen. Das viehische Treiben dieser Untermenschen jagt jedem anständigen Deutschen das Blut in die Schläfen. Das sind die Untaten der Verbündeten Roosevelts christlicher Soldaten. Mordtaten von einem grauenhaften Sadismus haben auch hier den deutschen Soldaten gezeigt, daß es gegen diesen Gegner kein Wanken und kein Pardon mehr geben darf. – Eine an Ketten zu Tode geschleifte Frau.«

Hier wurde Goebbels' Ratschlag aus seinen sogenannten Kampftagen buchstäblich befolgt: Weil die Maschine »intakt« zu halten ist, »müssen wir jetzt wieder an die primitivsten Masseninstinkte appellieren«.

In *Sequenz 9* (Goebbels' Rede) triumphiert die neurotische Rhetorik des Joseph Goebbels ein letztes Mal: Auf den ausgemergelten Gesichtern der Rüstungsarbeiter und kampfesmüden Soldaten entdeckt die Kamera Hoffnungsschimmer, während sie der Suada des Propagandaministers andächtig lauschen (11.3.1945), die hier nur in ihren typologischen Kernsätzen wiedergeben werden kann: »Daß unsere Soldaten, wenn sie jetzt an diesem oder an jenem Teil der Ostfront zur Offensive antreten, keinen Pardon mehr kennen und keinen Pardon mehr geben. Jene Divisionen, die jetzt schon zu kleinen Offensiven angetreten sind, und in den nächsten Wochen und Monaten zu Großoffensiven antreten werden, werden in diesem Kampf hineingehen wie in einen Gottesdienst. Und wenn sie ihre Gewehre schultern und ihre Panzerfahrzeuge besteigen, dann haben sie nur ihre erschlagenen Kinder und geschändeten Frauen vor Augen, und ein Schrei der Rache wird aus ihren Kehlen emporsteigen, vor dem der Feind erblassen wird. So wie der Führer die Krisen der Vergangenheit bewältigt hat, so wird er diese bewältigen. Er ist fest davon überzeugt. Noch vorgestern sagte er mir: Ich glaube so fest daran, daß wir diese Krise bewältigen werden, und ich glaube so fest daran, daß, wenn wir unsere neuen offensiven Armeen hineinwerfen, daß wir den Feind schlagen und zurückjagen werden, und ich glaube so fest, daß wir eines Tages den Sieg an unsere Fahnen heften werden, wie ich je in meinem Leben an etwas fest geglaubt habe. Unserem Führer Adolf Hitler: Sieg Heil, Sieg Heil, Sieg Heil.« So wie schon zur »Kampfzeit« stilisiert Goebbels noch in der letzten Agonie-Phase des Reiches den Glauben an Hitlers Unbesiegbarkeit zur »Religion des Erfolges« (C. F. v. Weizsäcker). Rhetorik war für ihn Argument, nicht Aufklärung.

Dieser mit demagogischer Virtuosität gestaltete Agitationsfilm mit dem historischen Dokument der letzten siegverheißenden Goebbels-Diabolik am Massengrab des Dritten Reichs wird sicher in späteren Rhetorik-Seminaren als exemplarisch für verbale, mimische und gestische Suggestivwirkung analysiert werden. Die berühmt-berüchtigte Görlitzer Rede gibt außer über die Psyche des Redners beredte Auskunft auch über jenen

Zustand der (deutschen) Massenseele, den die Nazis gern für immer bewahrt hätten.
Selbst manchem Menschen von heute fällt es – nicht nur bei uns – schwer, wie ich bei Diskussionen immer wieder feststellen konnte, sich der Faszination dieser rhetorischen Orgie zu entziehen, wohl auch unter dem Einfluß der Kamera, welche die Rede in einen atmosphärischen Realismus zu kleiden verstand. Niemand als Deutschlands oberster Staatsschauspieler Goebbels selbst wußte es besser, daß seine verzweifelte Beschwörung des Sieges nichts anderes war als ein bravouröser Nekrolog auf das untergehende Dritte Reich.
Sequenz 10 (Frontvisite des Führers) zeigt Hitler zum vorletzten Mal als einen an Leib und Seele gebrochenen Mann, den der Kommentator gleichwohl hoffnungsfroh empfängt: »Der Führer ist da! Die freudige Begrüßung der Soldaten ist wie ein Treuegelöbnis aller Kämpfenden an den Mann, der Deutschlands und Europas Schicksal in den Händen hält – und meistern wird!« Die Götterdämmerung erhält ihren Ausdruck in der äußeren Erscheinung des Mannes schon in der Dunkelzone, der einmal Deutschlands strahlender Held gewesen war: mit schleppendem Gang geht er auf Offiziere zu, die er, in kränklich vorgebeugter Haltung, mit Handschlag begrüßt. Am Tische sitzend, macht er fahrige Bewegungen, seine Physiognomie wirkt nervös, er gibt hektische Sätze von sich (die das Tonband verschweigt).
Die Kamera läßt Hitler an Soldaten vorbei auf sich zukommen, bis er unterhalb der Kameraperspektive ins Auto steigt. Die ganze Szenerie wirkt gespenstisch, so als ob bereits Hitlers endgültiger »Abgang« angedeutet werden sollte. Ein stärkerer Kontrast als der zu Goebbels' starken Worten in der vorausgegangenen Sequenz ist kaum vorstellbar. In sein Tagebuch notiert Goebbels über Hitler am 5. 3. 1945: »Sein Nervenzittern an der linken Hand hat sehr zugenommen, was ich mit Entsetzen bemerkte.«[183] Eine Woche vorher, am 24. Februar 1945, macht Hitler auf den Gauleiter Karl Wahl »den Eindruck eines Menschen der sichtlich krank und am Ende seiner Kräfte war«.[184] Obwohl Hitler wußte, daß sein Krieg verloren war, so hat er sich gleichwohl stolz in seinem »Erfolg« zurückgelehnt, die Juden vernichtet zu haben. Am 13. 2. 1945 offenbart er Martin Bormann sein »Vermächtnis»: »Ich jedenfalls habe das Weltjudentum gezwungen, die Maske fallen zu lassen, und selbst wenn unsere Anstrengungen fehlschlagen, so wird es sich nur um einen vorübergehenden Fehlschlag handeln, denn ich habe der Welt die Augen geöffnet über die jüdische Gefahr.«[185]
Die zehn Kapitel der *Deutschen Wochenschau Nr. 755/10/1945*, die am 27. März 1945 erschien, sind ein schicksalhaftes Dokument nicht nur ihres eigenen Endes; es ist zugleich das letzte filmische Dokument Adolf Hitlers. Zusammen mit Reichsjugendführer Arthur Axmann dekoriert

der vom Tode gezeichnete, seelisch gebrochene Führer, den die Deutsche Wochenschau bis dahin nur in Siegerpose gezeigt hatte, im Park der Reichskanzlei zwanzig halbwüchsige Pimpfe mit dem Eisernen Kreuz. Im Show-down Hitlers darf seine letzte übermittelte Geste, ein leichtes Streicheln über die Wange eines der dekorierten 13jährigen Pimpfe, als die wohl einzige filmisch bezeugte menschliche Haltung, ja scheue Regung des Führers gelten, die zugleich die ganze Perversion des Durchhaltekrieges verkörpert. Der Psychoanalytiker Fromm meint, wer Hitlers Persönlichkeit verstehen möchte, müsse sich klarmachen, »daß die Maske, die das wahre Gesicht dieses ruhelos umhergetriebenen Menschen bedeckte, die eines liebenswürdigen, höflichen, beherrschten, fast scheuen Menschen war«.[186] Fromm, der 1934 emigrieren mußte, hat Hitler nicht gekannt.
Die Wochenschau weiß von den Rückzugsgefechten an den Fronten von Breslau, Königsberg, Stettin den Eindruck zu erwecken, als seien die am Kartentisch posierenden General Lasch und Gauleiter Koch die Herren des Geschehens, gar der Offensive. Die leinwandfüllende Landkarte verweigert Angaben über den Frontverlauf; am Stettiner Brückenkopf hatten die deutschen Truppen bereits eine Woche vor Erscheinen dieser Wochenschau kapituliert (20.3.45). Eine weitere Szene berichtet davon, daß eine halbe Million Deutsche per Schiff »ins Reich zurückgebracht« werden, während deutsche Kriegsschiffe den Kurland-Kämpfern Waffen bringen. Auch in diesem Bericht darf der notorische Hinweis auf Grausamkeiten der Russen nicht fehlen, die plündern und morden und 60jährige Großmütter vergewaltigen und dieses natürlich auf bestialischste und pervertierteste Weise.
Laut dieser letzten Deutschen Wochenschau »erfüllt das deutsche Volk weiter seine Pflicht... und erfüllt ein Gebot der Stunde: Kämpfen und stehen.« Statt zu kämpfen und zu stehen, oder »mit Panzerfaust, Maschinenpistole und Karabiner an Straßenkreuzungen Aufstellung« zu nehmen, wie Goebbels es noch am 24. April 1945 im »Völkischen Beobachter« in einer Lobrede auf das »Genie« des Führers schrieb, hat Hitler es vorgezogen, sich eine Woche später, am 30. April 1945, in seiner »Reichshauptstadt« Berlin durch Selbstmord der von ihm so oft beschworenen Volksgemeinschaft zu entziehen. Goebbels folgte ihm einen Tag später am 1. Mai 1945 dorthin nach, wohin die Fahne aus der Horst-Wessel-Hymne weist.
»Hangmen Also Die« (1942) heißt ein amerikanischer Film über Hitlers Henkerknecht Heydrich, den Fritz Lang nach einem Skript von Bertolt Brecht gedreht hat, um mit den Opfern der kleinen tschechischen Stadt Lidice die von Hitlers Helfershelfern Himmler, Heydrich, Eichmann usw. zahllosen Hingemordeten zu ehren. »No surrender« nennt Hanns Eisler seinen nachdenklich machenden, bewegenden Song in diesem

Film. Aber für die Opfer von Lidice, Warschau, Auschwitz, Buchenwald ist es kein Trost, daß auch die Henker gewaltsam starben: Hitler und Himmler, Goebbels und Göring durch eigene Hand, Eichmann und andere durch den Strang.
Die Massenmörder liegen in keinem Heldengrab; keine Fahne flattert ihnen nach. Die einst zu inhaltsschwangeren Symbolen hochstilisierten Blutsfahnen werden anläßlich der Siegesfeier auf Moskaus Rotem Platz allegorisch in den Schneematsch geworfen.

VI. Anhang

Anmerkungen

Vorwort

1. Hippler, Fritz, in: Filmkurier, Berlin, 5. April 1944
2. Frick, Wilhelm am 19. Februar 1933 in Dresden in: Frankfurter Zeitung, Frankfurt am Main, 21. Februar 1933
3. Hitler, Adolf: Mein Kampf. 2 Bde. München 1925–1927
4. Goebbels, Joseph: Rede zur Eröffnung der Reichskulturkammer in der Berliner Philharmonie am 15. November 1933, zit. nach: Film im Dritten Reich. Hrsg. von Gerd Albrecht. Karlsruhe 1979. S. 267
5. Virilio, Paul: Die Ästhetik des Verschwindens. Berlin 1986. S. 98
6. Isaksson, Folke: Politik und Film. Ravensburg 1974. S. 190
7. Courtade, Francis u. Pierre Cadars: Geschichte des Films im Dritten Reich. München 1975
8. Albrecht, Gerd: Nationalsozialistische Filmpolitik. Stuttgart 1969.
9. Leiser, Erwin: »Deutschland erwache!« Reinbek b. Hamburg 1968. (rororo - aktuell. 783)

I. Symbolwert von Fahnen und Standarten

1. Joseph Goebbels am 28. März 1933, in: Goebbels, Joseph: Reden. Hrsg. von H. Heiber. Bd 1–2. Düsseldorf 1971–1972
2. Canetti, Elias: Masse und Macht. Frankfurt am Main 1960. S. 95
3. Allgemeine Encyclopädie der Wissenschaften und Künste in alphabetischer Reihenfolge von bekannten Schrifstellern bearb. u. hrsg. von J. S. Ersch und J. G. Gruber. Leipzig 1845. S. 119
4. Wagner, Richard: Tristan und Isolde. Vollständiges Buch. Leipzig 1941. 1. Akt, 4. Aufzug. S. 30
5. Hitler, Adolf, zit. aus: Kerutt, Horst u. Wolfram M. Wegener: Die Fahne ist mehr als der Tod. Ein deutsches Fahnenbuch. München 1940 (2. Aufl.: 1943). S. 143
6. Freiligrath, Ferdinand: Sämtliche Werke. 10 Bde. Hrsg. von L. Schröder. Leipzig 1907
7. Wentzcke, Paul: Die deutschen Farben. Heidelberg 1955. S. 126

8. Freytag, Gustav: Politische Aufsätze. Leipzig 1888. S. 437
9. Heine, Heinrich: Sämtliche Schriften. Hrsg. von K. Brigleb. München 1971. Bd. 4: Ludwig Börne, eine Denkschrift. S. 88
10. Freiligrath, Ferdinand: Sämtliche Werke, a. a. O.
11. Reichsgesetzblatt. Berlin. 12. November 1848
12. Bismarck, Otto von: Gedanken und Erinnerungen. Stuttgart 1898. Bd 1, S. 38f
13. Wentzcke, Paul: Die deutschen Farben, a. a. O. S. 113f.
14. Wentzcke, Paul: Die deutschen Farben, a. a. O. S. 125f.
15. Wentzcke, Paul: Die deutschen Farben, a. a. O. S. 132f.
16. David, Eduard, in: Die Geschichte von Schwarz-Rot-Gold. Beiträge zur deutschen Flaggenfrage. Berlin 1922
17. Sell, Friedrich C.: Die Tragödie des deutschen Liberalismus. Stuttgart 1953. S. 393
18. Reichsgesetzblatt. Teil I. Berlin, 1934. S. 785
19. Pimpf im Dienst, Potsdam 1934. S. 8
20. Das neue Fischer-Lexikon in Farbe. Frankfurt am Main 1981. Bd 3, S. 1712
21. Rundfunkbericht von Joseph Goebbels über eine Regierungskundgebung im Berliner Sportpalast am 10. Februar 1933, aus: Goebbels, Joseph: Reden. Bd 1, a. a. O. S. 68f
22. Kurzke, Hermann: Mafia-Kultur und Yogi Hitler in: Frankfurter Allgemeine, Frankfurt am Main, 18. Oktober 1986
23. Reich, Wilhelm: Die Massenpsychologie des Faschismus. Köln 1971. S. 106
24. List, Guido von: Die Bilderschrift der Ario-Germanen. Leipzig 1910. (Guido-List-Bücherei I, 5.)
25. Hitler, Adolf: Mein Kampf. München 1923. S. 551ff
26. Killinger, Manfred von: Die SA in Wort und Bild. Leipzig 1934. (Männer und Mächte.)
27. Wentzcke, Paul: Die deutschen Farben, a. a. O. S. 158
28. Barthes, Roland: Mythen des Alltags. 4. Aufl. Frankfurt am Main 1976. S. 95
29. Niess, Wolfgang: Machtergreifung '33. Stuttgart 1982, darin auf S. 127: Erlaß des Reichsinnenministers von 1934
30. Koch, Hannsjoachim Wolfgang: Geschichte der Hitlerjugend. Percha 1975. S. 81
31. Brecht, Bertolt: Kriegsfibel. Hrsg. von Ruth Berlau. Berlin 1955.
32. Hebbel, Friedrich: Agnes Bernauer, 5. Akt, 10. Szene; vgl. Schneider, Peter: ... ein einzig Volk von Brüdern. Recht u. Staat in der Literatur. Frankfurt am Main 1987. S. 144
33. Wentzcke, Paul: Die deutschen Farben, a. a. O., S. 27
34. Wentzcke, Paul: Die deutschen Farben, a. a. O. S. 36
35. Böhmer, Johann Fr.: Die Rothe Thüre zu Frankfurt am Main, in: Archiv für Frankfurter Geschichte und Kunst, hrsg. im Auftrag d. Frankfurter Vereins für Geschichte u. Landeskunde. Frankfurt am Main 1844. Heft 3, S. 114f
36. Vondung, Klaus: Magie und Manipulation. Ideologischer Kult u. politische Religion des Nationalsozialismus. Göttingen 1971. S. 160
37. Hitler, Adolf: Mein Kampf, a. a. O. S. 198

38. Loiperdinger, Martin: Nationalsozialistische Gelöbnisrituale im Parteitagsfilm, in: Politische Kultur in Deutschland. Hrsg. von Dirk Berg-Schlosser u. Jakob Schissler. Opladen 1987. S. 142
39. Kerutt, Horst u. Wolfram M. Wegener: Die Fahne ist mehr als der Tod, a. a. O. S. 9–11
40. Canetti, Elias: Masse und Macht, a. a. O. S. 156
41. Fest, Joachim C.: Hitler, eine Biographie. Frankfurt am Main 1973. S. 699f
42. Friedländer, Saul: Kitsch und Tod. München 1984. S. 28
43. Kaufmann, Günther: Das kommende Deutschland. Berlin 1940. Zitiert nach: Brandenburg, Hans Christian: Die Geschichte der HJ. Köln 1968, S. 227
44. Illustrierter Filmkurier. Berlin. 1933, Nr. 1920
45. Müller, Paul: Wir wollten die Welt verändern. Frankfurt am Main 1987. S. 13
46. Film und revolutionäre Arbeiterbewegung in Deutschland 1918–1932. 2 Bde. Berlin (DDR) 1975. Bd 2, S. 107
47. Korff, Gottfried: Rote Fahnen und Tableaux Vivants. Zum Symbolverständnis der deutschen Arbeiterbewegung im 19. Jahrhundert, in: Studien zur Arbeiterkultur. Hrsg. von Albrecht Lehmann. Münster 1984. (Beiträge zur Volkskultur in Nordwestdeutschland. 44.) S. 103–140, zit. Stelle auf S. 104
48. Wendel, Friedrich: Die rote Fahne. Ein Entwurf ihrer Geschichte als Beitrag zur deutschen Flaggenfrage. Berlin (um 1925). S. 7
49. Korff, Gottfried: Rote Fahnen und Tableaux Vivants, a. a. O. S. 114
50. Korff, Gottfried: Rote Fahnen und Tableaux Vivants, a. a. O. S. 117
51. Schumann, Gerhard, in: Die Lieder vom Reich. München 1935. S. 34
52. Koch, Hannsjoachim Wolfgang: Geschichte der Hitlerjugend, a. a. O. S. 80
53. Schirach, Baldur von, in: Völkische Musikerziehung Berlin, 1938. S. 146–148
54. Faschismus. Hrsg. von der Neuen Gesellschaft für Bildende Kunst und dem Kunstamt Kreuzberg, Berlin. Renzo Vespignani (Teils.) Berlin 1976. (Elefanten-Presse. 3.) S. 131
55. Dohms, Peter: Flugschriften in Gestapo-Akten. Nachweis u. Analyse d. Flugschriften in den Gestapo-Akten d. Hauptstaatsarchivs Düsseldorf. Siegburg 1977. (Veröffentlichungen d. Staatlichen Archive des Landes Nordrhein-Westfalen. Reihe: Quellen und Forschungen. 3.) S. 552f
56. Virilio, Paul: Krieg und Kino. Logistik d. Wahrnehmung. München 1986. S. 186
57. In Treue fest – der Verein und seine Fahne. *Filmbericht* von Ursula Scheider. Redaktion: Karl J. Joeressen. Gesendet im ZDF am 23. 7. 1982
58. Ohne Haß und ohne Fahne. Kriegsgedichte des 20. Jahrhunderts. Hrsg. von Ernesto Grassi. Reinbek bei Hamburg 1959
59. Hörfunk-Sendung »Diagonal«, Österreichischer Rundfunk. 1. Programm. 5. März 1988

II. Die Fahne im Spielfilm

1. Lang, Fritz: in: Das Kulturfilmbuch. Hrsg. von E. Beyfuss u. A. Kosowsky. Berlin 1924. S. 31

2. Regel, Helmut: Historische Stoffe als Propagandaträger, in: Der Spielfilm im Dritten Reich. Dokumentation d. 1. Arbeitsseminars der Westdeutschen Kurzfilmtage Oberhausen. Leitung: Hilmar Hoffmann, Manfred Dammeyer, Will Wehling. Oberhausen 1966
3. Goebbels, Joseph: Reden, Bd 2, a. a. O. S. 111
4. Goebbels, Joseph: Tagebücher aus den Jahren 1942–43 mit anderen Dokumenten. Zürich 1948
5. Goebbels, Joseph am 19. 4. 1942, Feierstunde der NSDAP am Vorabend von Hitlers 53. Geburtstag, in: Goebbels, Joseph: Reden, a. a. O., S. 112
6. Goebbels, Joseph: Reden, Bd 2, a. a. O., S. 114
7. Hippler, Fritz: Betrachtungen zum Filmschaffen. Berlin 1942. S. 79
8. Shaw, George Bernard: Mensch und Übermensch. Eine Komödie. 3. Akt: Don Juan in der Hölle. 2. Aufl. Berlin 1907
9. Guderian, Heinz: Erinnerungen eines Soldaten. 4. Aufl. Neckargemünd 1960.
10. Arbeitsmaterialien zum nationalsozialistischen Propagandafilm Hitlerjunge Quex. Zsgest. u. Text: Gerd Albrecht. Frankfurt am Main: Dt. Inst. f. Filmkunde. 1983. S. 20
11. Möller, E. W., in: Wulf, Joseph: Literatur und Dichtung im Dritten Reich. Reinbek bei Hamburg 1966 (rororo–Taschenbuchausgabe 809/811.) S. 243
12. Illustrierter Film-Kurier. Berlin. 15:1933
13. »Die Fahne ist die neue Zeit«, in: Kinematograph. Berlin. 12. September 1933
14. Kalbus, Oskar: Vom Werden deutscher Filmkunst. Teil II: Der Tonfilm. Altona-Bahrenfeld 1935. S. 121f
15. Goebbels, Joseph in einem Brief an den Ufa-Direktor E. H. Corell (datiert vom 25. September 1933), in: Goebbels, Joseph: Der Angriff. Aufsätze aus der Kampfzeit. München 1935
16. Illustrierter Film-Kurier. Berlin, 15:1933, Nr. 1975
17. Illustrierter Film-Kurier, Berlin. 15:1933, Nr. 2034
18. Ewers, Hanns Heinz: Horst Wessel. Ein deutsches Schicksal. Stuttgart 1933
19. Belling, Kurt: Der Film in Staat und Partei. Berlin 1936. S. 70
20. Wulf, Joseph: Theater und Film im Dritten Reich. Gütersloh 1964. S. 335
21. Illustrierter Film-Kurier, Berlin, 14:1932, Nr. 1890
22. Polianskij, Valerian: Das Banner des Proletkult, in: Ästhetik und Kommunikation. Hamburg. 2:1972, Heft 5/6 (Februar), S. 85f
23. Kracauer, Siegfried: From Caligary to Hitler. London 1947. S. 240
24. Goebbels, Joseph: Rede vom 19. Mai 1933, in: Arbeitsmaterialien zum nationalsozialistischen Propagandafilm: Hitlerjunge Quex, a. a. O., S. 442
25. Kinematograph. Berlin, 11. Oktober 1933

III. Gründe für Hitlers Aufstieg

1. Goebbels, Joseph: Der totale Krieg, in: Goebbels, Joseph: Der steile Aufstieg. München 1944. S. 128
2. Vergl. Hoffmann, Hilmar (Hrsg.): Gegen den Versuch, Vergangenheit zu

verbiegen. Mit Aufs. u.a. von Broszat, Craig, Habermas, Mommsen... Frankfurt am Main 1987
3. Habermas, Jürgen: Eine Art Schadensabwicklung, in: Die Zeit, Hamburg, Nr. 29 vom 11. Juli 1986, S. 40
4. Nolte, Ernst: Faschismus in seiner Epoche. München 1963
5. Nolte, Ernst in: Frankfurter Allgemeine, Frankfurt am Main, 6. Juni 1986
6. Richter, Horst-Eberhard: Leben statt machen. Hamburg 1987, S. 110; Vgl.: Hoffmann, Hilmar: Zukunft ist wieder denkbar, in: Frankfurter Rundschau, Frankfurt am Main, Nr. 118/20, 21. Mai 1988
7. Richter, Horst-Eberhard: Leben statt machen, a. a. O. S. 141
8. Über den Faschismus, in: Gegen den Strom. Organ der KPD (Opposition). Berlin, Jg 1930. – jetzt in: Faschismus und Kapitalismus. Otto Bauer, Herbert Marcuse, Rosenberg (u. a.) 2. Aufl. Frankfurt am Main 1967
9. Dimitrov, Georgi: Arbeiterklasse gegen Faschismus. Zuerst Moskau 1935. Jetzt Mannheim 1975
10. Opitz, Reinhard: Über die Entstehung und Verhinderung von Faschismus, in: Das Argument. Berlin. 1974, Nr. 87
11. Fest, Joachim C.: Hitler, a. a. O.
12. Toland, John: Adolf Hitler. Bergisch-Gladbach 1977
13. Heer, Friedrich: Der Glaube des Adolf Hitler. Anatomie einer politischen Religiosität. München 1968
14. Reich, Wilhelm: Massenpsychologie des Faschismus. Zuerst Kopenhagen 1933. Jetzt Köln 1971
15. Theweleit, Klaus: Männerphantasien. 2 Bde. Frankfurt am Main 1977 – 1978
16. Adorno, Theodor W. u. Max Horkheimer: Dialektik der Aufklärung. Zuerst New York 1944. Jetzt Frankfurt am Main 1969 und 1987
17. Dahrendorf, Ralf: Gesellschaft und Demokratie in Deutschland. München 1965
18. Friedländer, Saul: Kitsch und Tod. München 1984. S. 118
19. Hitler, Adolf: Mein Kampf. 220–224. Tsd. München 1936. S. 371
20. Lipset, Seymour Martin: Soziologie der Demokratie. Neuwied 1962 (Soziologische Texte. 12.)
21. Vgl.: Der Nationalsozialismus. Dokumente 1933–1945. Hrsg. von Walter Hofer. Frankfurt am Main 1957 (Fischer-Bücherei 172) S. 23
22. Kracauer, Siegfried: Die Angestellten. Frankfurt am Main 1930
23. Der Nationalsozialismus. Hrsg. von Walter Hofer, a. a. O., S. 24
24. Dahrendorf, Ralf: Gesellschaft und Demokratie in Deutschland, a. a. O. S. 442
25. Vgl.: Kühnl, Reinhard: Der deutsche Faschismus in Quellen und Dokumenten. Köln 1975. S. 96
26. Theweleit, Klaus: Männerphantasien, a. a. O.
27. Theweleit, Klaus: Männerphantasien, Bd 1, a. a. O. S. 212–213
28. Jünger, Ernst: Der Kampf als inneres Erlebnis. Berlin 1922. S. 53
29. Jünger, Ernst: Der Kampf als inneres Erlebnis, a. a. O. S. 12
30. Jünger, Ernst: Der Kampf als inneres Erlebnis, a. a. O. S. 37
31. Adorno, Theodor W. u. Max Horkheimer: Dialektik der Aufklärung, a. a. O. S. 109

32. Adorno, Theodor W. u. Max Horkheimer: Dialektik der Aufklärung, a. a. O. S. 1
33. Färber, Helmut: Baukunst und Film. Aus der Geschichte des Sehens. München 1977
34. Balázs, Béla: Schriften zum Film, Bd 2: Der Geist des Films. Artikel u. Aufsätze 1926–1931. Frankfurt am Main 1972. S. 73

IV. Filmpropaganda im Dritten Reich

1. Hitler, Adolf: Mein Kampf, a. a. O. S. 654
2. Schneider, Wolf: Wörter machen Leute. Magie u. Macht d. Sprache. Hamburg 1982. S. 121
3. Die Ufa. Ein Beitrag zur Entwicklung des deutschen Filmschaffens. Hrsg. von Hans Traub. Berlin 1943. S. 26
4. Tucholsky, Kurt: Chaplin in Kopenhagen, in: Die Weltbühne. Berlin. 7. 6. 1927 (unter dem Pseudonym Peter Panter); in: Tucholsky, Kurt: Gesammelte Werke. Bd 5. Reinbek b. Hamburg 1975. S. 226
5. Die Ufa. Ein Beitrag... Hrsg. von Hans Traub, a. a. O., S. 29
6. Taylor, Richard: Film Propaganda Soviet Russia and Nazi Germany. London 1979. S. 22
7. Ludendorff, Erich: Meine Kriegserinnerungen. Berlin 1919. S. 285 f
8. Kalbus, Oskar: Pioniere des Kulturfilms. Karlsruhe 1956. S. 18 f
9. Kracauer, Siegfried: Von Caligari bis Hitler. Reinbek bei Hamburg 1958, S. 26 (Rowohlts deutsche Enzyklopädie. 63)
10. Die Ufa. Ein Beitrag... Hrsg. von Hans Traub, a. a. O. S. 35
11. Spiker, Jürgen: Film und Kapital. Berlin 1975. S. 34
12. Hermes, Gottlieb: Politische Auslandsfilme, in: Das deutsche Lichtbildbuch. Hrsg. von Heinrich Pfeiffer. Berlin [1924]. S. 35
13. Le Bon, Gustave: Psychologie der Massen. Leipzig 1908. (Philosophisch-soziologische Bücherei. 2.) S. 18 f
14. Le Bon, Gustave: Psychologie der Massen, a. a. O. S. 20
15. Mann, Thomas: Doktor Faustus. Stockholm 1947
16. Hitler, Adolf: Mein Kampf, Bd 2, a. a. O., S. 11
17. Mitscherlich, Alexander u. Margarete Mitscherlich: Die Unfähigkeit zu trauern. Grundlagen d. kollektiven Verhaltens. München 1967.
18. Fetscher, Iring: Kunst im Dritten Reich. Frankfurt am Main 1974. S. 8
19. Friedländer, Saul: Kitsch und Tod. München 1984. S. 118
20. Hitler, Adolf: Mein Kampf, Bd 1, a. a. O. S. 6
21. Hitler, Adolf: Mein Kampf, a. a. O. S. 197
22. Licht-Bild-Bühne. Berlin. 13. November 1933
23. Rosenberg, Alfred: Blut und Ehre. München 1940. S. 214
24. Filmkurier. Berlin. Vom 29. März 1933
25. Hitler, Adolf: Mein Kampf, a. a. O. S. 198
26. Hitler, Adolf: Mein Kampf, a. a. O., S. 317
27. Grimm, Hans: Volk ohne Raum. Leipzig 1926

28. Adorno, Theodor W.: Einleitung in die Musiksoziologie. Reinbek bei Hamburg 1968, S. 60 (Rowohlts deutsche Enzyklopädie. 292/293)
29. Glaser, Hermann: Das dritte Reich. Freiburg 1961. S. 54
30. Traub, Hans: Der Film als politisches Machtmittel. München 1933. S. 26
31. Gay, Peter: Die Republik der Außenseiter. Frankfurt am Main 1987. S. 180
32. Hitler, Adolf, in seiner Rede am 4. Dezember in Reichenberg, in: Völkischer Beobachter, München, 4. Dezember 1938
33. Gay, Peter: Die Republik der Außenseiter, a. a. O., S. 107f
34. Grundschriften der deutschen Jugendbewegung. Hrsg. von Werner Kindt. Düsseldorf 1963, darin S. 66: Vorwort von Hans Breuer zur 10. Auflage des Zupfgeigenhansl
35. Götz von Olenhusen, Irmtraud: Jugendreich, Gottesreich, Deutsches Reich. Köln 1987 (Edition Archiv der deutschen Jugendbewegung. 2.) S. 8
36. Die Inszenierung der Macht. Ästhetische Faszination im Faschismus. Hrsg. von F. Wagner u. G. Linke. Berlin 1987
37. Witte, Karsten: Der Apfel und der Stamm, in: Schock und Schöpfung. Darmstadt 1986. S. 306
38. Sachsze, Hans Joachim: Filmpublikum von morgen, in: Der deutsche Film. Berlin. 2:1937, Heft 6, S. 168f
39. Sachsze, Hans Joachim: Filmpublikum von morgen, a. a. O., S. 199
40. Belling, Kurt und Alfred Schütze: Der Film in der Hitlerjugend. Berlin 1937. S. 62
41. Klönne, Arno: Jugend im Dritten Reich. Düsseldorf 1982. S. 34
42. Sander, Anneliese Ursula: Jugend und Film. Berlin 1944. (Das junge Deutschland. Sonderveröffentlichung. 6.) S. 72
43. Geheimes Protokoll des SD, vom 3. April 1941 [Bundesarchiv Koblenz R 58/159]
44. Häcker, W.: Der Aufstieg der Jugendfilmarbeit, in: Das junge Deutschland. Amtl. Organ d. Jugendführers des deutschen Reiches. Berlin 1943, Heft 10, S. 235
45. Hitler, Adolf: Mein Kampf, a. a. O., S. 471
46. Rosenberg, Alfred: Mythus des 20. Jahrhunderts. München 1930. S. 521
47. Hitler, Adolf: Mein Kampf, a. a. O., S. 473f.
48. Hitler, Adolf: Mein Kampf, a. a. O., S. 118
49. Funk, Alois: Film und Jugend. München, phil. Diss. v. 15. 6. 1934. S. 97
50. Koch, Hannsjoachim Wolfgang: Geschichte der Hitlerjugend. Percha 1975. S. 173
51. Koch, Hannsjoachim Wolfgang: a. a. O., S. 173
52. vergl. Hoffmann, Hilmar: Die Brücke. Rezension des Wicki-Films, in: Rheinischer Merkur/Christ und Welt. Bonn Nr. 7 vom 12. Februar 1988
53. Entretien avec Michel Foucault, in: Cahiers du Cinéma, Paris, Nr. 251/252 (Juli/August) 1974 S. 19
54. Goebbels, Joseph: Der steile Aufstieg. München 1943. S. 45 u. 48
55. Notiz von Joseph Goebbels vom 23. Juli 1941 [Bundesarchiv Koblenz BA NL 118]
56. Das Reich. Berlin, Nr. 23 vom 8. Juni 1941
57. Sachsze, Hans Joachim: Filmpublikum von morgen, a. a. O., S. 199

58. Sander, Anneliese Ursula: Jugend und Film, a. a. O., S. 118.
59. Flessau, Kurt-Ingo: Schule der Diktatur. Lehrpläne u. Schulbücher d. Nationalsozialismus. Frankfurt am Main 1984. (Fischer-Taschenbuch 3422) S. 117
60. Belling, Curt: Der Film in Staat und Partei. Berlin 1936.
61. Belling, Curt: Film und Partei, in: Filmkurier, Berlin, 31. Dezember 1936
62. Die Fahne ist mehr als der Tod. Ein deutsches Fahnenbuch. Hrsg. von Horst Kerutt u. Wolfram M. Wegener. 3. Aufl. München 1943. S. 139–141

V. Die nichtfiktionalen Genres der NS-Filmpropaganda

1. Lampe, F.: Kulturfilm und Filmkultur, in: Das Kulturfilmbuch. München 1924. S. 24
2. Oertel, Rudolf: Der Filmspiegel. Ein Brevier aus der Welt des Films. Wien 1941. S. 227f.
3. Kaufmann, Nicholas: Sein Feld ist die gesamte Welt, in: Filmforum. Emsdetten. 4:1955, Heft 11, S. 7
4. Lichtwark, E. W. M., in: Kulturfilm-Almanach. Hamburg 1948
5. Goodmann, Nelson: Kunst und Erkenntnis, in: Theorien der Kunst. Hrsg. von Dieter Henrich u. Wolfgang Iser. Frankfurt am Main 1984.
6. Kalbus, Oskar: Pioniere des Kulturfilms, a. a. O., S. 27
7. Pfeiffer, M., in: Die Bedeutung des Films und Lichtbildes. 7 Vorträge. München 1917. S. 33
8. Kalbus, Oskar: Pioniere des Kulturfilms, a. a. O., S. 27
9. Gutterer, Leopold: Form und Gehalt. Die geistigen und materiellen Grundlagen der heutigen deutschen Kulturfilmarbeit, in: Der deutsche Film. Berlin. 7:1942, Nr. 8/9, S. 2
10. Tucholsky, Kurt, in: Die Schaubühne Berlin vom 23. April 1914
11. Elster, Alexander in der Zeitschrift »Bild und Film«, zit. nach: Die Ufa. Auf den Spuren einer großen Filmfabrik. Berlin von 1920 bis 1945. Ausstellungskatalog. Hrsg.: Bezirksamt Tempelhof, Berlin. Redaktion: Marlies Krebstakies. Berlin 1987. (Elefanten-Presse. 225) S. 30
12. Kalbus, Oskar: Pioniere des Kulturfilms, a. a. O., S. 46
13. Neue Sachlichkeit. Ausstellung Städtische Kunsthalle Mannheim. Deutsche Malerei seit dem Expressionismus. 14. 6. – 13. 9. 1925. (Geleitw.: Gustav Friedrich Hartlaub). Mannheim 1925.
14. Kracauer, Siegfried: Theorie des Films. Frankfurt am Main 1964
15. Lexikon des internationalen Films. Hrsg. von Ulrich Kurowski. München 1975. Bd 1, S. 60
16. Balázs, Béla: Der Geist des Films. Halle 1930. S. 215f
17. Hitler, Adolf: Mein Kampf. a. a. O., S. 526
18. Hippler, Fritz: Betrachtungen zum Filmschaffen. 5., neubearb. u. erw. Aufl. Berlin 1943 (Schriftenreihe der Reichsfilmkammer. 8.)
19. Hippler, Fritz: Betrachtungen zum Filmschaffen, a. a. O.
20. Lukács, Georg: Gedanken zu einer Ästhetik des Kinos, in: Lukács, Georg:

Werkauswahl. Ausgew. u. eingel. von Peter Ludz. Neuwied, Bd 1: Schriften zur Literatursoziologie. 5. Aufl. 1972
21. Goebbels, Joseph: Der steile Aufstieg, a. a. O., S. XIII
22. Mitscherlich, Margarete: Triumph der Verdrängung, in: Stern. Hamburg, 1987, Nr. 42, S. 32
23. Mann, Thomas: Gesammelte Werke in zwölf Bänden. Frankfurt am Main 1960. Bd 10, S. 394
24. Riefenstahl, Leni: Memoiren. München 1987. S. 212
25. Theweleit, Klaus: Männerphantasien. Basel. 1986. Bd 2, S. 64
26. Das deutsche Lichtspielgesetz vom 16.2.1934, § 2, Abs 5, in: Reichsgesetzblatt, Teil I. Berlin 1934, Nr. 1894, S. 95
27. Eckhardt, Johannes: Abbild und Sinnbild, in: Der deutsche Film, Berlin, 3:1938, Heft 1, S. 44
28. Kerr, Alfred: Kino in: Pan. Berlin. 3:1912/13, S. 553–554, nachgedruckt in: Kino-Debatte Tübingen, 1978, S. 76
29. Kutter, Anton: Der »utopische« Kulturfilm, in: Der deutsche Film, Berlin. 7:1942, Nr. 8/9, S. 18
30. Koch, Heinrich u. Heinrich Braune: Von deutscher Filmkunst. München 1943. Bilderseite 4
31. Sontag, Susan: Kunst und Antikunst. München 1980. S. 31
32. Richter, Hans: Der Kampf um den Film. Für einen gesellschaftlich verantwortlichen Film. Frankfurt am Main 1979. (Fischer Taschenbuch 3651 = Fischer Cinema) S. 37
33. Werder, Peter von: Trugbild und Wirklichkeit. Aufgaben des Films im Umbruch der Zeit. 2. Aufl. Leipzig 1943, S. 10
34. Brecht, Bertolt: Der Dreigroschenprozeß, 1931, in: Brechts Dreigroschenbuch. Hrsg. von S. Unseld. Frankfurt am Main 1960. S. 93f.
35. Oertel, Rudolf: Macht und Magie des Films. Frankfurt am Main 1959. S. 75
36. Zglinicki, Friedrich P. von: Der Weg des Films. Die Geschichte d. Kinematographie u. ihrer Vorläufer. Berlin 1956. S. 336
37. Zglinicki, Friedrich P. von: Der Weg des Films, a. a. O., S. 336
38. Meßter, Oskar: Mein Weg mit dem Film. Berlin 1936. S. 130
39. Friedell, Egon: Prolog vor dem Film, in: Das junge Deutschland. Nebent.: Blätter des Deutschen Theaters Berlin. 2:1912, S. 509
40. Hitler, Adolf: Mein Kampf, a. a. O.
41. Oertel, Rudolf: Der Filmspiegel, a. a. O., S. 236
42. Friedell, Egon: Prolog vor dem Film, in: Das junge Deutschland, a. a. O., S. 510
43. Goebbels, Joseph: Rede des Reichsministers Dr. Joseph Goebbels bei der Eröffnung der Reichskulturkammer am 15. November 1933. Frankfurt am Main 1933.
44. Darwin, Charles: Die Abstammung des Menschen, in: Darwin, Charles: Gesammelte Werke. Aus d. Engl. von J. V. Carus. 2. Aufl. 6 Bde. Stuttgart 1899. Bd 5, S. 174
45. Hitler, Adolf: Mein Kampf, a. a. O., S. 202
46. Hillgruber, Andreas: Imperialismus und Rassendoktrin als Kernstück der

NS-Ideologie, in: Strukturelemente des Nationalsozialismus. Hrsg. von Leo Haupts. Köln 1981. S. 11–36
47. Jäckel, Eberhard: Hitlers Weltanschauung. Erw. u. überarb. Ausg. Stuttgart 1981. S. 93
48. Kracauer, Siegfried: Von Caligari bis Hitler, Bd 2, a. a. O., S. 339
49. Kracauer, Siegfried: Theorie des Films. Die Errettung der äußeren Wirklichkeit. Frankfurt am Main 1973. (Siegfried Kracauer: Schriften. 3.) S. 220
50. Adolf Hitler vor der deutschen Presse im Führerbau zu München, zit. aus: Glaser, Hermann: Das dritte Reich. Freiburg 1961. S. 57
51. Traub, Hans: Der Film als politisches Machtmittel. München 1933. S. 26ff
52. Eisenstein, Sergej: Perspektiven, 1929, in: Eisenstein, Sergej: Schriften. Hrsg. von H.-J. Schlegel. München 1973.
53. Goebbels, Joseph: Rede vor den Filmschaffenden in der Kroll-Oper am 10. Februar 1934, in: Deutsche Allgemeine Zeitung, Berlin 11. 2. 1934
54. Eisenstein, Sergej: Über den Faschismus, die deutsche Filmkunst und das echte Leben, in: Eisenstein, Sergej: Schriften. Bd 2. Hrsg. von H.-J. Schlegel. München 1973. S. 210
55. Brecht, Bertolt: Gesammelte Werke. Bd 8. Frankfurt am Main 1967. S. 390f
56. Lenin, N.: Über Kultur und Kunst, in: Lenin, N.: Sämtliche Werke. Berlin (Ost) 1958–1960. S. 646
57. Pudowkin, Wsewolod: Die grundlegenden Etappen in der Entwicklung des sowjetischen Films, 1949, in: Der sowjetische Film. W. Pudowkin, Romm und andere. Eine Vortragsreihe. Berlin (Ost) 1953. S. 16
58. Pudowkin, Wsewolod: Die grundlegenden Etappen in der Entwicklung des sowjetischen Films, 1949, a. a. O., S. 17
58a. Kurowski, Ulrich: Lexikon Film, a. a. O., S. 121
59. Mann, Thomas: Ästhetizistische Politik, in: Mann, Thomas: Betrachtungen eines Unpolitischen. Frankfurt am Main 1983, S. 546
60. Rotha, Paul: Documentary Film. 3. ed. rev. London 1951, S. 142
61. Hoffmann, Hilmar: Triumph des Willens [Rezension], in: Rheinischer Merkur/Christ und Welt. Bonn. Nr. 22 vom 29. Mai 1987
62. Kalow, Gert: Hitler – das deutsche Trauma. München 1974. S. 42
63. Kracauer, Siegfried: Von Caligari bis Hitler. [Anhang zur Neuausg.] Frankfurt am Main 1979. S. 328
64. Kracauer, Siegfried: Theorie des Films, a. a. O. vergl. Hoffmann, Hilmar: Abfallhaufen des Kinos. Über Kracauers Theorie des Films, in: Nürnberger Nachrichten. Nürnberg, 10. Oktober 1970, S. 18
65. Loiperdinger, Martin: Rituale der Mobilmachung. Der Parteitagsfilm »Triumph des Willens« Opladen 1987. S. 34
66. Loiperdinger, Martin: Rituale der Mobilmachung, a. a. O., S. 34f.
67. Kracauer, Siegfried: Theorie des Films, a. a. O., S. 354
68. Nietzsche, Friedrich: Menschliches, Allzumenschliches, Bd 2, § 52, in: Nietzsche, Friedrich: Werke, Krit. Gesamtausg. Hrsg. von G. Colli u. a. Berlin 1967
69. Bourdieu, Pierre: Sozialer Sinn. Frankfurt am Main 1987. S. 127
70. Bourdieu, Pierre: Sozialer Sinn, a. a. O., S. 128

71. Publikationen zu wissenschaftlichen Filmen. Inst. f. den wissensschaftlichen Film, Göttingen. Bd 4, 1977, S. 15, Beitrag von A. Tyrell
72. Benjamin, Walter: Das Kunstwerk im Zeitalter seiner technischen Reproduzierbarkeit. 3. Aufl. Frankfurt am Main 1969. (Edition Suhrkamp. 28.) S. 42
73. Riefenstahl, Leni: Memoiren, a. a. O., S. 222
74. Hagemann, Walter: Publizistik im Dritten Reich. Hamburg 1948. S. 123
75. Hippler, Fritz: Der Tod in Kunst und Film, in: Der deutsche Film. Berlin 6:1941, Heft 6/7
76. Die Ufa. Hrsg. von Hans Traub, a. a. O., S. 165
77. Die Ufa. Hrsg. von Hans Traub, a. a. O., S. 112
78. Eisenstein, Sergej: Offener Brief an den deutschen Propagandaminister Dr. Goebbels, in: Literaturnaja gazeta. Moskau. 22. März 1934, Übersetzung in: Filmwissensschaftliche Mitteilungen. Berlin (Ost) Hrsg. von Hermann Herlinghaus, Übers.: Ruth Herlinghaus. Sonderheft 3/1967, S. 1131–1137
79. Chronik 1938. Dortmund 1987. S. 70
80. Eisenstein, Sergej: Ausgewählte Aufsätze. Berlin (Ost) 1960. S. 207.
81. Kurowski, Ulrich: Lexikon Film. München 1972. (Reihe Hanser 101). S. 83
82. Eisenstein, Sergej: Schriften. Hrsg. von H.-J. Schlegel. Düsseldorf 1973. Bd 2: Béla vergißt die Schere, S. 138
83. Kaufmann, Nicholas: Das Kulturfilmschaffen der Ufa, in: Die Ufa. Hrsg. von Hans Traub, a. a. O., S. 183
84. Leyda, Jay: Film aus Filmen. Berlin (DDR) 1967. S. 24f
85. Hoffmann, Hilmar: Marginalien zu einer Theorie der Filmmontage. Bochum 1969. (Bochumer Texte zur visuellen Kommunikation. 1.) S. 69
86. Hoffmann, Hilmar: Marginalien zu einer Theorie der Filmmontage, a. a. O., S. 26
87. Martin, Marcel, zit. nach Sadoul, Georges: Dictionary of films. Los Angeles 1972. S. 150
88. Leyda, Jay: Film aus Filmen, a. a. O., S. 104
89. Enzensberger, Hans Magnus: Scherbenwelt – Anatomie einer Wochenschau, in: Enzensberger, Hans Magnus: Einzelheiten. Bd 1: Bewußtseins-Industrie. Frankfurt am Main 1964. (Edition Suhrkamp. 63.) S. 106–133
90. Godard, Jean-Luc: Feuer frei auf die »Carabiniers«, in: Godard, Jean-Luc: Godard/Kritiken. Ausgew. Kritiken u. Aufsätze über Film (1950–1970). Hrsg. von Frieda Grafe. München 1971. (Reihe Hanser. 83.)
91. Goebbels, Joseph am 8. Februar 1942, in: Goebbels, Joseph: Reden, a. a. O.
92. Das schwarze Korps. Berlin. 3. Juli 1941
93. Krausnick, Helmut: Hitlers Einsatztruppen. Die Truppen d. Weltanschauungskriegs 1938–1942. Frankfurt am Main 1985 (Fischer Taschenbuch 4344)
94. Hacke, Christian: So unschuldig war die Generalität nicht, in: Die Zeit, Hamburg, Nr. 49 vom 29. November 1985, S. 19
95. Mitscherlich, Alexander u. Margarete Mitscherlich: Die Unfähigkeit zu trauern, a. a. O.
96. Celan, Paul: Todesfuge, in: Celan, Paul: Mohn und Gedächtnis. Frankfurt am Main 1975. (Suhrkamp Taschenbuch. 231.) S. 37–39
97. Zöberlein, Hans: Befehl des Gewissens. München 1937.

98. Filmkurier, Berlin. 20. Januar 1941. s. a.: Wulf, Joseph: Lodz, das letzte Ghetto auf polnischem Boden. Bonn 1962.
99. Deutsche Allgemeine Zeitung. Berlin, 29. November 1940.
100. Illustrierter Filmkurier. Berlin. 1940
101. Foucault, Michel: Überwachen und Strafen. Frankfurt am Main 1976. S. 47
102. Memmi, Albert: Rassismus. Frankfurt am Main 1987
103. Memmi, Albert: Rassismus, a. a. O.
104. Goebbels, Joseph, in: Das Reich. Berlin. 1941, Nr. 27
105. Virilio, Paul: Krieg und Kino. München 1986. S. 110
106. Cranz, Carl, in: Der deutsche Film. Berlin 6/7:1941/42, S. 4
107. Virilio, Paul: Krieg und Kino, a. a.O., S. 35–36
108. Saint-Exupéry, Antoine: Flug nach Arras. Stockholm 1942.
109. Illustrierter Film-Kurier. Berlin. Nr. 3097, vom 28. April 1940
110. Illustrierter Film-Kurier, a. a. O.
111. Leyda, Jay: Film aus Filmen, a. a. O., S. 160–161
112. Huizinga, Johan: Im Schatten von morgen. Bern 1935
113. Romm, Michail: Wer sich anpaßt altert rasch. Ein Gespräch aus dem Jahre 1965, in: Zeitzeichen aus der Ferne. Hrsg. von Friedrich Hitzer. Hamburg 1987. S. 91
114. Kinemathek. Berlin. Heft 24 vom Februar 1966, S. 3
115. Knietzsch, Horst: Film gestern und heute. 3. Aufl. Leipzig 1967. S. 444
116. Romm, Michail: Wer sich anpaßt altert rasch, in: Zeitzeichen aus der Ferne, a. a. O. S. 99
116a. Dokumentaristen der Welt. Hrsg.: Hermann Herlinghaus. Berlin-Ost 1982. S. 62
117. Griffith, Richard: Documentary film since 1939: United States, in: Rotha, Paul: Documentary film. 3. ed. London 1951, S. 310
118. The Historical Journal of Film, Radio and Television. Oxford. 3: 1983, Heft 2 S. 171 f.
119. Barsam, Richard Meran: Nonfiction film. London 1973, S. 183
120. Barsam, Richard Meran: Nonfiction film, a. a. O. S. 191
121. Hadamovsky, Eugen [Bundesarchiv Koblenz R 109 III – Universum Film-AG – Vorlage 11, Schreiben vom 25. 7. 1944]
122. Horak, Jan-Christopher: Anti-Nazi-Filme der deutschsprachigen Emigration von Hollywood 1939–1945. Münster 1985
123. Pudowkin, Wsewolod: Filmtechnik, Filmmanuskript und Filmregie, Zürich 1961, zitiert nach: Kurowski Ulrich: Lexikon Film, a. a. O. S. 76
124. Richter, Hans: Der Film-Essay. Eine neue Form d. Dokumentarfilms, in: National-Zeitung, Basel. Beilage vom 25. April 1940
125. Denkschrift der NSDAP, 1931. Hrsg. von der Reichsfilmstelle, Kapitel B. Zitiert nach: Wulf, Joseph: Theater und Film im Dritten Reich. Gütersloh 1964, S. 300
126. Wolf, Kurt: Entwicklung und Neugestaltung der deutschen Filmwirtschaft seit 1933. Heidelberg, Universität, Staats- und wirtschaftswiss. Diss. v. 22. 2. 1938
127. Goebbels, Joseph: Reden, Bd 1, a. a. O., S. 238
128. Hippler, Fritz: Betrachtungen zum Filmschaffen. Berlin 1942

129. Goebbels, Joseph: Reden, Bd 1, a. a. O., S. 250
130. Hippler, Fritz: Die Verstrickung. Auch ein Filmbuch. Düsseldorf 1981.
131. Giese, Hans-Joachim, in: Leipziger Beiträge zur Erforschung der Publizistik Bd 5. Dresden 1940.
132. rororo-Filmlexikon. Hrsg. von Liz-Anne Bawden u. Wolfram Tichy. Reinbek b. Hamburg 1978 (rororo 6228–6233) [stark überarb. dt. Ausg. d. Oxford-Companion to Film].
133. Oertel, Rudolf: Der Filmspiegel, a. a. O., S. 236
134. Filmkurier. Berlin. Vom 18. September 1936
135. Kracauer, Siegfried: Kino. Frankfurt am Main 1974. (Suhrkamp Taschenbuch. 126). S. 12
136. Bucher, Peter: Machtergreifung und Wochenschau, in: Publizistik. Konstanz. 30:1985, Heft 2/3, S. 190
137. Bucher, Peter: Machtergreifung und Wochenschau, in: Publizistik, a. a. O., S. 193
138. Bucher, Peter: Machtergreifung und Wochenschau, in: Publizisitik, a. a. O., S. 190
139. Mann, Heinrich: Der Film, in: Kino-Debatte. Texte zum Verhältnis von Literatur und Film 1909–1929. Hrsg. von Anton Kaes. Tübingen 1978. S. 167
140. German Newsreels 1933–1947. München: Goethe-Institut. 1984. Hrsg. Stefan Dolezel. S. 9–10
141. Giese, Hans-Joachim: Ganz gewußt, in: Wulf, Joseph: Theater und Film im Dritten Reich. Frankfurt am Main 1983. (Ullstein-Buch. 33031 = Zeitgeschichte), S. 363f.
142. Eckhardt, Johannes: Abbild und Sinnbild, a. a. O., S. 44
143. Filmdokumente zur Zeitgeschichte. Nr. 34, 1958. Die Entwicklung der Wochenschau in Deutschland. Ufa-Tonwoche Nr. 451/1939 Hitlers 50. Geburtstag. Göttingen 1960.
144. Kordt, Erich: Wahn und Wirklichkeit. Stuttgart 1948. S. 152
145. Santé, Georg: Parade als Paradestück, in: 25 Jahre Wochenschau der Ufa. Berlin 1939 (Filmschaffen, Filmforschung. 1.) S. 42f.
146. Bucher, Peter: Wochenschau und Staat, in: Geschichte in Wissenschaft und Unterricht. Seelze. 1984, Heft 11
147. Roellenbleg, Heinrich: Von der Arbeit an der Deutschen Wochenschau, in: Der deutsche Film. Berlin. Sonderausgabe 1940/41
148. Koch, Heinrich u. Heinrich Braune: Von deutscher Filmkunst, a. a. O., S. 3
149. Goebbels, Joseph: Das eherne Herz. München 1943.
150. Dsiga Wertow, Publizist und Poet des Dokumentarfilms. Von N. Abramov, Dsiga Wertow, Esther Schub u. a. Berlin 1960.
151. Hippler, Fritz: Fragen und Probleme der deutschen Wochenschau im Kriege, in: Hippler, Fritz: Betrachtungen zum Filmschaffen, a. a. O.
152. Oertel, Rudolf: Der Filmspiegel, a. a. O., S. 237
153. Filmkurier. Berlin, 25. August 1939
154. Bertram, Hans: Wie der Fliegerfilm entstand, in: Jenaer Zeitung. Jena. 11. April 1940
155. Wessel, Oskar, in: Filmkurier. Berlin. 8. August 1941
156. Goebbels, Joseph, in: Der deutsche Film. Berlin. 5:1940, Heft 11, S. 220

157. Der große deutsche Feldzug gegen Polen. Bearb.: Ernst Wisshaupt unter Mitarb. von Heinrich Hoffmann. Wien 1940
158. Heseleit, Felix: Die neue Wochenschau, in: Filmkurier. Berlin. 11. Juli 1940
159. Spielhofer, Hans, in: Der deutsche Film. Berlin, 1941, Februar
160. Giese, Hans-Joachim: Die Filmwochenschau im Dienste der Politik. Dresden 1940. (Leipziger Beiträge zur Erforschung der Publizistik. 5.) Zugl. Phil. Diss. Leipzig
161. Rosenberg, Alfred: Blut und Ehre, a. a. O., S. 280
162. Traub, Hans: Der Film als politisches Machtmittel. München 1933. S. 24
163. Arendt, Hannah: Elemente und Ursprünge totaler Herrschaft. Berlin 1955
164. Kracauer, Siegfried: Kino, a. a. O., S. 336
165. Aus d. Persönlichen Adjutantur des Führers und Reichskanzlers [Bundesarchiv Koblenz BA NS 10, Nr. 44, S. 72]
166. Goebbels, Joseph: Tagebücher aus den Jahren 1942–43. Mit anderen Dokumenten hrsg. von Louis P. Lochner. Zürich 1948
167. Goebbels, Joseph: Tagebücher 1945. Die letzten Aufzeichnungen. Einf. von R. Hochhuth. Hamburg 1977
168. Leiser, Erwin: Deutschland, erwache! Propaganda im Film des Dritten Reichs. Reinbek b. Hamburg 1968. (rororo 783). S. 113
169. Ludendorff, Erich: Der totale Krieg, München 1935
170. Hitler, Adolf: Mein Kampf, a. a. O., S. 563
171. Goebbels, Joseph: Tagebücher, a. a. O.
172. Enzensberger, Hans Magnus: Scherbenwelt – Anatomie einer Wochenschau, a. a. O.
173. Bucher, Peter: Goebbels und die deutsche Wochenschau, in: Militärgeschichtliche Mitteilungen. Freiburg. 2:1986, S. 53–69
174. Goebbels, Joseph: Reden, Bd 2, a. a. O. S. 212
175. Hagenried, Helmut: Dokument vom Kampf gegen die Invasion, in: Filmkurier. Berlin. 20. Juli 1944
176. Speer, Albert: Erinnerungen. Berlin 1969. S. 579
177. Speer, Albert: Erinnerungen, a. a. O., S. 418
178. Speer, Albert: Erinnerungen, a. a. O., S. 240
179. Jünger, Ernst: Die totale Mobilmachung, in: Krieg und Krieger. Hrsg. von Ernst Jünger. Berlin 1930
180. Hippler, Fritz: Die Verstrickung. Auch ein Filmbuch, a. a. O., S. 186
181. Hippler, Fritz: die Verstrickung, a. a. O., S. 185f.
182. Hippler, Fritz: Die Verstrickung, a. a. O., S. 185
183. Goebbels, Joseph: Tagebücher 1945, a. a. O., Eintragung vom 5. Mai 1945
184. Wahl, Karl: Patrioten als Verbrecher. Heusenstamm 1973. S. 155
185. Hitler, Adolf zu Martin Bormann am 13. Februar 1945, in: Bormann, Martin: The Testament of Adolf Hitler. Bormann-Documents. February-April 1945. Ed. by F. Genoud. London 1962 (Icon Books. G. 3)
186. Fromm, Erich: Anatomie der menschlichen Destruktivität. Stuttgart 1974. S. 383

Veröffentlichungen des Autors zum NS-Film

1. Zeitgeschichte und NS-Zeit im Archivfilm (1945–1960), in: Volkshochschule im Westen. Dortmund, 1960 (Dezember)
2. »Propaganda ist eine schöpferische Kunst« Was bleibt von den Filmen der NS-Zeit?, in: Christ und Welt. Stuttgart, Nr. 42 vom 15. Oktober 1965
3. Massenmanipulation durch NS-Film, in: Volkshochschule im Westen. Dortmund, 1965, Nr. 6 (Dezember)
4. Der Spielfilm im Dritten Reich, Dokumentation des 1. Arbeitsseminars der Westdeutschen Kurzfilmtage Oberhausen (1.–5. Oktober 1965). Hrsg. zus. mit M. Dammeyer. Oberhausen 1966, 246 S.
5. Hitlerjunge Quex až Kolberg, in: Literarni Noviny. Prag. 26. Januar 1966
6. Náci filmek megidézése, in: Film Szinhác Mûzsika. Budapest. 11. Februar 1966
7. Manipulation of the Masses through the Nazi Film, in: Film-Comment. London, New York. 3:1965, 4 (April)
8. Der Kultur- und Dokumentarfilm im Dritten Reich. Dokumentation des 2. Seminars der Westdeutschen Kurzfilmtage über den NS-Film. Hrsg. zusammen mit M. Dammeyer u. W. Wehling. Oberhausen 1970
9. German Cinema of the Nazi Period (zusammen mit Peter Kress), in: Film Library Quarterly. New York. 5:1972, 2 (Spring), S. 8–16
10. Die Wochenschau in Nazi-Deutschland, in: Jahrbuch der Filmkritik. Emsdetten. 9:1970
11. Filmkunst im Dritten Reich, ein Mythos für die Demontage, in: Tribüne. Frankfurt am Main. 15:1976, 59, S. 7093–7099
12. Wochenschau im Dritten Reich in: Tribüne. Frankfurt am Main, 15:1976, 60, S. 7250–7256
13. Die Hypothek der Mörder, in: Merian. Hamburg, 1985, 8, S. 110
14. Filmpropaganda im Dritten Reich, in: Tribüne. Frankfurt am Main. 25:1986, 98, S. 66–75
15. Der Film als »Hure der Macht«, in: Von der Ufa bis zur Defa. Dokumentation der Universität Frankfurt. Frankfurt am Main Wintersemester 1986/87
16. Triumph des Willens (Rezension des Riefenstahl-Films), in: Rheinischer Merkur/Christ und Welt. Bonn. Nr. 22 vom 29. Mai 1987
17. Die Brücke (Rezension des Wicki-Films), in: Rheinischer Merkur/Christ und Welt, Bonn, Nr. 7 vom 12. Februar 1988
18. Nazikunst in deutschen Museen?, in der Reihe: Zerstörung-Verlust-Erinnerung, hrsg. von Peter Hahn. Frankfurt am Main 1988
19. Zeitgeschichte und NS-Zeit im Archiv-Film. In: Theorie und Praxis der Erwachsenenbildung, Hrsg. Hans Tietgens, Frankfurt/M. 1988

Inhalt der Bände II und III

I. Dokumentarfilmanalyse

Filme auf dem Weg ins 3. Reich Wege zu Kraft und Schönheit (1925) - Der Weltkrieg (1927/28) - Der Eiserne Hindenburg in Krieg und Frieden (1929) - Einigkeit und Recht und Freiheit (1931) - Der Stahlhelm marschiert (1932) - Blutendes Deutschland (1933)

Werbefilme der NSDAP Kampf um Berlin (1928) - Reichskanzler Adolf Hitler spricht (1932) - (Teil aus »Hitlers Kampf um Deutschland«, 1931) - Der Führer (1932) - Hitlers Aufruf an das deutsche Volk vom 10. Febr. 1933 (1933)

Werbefilme anderer Parteien Wie der Arbeiter wohnt(1932) - Freiwillige vor (1932) - Einer für alle (1932)

Nationalismus vor 1933 Tannenberg (1924) - Der Jungdeutsche Orden (1925/1926) - Deutschland, mein Deutschland (1933) - Deutschland zwischen gestern und heute (1932)

Filmpropaganda für und gegen das Dritte Reich Wort und Tat (1938) - Wer war es? (1939) - Tran und Helle (1939/1940)

Deutschtum, Brauchtum Flammen der Vorzeit (1934/1935) - Deutsche Weihnacht (1938) - Altgermanische Bauernkultur (1939)

Die Reichsparteitage der NSDAP 1927: Parteitag der NSDAP Nürnberg 1927 (1927) - 1929: Der Nürnberger Parteitag der NSDAP 1929 (1929) - 1933: Sieg des Glaubens (1933) - 1934: Triumph des Willens (1934) - 1935: Tag der Freiheit (1935) - 1936: Reichsparteitag der NSDAP 1936 (1936) - 1937: Festliches Nürnberg (1937) - 1938: Deulig-Tonwoche Nr. 350 (1938)

Hitlers Olympiade 1936 Jugend der Welt (1936) - Die Olympischen Winterspiele 1936 (1936) - Fest der Völker (1938) - Fest der Schönheit (1938)

Blut und Boden Unter der schwarzen Sturmfahne (1932/33) - Blut und Boden (1933)

Der deutsche Bauer Die Saat geht auf (1935) - Bückeburg (1936)

Der deutsche Wald Das ganze Volk soll Wächter sein (1935) - Ewiger Wald (1936)

Volksgesundheit Unsere Fahne ist die Treue (1935) - Gesunde Frau – gesundes Volk (1937) - Gesunde Jugend, starkes Volk (1937)

Sterilisation und Euthanasie Das Erbe (1935) - Erbkrank (1936) - Opfer der Vergangenheit (1937) - Dasein ohne Leben (1942) - Wer gehört zu wem? (1944)

Volksfeind Nr. 1: Der Jude Der ewige Jude (1940) - Juden und Flecktyphus (1942) - Das Warschauer Ghetto (1942–1945) - Der Führer schenkt den Juden eine Stadt (1944/1945)

Erfolge der Partei Deutschland erwacht (1933)- Aus eigener Kraft (1936) - Wort und Tat (1938)

Hitler-Jugend Hitlerjugend in den Bergen (1932) - Wir unter uns (1934) - Einsatz der Jugend (1939) - Unsere Jungen (1939) - Der Marsch zum Führer (1940)

Hitlers Mädel Mädel im Landjahr (1936) - Arbeitsmaiden helfen (1939) - Glaube und Schönheit (1940) - Wir helfen siegen (1943)

Vormilitärische Ausbildung Feindliche Ufer (1938) - Aus der Geschichte des

Fähnleins Florian Geyer (1940) - Soldaten von morgen (1941) - Junges Europa Nr. 1 (1942)

Rüstung Hände am Werk (1935) - Vom Erz zum Stahl (1938) - Deutsche Panzer (1941) - Rüstungsarbeiter (1943) - Es geht um den Sieg (1943) - Raketenversuche in Peenemünde (1944/45)

Welt-Feinde ab Kriegsbeginn Gentleman (1941) - Amerika sieht sich selbst: Jugendkriminalität (1942) - Das Sowjet-Paradies (1942) - Herr Roosevelt plaudert (1943) - Im Wald von Katyn (1943)

Der deutsche Soldat in Frieden und Manöver Wunder des Fliegens (1935) - Deutschlands Heer (1937) - Unsere Artillerie (1932) - Stander ›Z‹ vor! (1935) - Heer im Werden (1937) - Die deutsche Kriegsmarine (1939) - Fallschirmjäger (1939) - Flieger zur See (1939) - Kriegskamerad Pferd (1938) - Helden in Spanien (1938)

Späte Siege über Versailles und die Geschichte Kundgebungen der Saarländer nach der Rückgliederung des Saargebietes (1934) - Annexion Österreichs 1938 (1938)- Hitlers Einzug in Wien (1938) - Sieg über Versailles (1939) - Schicksalswende – Böhmen und Mähren – (1939) - Oberschlesien (1942)

NS-Organisationen (Auswahl) WHW: Wer hilft mir? (1933/1934) - DAF: Schönheit der Arbeit (1934) - RAD: Die Schule der Nation (1934/1936) - RAD: Mädel verlassen die Stadt (1942) - KdF: Arbeiter – heute (1935), Urlaubsfreuden (1936) - NSV: Helfende Hände (1940) - oder Ein Volk hilft sich selbst (1942) - O. T.: Wir fahren nach Deutschland (1942) - KLV: Hände hoch (1942) - SA: Die Wehrmannschaft (1940) - SS: Junker der Waffen-SS (1943)

Kunst und Kultur Die steinernen Wunder von Naumburg (1933) - Das Haus der Deutschen Kunst (1934) - Das Buch der Deutschen: Mein Kampf (1936) - Das Wort aus Stein: Architektur (1939) - Michelangelo (1940) - Arno Breker (1944)

Mythos Adolf Hitler Unser Führer (1934) - Obersalzberg (1938)- Hitlers 50. Geburtstag (1939) - Der Führer und sein Volk (1942)

Recht, Gericht, Volksgerichtshof Deulig-Ton-Woche Nr. 93 (1933) (Reichstagsbrandprozeß) - Prozeß 20. Juli 1944 vor dem Volksgerichtshof (1944) - Verräter vor dem Volksgericht (1944/45)

NS-Totenkult Grabmal des unbekannten Soldaten (1935) - Bau der Ehrentempel (1936) - Ewige Wache (1936)

Bau von Bunkeranlagen Der Westwall (1939) - Atlantikwall (1944)

Hitlers Feldzüge Im Kampf gegen den Weltfeind (1939) - Feldzug in Polen (1940) - Feuertaufe (1940) - »Bismarck« und »Prinz Eugen« im Atlantik (1941) - Leibstandarte SS Adolf Hitler im Einsatz (1941) - Balkanfeldzug (1941) - Seite an Seite (1941) (Kreta) - Der Sieg im Westen (1941) - Die Funker mit dem Edelweiß (1942) - Deutsche Soldaten in Afrika (1942) - Front am Himmel (1940/44) - Zauber der Waffen-SS (1943) - Endkampf um Berlin (1945)

II. Kompilationsfilme nach 1945 über das Dritte Reich und den Faschismus

1) Bundesrepublik Deutschland Beiderseits der Rollbahn (1955) - Brutalität in Stein (1961) - Der gelbe Stern (1980) - Deutschland erwache (1962) - Die Mitläufer (1985) - Eichmann und das Dritte Reich (1961) - Endlösung (1979) - Geheime

Reichssache (1979) - Herrliche Zeiten (1950) - Hitler – eine Karriere (1977) - Hitler, ein Film aus Deutschland (1976/77) - Mißbraucht (1960) - »Reichskristallnacht« (1960) - Völker hört die Signale (1958) - Vom Kaiser zum Führer (1959) - Von Richtern und anderen Sympathisanten (1982) - Wieder aufgerollt: Der Nürnberger Prozeß (1958) - inifred Wagner und die Geschichte des Hauses Wahnfried (1975) - Wundkanal (1984)

2. *Dänemark* Es geht um deine Freiheit (1945)
3. *Deutsche Demokratische Republik* Du und mancher Kamerad (1956) - Ein Tagebuch für Anne Frank (1959) - Freiheit, Freiheit über alles (1960) - Leute mit Flügeln (1960) - Mein Kind (1956) - Unternehmen Teutonenschwert (1958) - Urlaub auf Sylt (1958)
4. *CSSR* Hier fliegen keine Schmetterlinge (1959)
5. *Frankreich* Guernica (1950) - La guerre d'un seul homme (1981) - Le chagrin et la pitié (1969) - Le temps du Ghetto (1961) - Notre Nazi (1984) - Nuit et brouillard (1956) - Shoah (1974–1985)
Vivre (1958)
6. *Großbritannien* Das Leben von Adolf Hitler (1961) - The memory of Justice (1975)
7. *Italien* Ceneri della memoria (1960) - Mauthausen mahnt (1960) - 16. Oktober 1943 (1960)
8. *Jugoslawien* Drei Monumente (1960) - Mosa Pijade (1959)
9. *Polen*Da ist kein Ende des Krieges (1956) - Gestapomann Schmidt (1964) - Requiem für 500000 (1963) - Schön ist das Leben (1957)
10. *Schweden* Mein Kampf (1959)
11. *USA* Die Todesmühlen (1945) - Holocaust (Spielfilm,1977)
12. *UdSSR* Der gewöhnliche Faschismus (1965)

Register

Register der im Text zitierten Filmtitel

Namenregister